HAUTE COLLECTION

Du même auteur

Scrupules
Princesse Daisy
L'Amour en héritage
A nous deux Manhattan
Rendez-vous
Flash
Scrupules Deux
Lovers

JUDITH KRANTZ

HAUTE COLLECTION

Traduit de l'américain par
Agnès Laure

JC Lattès

Titre de l'édition originale
publiée par Crown Publishers, INC New York :

SPRING COLLECTION

A Diane S., ma très chère amie de longue date, fidèle compagne avec laquelle j'ai entretenu tant de conversations enrichissantes. Pendant les vingt ans passés ensemble en Californie, c'est par elle que Brooklyn est resté vivant en moi. Ce portrait d'une beauté de Brooklyn, je le lui dois.

A Steve, mon époux, avec tout mon amour aussi profond qu'inaltérable et en vertu de ce qu'il sait par cœur au bout de ces quarante-deux ans de mariage.

1

Optimiste comme toujours, je me ruai au bureau affreusement tôt. Et, croyez-moi, personne ne marche aussi vite dans les rues de New York. C'est moi Frankie Severino, la reine de la déhanche. En attendant, je n'ai jamais eu à jouer des coudes comme un fort des Halles. Depuis le temps que je prends le train de Brooklyn à Manhattan, j'ai appris à louvoyer, esquiver l'obstacle et me faufiler, même dans la cohue. Si j'étais un homme, j'aurais été un super arrière.

Dans l'ascenseur qui me menait à Loring Model Management où je travaille, je sentais que c'était le grand jour. La nuit dernière, j'ai rêvé du fax de Necker que j'attendais de Paris depuis longtemps. Un rêve d'un réalisme incroyable. Si bien que je me suis réveillée le cœur battant ce matin. J'étais dans tous mes états, mon esprit de compétition aiguisé au dernier degré. Du coup, j'ai bondi du lit, me suis habillée en dix minutes, ai couru jusqu'au métro sans rien avaler.

Le fax n'était pas arrivé. Le petit plateau du courrier était vide. Arrogant, le télécopieur reposait d'un air guindé sur sa table, trop haut pour s'offrir le plaisir de lui donner un bon coup de pied, comme on en balance à un distributeur vide. Faute de l'achever carrément, il ne me restait qu'à m'en retourner d'un pas furieux, écœurée. Heureusement, j'avais mes bottes western. Comme ça au moins, on m'entendait de loin.

A force de mots doux, je réussis à extirper à notre capricieuse cafetière électrique une tasse que j'emportai dans la grande salle de Loring Model Management. Dans une heure, sept bookers seraient assis devant leur téléphone autour de la table ronde. L'emploi du temps de nos mannequins était affiché sur un fichier pivotant. Toute la journée, les bookers, qui s'occupaient chacun d'une douzaine de filles, parlaient dans leur micro tout en faisant tourner le fichier et en consultant leur ordinateur. Peu reluisant comme décor ! Pourtant, l'un de ces appels mené avec doigté pouvait révolutionner le monde de la mode. Du temps où je faisais cela, à mes tout débuts dans la maison, le moindre coup de fil m'électrisait. Aujourd'hui, numéro deux de la boîte à vingt-sept ans, il est nettement plus difficile de m'électriser.

Il faisait un froid polaire dans la salle de booking. Je n'avais toujours pas enlevé le vieux duffel-coat et les deux pullovers que j'avais mis sur ma tenue habituelle : un justaucorps, un collant de danse, des jambières et un gilet noué à la taille. Je me dis que l'endroit le plus douillet, en ce glacial matin de janvier 1994, devait être l'énorme fauteuil de cuir derrière le bureau de ma patronne. Justine s'est construit une formidable petite forteresse, songeai-je en me pelotonnant au creux de son fabuleux siège, bien à portée de la sonnerie du télécopieur, tout en sirotant mon café. Justine Loring. L'unique Justine Loring, mon chef, vient d'avoir trente-quatre ans. Ancien mannequin, elle a su abandonner sa carrière juste à son apogée pour lancer sa propre agence. Sept ans plus tôt, elle m'avait engagée. Ça tombait à pic. Une mauvaise chute — dans le métro, comme de bien entendu — venait de mettre un terme à la mienne. J'étudiais la danse moderne chez Juilliard. Blessée aux deux genoux, je ne pouvais plus espérer danser désormais autre chose que du disco.

Assise à la place de Justine, je pensais que le directeur d'une agence de mannequins doit impérativement avoir son style propre, même si les non-professionnels ne s'en rendent pas compte. Toutes les agences qui marchent sont marquées par une personnalité, qui peut aller du prédicateur au maquereau. Quel était le style de Justine ? Bonne question. Était-elle trop belle, trop séduisante avec le plus grand des naturels, pour jouer les cheftaines scout ? Dieu sait qu'elle avait tout pour elle : directe, très compétente et, par-dessus tout, d'un calme rassurant, elle dégageait force et loyauté. C'était le genre de personne que n'importe qui — moi compris — aurait suivi au haut d'un chemin de montagne escarpé, ou à qui s'accrocher dans une avalanche en étant sûr d'être sauvé.

D'un autre côté, Justine était presque trop sublime. Si tant est qu'on soit mûr à trente-quatre ans, ce dont je doute, elle était encore plus belle que du temps où elle posait entre dix-sept et vingt-cinq ans. Ravissante, reine incontestée du bal des étudiants, pur produit américain dans la lignée de Grace Kelly.

Enfin, vous voyez le genre, des yeux d'un bleu incroyable, un sourire adorable, des dents d'une perfection inimaginable et d'irrésistibles rides d'expression naissantes.

Dans ma famille, des deux côtés mes ancêtres venaient du sud de l'Italie. J'avais donc toujours supposé que ce devait être un trait de caractère typiquement anglo-saxon qui permettait à Justine d'agir quand on pouvait résoudre un problème, ou de laisser tomber quand il était insoluble.

C'était sans doute notre façon si différente d'affronter l'existence qui faisait de nous une excellente équipe. Sans doute aussi la raison pour laquelle, de booker, j'étais vite devenue le bras droit de Justine, et aussi sa meilleure amie. Je réagis suffisamment vite pour lui permettre de jouer les blondes éclatantes en toutes circonstances. C'est moi qui comprends quand et comment piquer une crise, qui n'oublie pas d'assouvir les vengeances inéluctables, qui ne fais jamais le distinguo entre le possible et l'impossible. S'il y a une maxime qui me fait bondir, c'est celle de la bible des Alcooliques anonymes : « Il faut avoir la sagesse d'accepter ce qu'on ne peut changer. » Accepter, tu parles ! Pas quand on est de Brooklyn !

La voix de Justine interrompit ma rêverie.

— Tu as passé la nuit ici ?

Je faillis en renverser mon café froid.

— Tu m'as fait peur ! glapis-je. Je suis là depuis une éternité... J'ai fait un rêve... enfin, peu importe... ça ne t'intéresse pas.

— Effectivement, mon pote.

— J'adore quand tu essaies d'avoir l'air branché.

Je ne pus m'empêcher de lui sourire malgré mon humeur de dogue.

— Et toi, qu'est-ce que tu fais là à cette heure-ci ? m'enquis-je, retrouvant mon calme.

— J'ai passé une nuit d'enfer...

— Tu passes des nuits d'enfer, toi ?

— Oui, moi aussi, mon canard. Mais la nuit dernière, c'était pire que tout. A chaque fois que j'arrivais à m'endormir, je faisais un cauchemar. J'ai fini par comprendre qu'il valait mieux y renoncer et venir travailler un peu ici tranquille. Apparemment, c'est mal parti.

— Pour sûr, tant que je suis sur des charbons ardents.

— Toujours cet ignoble concours, évidemment.

— Évidemment.

Justine eut le culot de lever les yeux au ciel, avec une expression excédée.

— Ne prends pas cet air supérieur, grommelai-je. Tu sais que c'est important, même si tu refuses de l'admettre. Je vais me refaire un café. Tu en veux un ?

— Plus que tout au monde. Bénie sois-tu, mon enfant.

Tout en préparant le café, je méditai sur cette histoire de fax qu'on attendait de Paris. Tout avait commencé trois mois plus tôt. Une femme, Gabrielle d'Angelle, était venue à New York faire le tour des agences de mannequins. C'était l'assistante personnelle d'un certain Jacques Necker. Vous savez, le milliardaire suisse qui dirige le groupe du même nom. Il possède quatre des plus importantes filatures au monde, deux grandes maisons de couture et un certain nombre de sociétés de cosmétiques et de parfums fort lucratives. Il est connu comme le loup blanc. Groupe Necker, GN, comme on l'appelle dans le métier, était devenu le commanditaire du couturier Marco Lombardi qui lançait sa griffe. Celui-ci allait présenter sa première collection de printemps à Paris dans une quinzaine de jours.

— Je recherche de nouvelles têtes, nous annonça la visiteuse dans un anglais irréprochable. Il me faut des visages le plus neuf possible, des filles qu'on n'ait jamais vues dans le milieu de la mode parisien. Mais elles ne doivent pas être trop inexpérimentées, trop débutantes... même si elles n'ont pas de métier, il ne faut pas que ça se voie.

Je cherchai en vain le regard de Justine. De toutes les femmes arrogantes à l'élégance clinquante que j'avais rencontrées, Gabrielle détenait le pompon.

— Je compte m'adresser à toutes les agences de New York et faire des cassettes des plus intéressantes, poursuivit-elle. Trois d'entre elles seront sélectionnées pour venir à Paris présenter la toute première collection de Marco Lombardi. Enfin, l'une d'elles sera choisie pour incarner l'image Lombardi.

Elle nous adressa un sourire condescendant.

— Vous autres Américains, sans doute appelleriez-vous cela un concours. Pour ma part, il s'agit plutôt d'une version moderne du Jugement de Pâris.

— Et quels sont exactement vos projets pour l'heureuse petite gagnante de ce concours ? demanda Justine.

Curieusement, je perçus dans son ton une certaine méfiance que je ne m'expliquai pas : qu'y avait-il de bizarre là-dedans ?

Depuis que la nouvelle s'était répandue, le monde de la mode avait les yeux rivés sur le lancement de Lombardi. Pourquoi Justine ne se réjouissait-elle pas à l'idée de promouvoir de nouvelles têtes ?

Gabrielle d'Angelle prit un air quelque peu froissé et un ton légèrement surpris.

— Comme vous le savez sûrement, Miss Loring, le premier défilé de Lombardi sera l'événement majeur des collections de printemps, répondit-elle. La gagnante signera un contrat de longue durée en exclusivité et sera la vedette d'une campagne de publicité internationale.

— En exclusivité ?

La question de Justine était brusque, presque désagréable. Quel intérêt une femme aussi extraordinaire aurait-elle à se lier à un nouveau couturier ?

Quelle mouche la piquait ? me demandai-je, déconcertée. Jamais elle n'avait traité ainsi un client potentiel.

— Le contrat garantira à la gagnante trois millions de dollars par an pour une durée de quatre ans, déclara d'Angelle.

Ses mots étaient plus cassants qu'une biscotte rassise. Manifestement, elle avait l'intention d'en rester là.

— Vous prenez un gros risque dans cette histoire, non ? Une inconnue travaillant avec un nouveau talent. Lombardi ne sera peut-être qu'un feu de paille, insista Justine.

Apparemment, les douze millions de dollars ne l'impressionnaient en rien. Je dus prendre sur moi pour ne pas intervenir, ne serait-ce que par signes. Je savais que Justine ne voulait pas que je m'en mêle, même si elle commettait une erreur.

— *Monsieur** [1] Necker n'est pas arrivé là où il est sans prendre quelques risques, répliqua la visiteuse.

Elle ne cherchait plus à cacher qu'elle était vexée par la réaction inattendue de Justine.

Celle-ci ne voulait pas en démordre.

— On va faire tant de publicité autour de cette recherche de nouvelles têtes que le jeu en vaudra la chandelle pour GN. Même si ça tourne mal et que vous larguez la débutante pour la remplacer par l'un des mannequins vedette habituels.

Maintenant, elle paraissait carrément hostile.

— Miss Loring, nous comptons monter la maison Lombardi comme *Monsieur** Necker l'a prévu, riposta Gabrielle.

Elle était très agacée. Qui aurait pu le lui reprocher ? J'avais envie de lever les bras au ciel en hurlant. Comment Justine se permettait-elle de traiter l'émissaire de Necker avec une telle grossièreté et un tel mépris ?

---

1. Les mots suivis d'un astérisque sont en français dans le texte.

— Depuis Lacroix, aucun des nouveaux couturiers n'a eu de succès à Paris, poursuivit Justine.

Elle appuya son propos de l'un de ces brusques petits haussements d'épaules que je croyais réservés aux Français.

— Et cela remonte loin, ajouta-t-elle.

— Miss Loring, si votre agence ne souhaite pas participer... lança Gabrielle d'Angelle qui se ressaisit.

Puis, sous mon regard figé, elle s'apprêta à se lever.

— Vous savez très bien que je ne peux refuser, la coupa Justine. Je vais faire une liste de mes meilleurs espoirs que je ferai déposer à votre hôtel avec leurs composits.

Sitôt après le départ de la visiteuse, je me tournai vers Justine d'un air ébahi.

— Qu'est-ce que c'est que ce cirque ? Tu es complètement cinglée ou quoi ?

— Tu veux savoir pourquoi je n'ai pas ciré ses superbes pompes ?

— Ça m'intéresserait, oui ! J'ai failli avoir un infarctus en t'écoutant. On a peu de chance de décrocher la timbale mais c'est pas une raison pour lui parler sur ce ton, quand bien même ils ne choisiraient pas une seule fille de chez nous. Ils ne font tout de même pas de la traite des Blanches ! Pour une fille, ça peut être la chance de sa vie, et tu le sais.

— Je trouve toute cette... recherche de nouvelles têtes... répugnante... dépravante... presque dégradante.

L'incrédulité que j'avais réprimée pendant la conversation de Justine avec Gabrielle d'Angelle explosa.

— Oh, je t'en prie ! Tout le monde de la mode tourne autour de ça. Ça va et ça vient. Et tu le sais aussi bien que moi.

— Disons que je n'ai pas apprécié la condescendance de cette créature à mon égard, me concéda Justine.

— Moi non plus, Justine, mais qu'est-ce que ça a à voir là-dedans ? Nos nouvelles venues vont nous tirer leur révérence une à une si on ne participe pas au truc de Necker.

— C'est très précisément la raison pour laquelle je lui ai dit que je ne pouvais refuser, mon canard. Et la seule, tu peux me croire !

— Tu jouais un jeu idiot ou quoi ? lançai-je, toujours aussi troublée. Le genre directeur d'agence au-dessus des lois ? Je ne t'avais jamais vue faire cet étrange numéro. Dieu merci !

— Il y a un début à tout, Frankie, répondit Justine.

De son regard émanait une gravité inhabituelle. Manifestement, Justine n'avait pas l'intention de s'expliquer. Et on n'avait plus abordé la question.

Le café était enfin prêt. J'en servis à Justine une tasse que je lui apportai à son bureau et la laissai travailler. Ces derniers mois, la recherche de l'image Lombardi avait fait couler plus d'encre que si Madonna, enceinte du prince Charles, avait épousé Albert de Monaco. Le temps passant et GN gardant le silence, toutes les agences de New York attendaient la décision avec une impatience décuplée.

Chez Loring Model Management en revanche, la direction affichait la plus totale indifférence. Justine ne me demandait même pas si j'avais eu vent de certains bruits lorsque je revenais du fax. Elle savait pourtant que je dînais tous les vendredis soir avec quatre femmes qui étaient au courant de tout : Casey d'Augustino, Sally Mulhouse, Josie Stein et Kate James, mes homologues chez Lunel, Ford, Elite et Wilhelmina. Nous formons toutes les cinq un petit groupe, tels des chefs mafiosos condamnés à rester amis pour la bonne cause.

Nos rapports franchement sournois sont basés sur l'axiome suivant : « L'ennemi de mon ennemi est mon ami », songeai-je, de retour dans mon bureau. Agitée, je bus mon café sans envie, rêvai d'un petit pain et mis les pieds sur la table en essayant de me détendre. Il fallait compter encore une bonne demi-heure avant que le personnel n'arrive, que les téléphones commencent à sonner et que je puisse envoyer l'une des assistantes me chercher quelque chose à manger.

Oui, Casey, Sally, Josie, Kate et moi avions les mêmes ennemis. J'entends par là les clients, tous ceux qui engagent des mannequins : les magazines, les agences de publicité, les maisons de confection, les défilés de mode en faveur d'œuvres de bienfaisance aussi. Dans toute négociation, la partie se joue toujours entre nous, agences, et les clients. Tout se discute, y compris la note de taxi d'un mannequin qui se rend sur un lieu de travail.

Bien sûr, la compétition se disputait aussi entre nous cinq. C'est à qui oserait défier l'opinion publique en signant un contrat à une jeune beauté de treize ans. A qui trouverait le moyen de piquer les filles d'une autre ? On ne pouvait prouver grand-chose, mais on soupçonnait tout.

Le monde des créatures de rêve peut être d'une mesquinerie incroyable. A la réflexion, on avait quand même besoin les unes des autres pour s'échanger des tuyaux. On avait toutes besoin de savoir quels étaient les photographes obsédés qui tentaient de draguer les filles. Quels étaient les mauvais payeurs. Quels étaient le coiffeur et le maquilleur qui avaient comme par hasard quelques grammes de cocaïne ou d'héroïne dans le matériel qu'ils trimballaient. Et quel était le mannequin qui s'était mis à se droguer.

La première question posée à nos dîners était toujours : « Qui commence à avoir l'air trop maigre ? » En dehors des kilos en trop ou en moins, on parlait de la dernière toquade en matière de régime, on discutait les résultats de nos entraîneurs, salles de gym et dermatologues respectifs. On repérait aussi les clients qui donnaient des échantillons gratuits aux filles en guise d'heures supplémentaires au lieu de les payer cinquante pour cent de plus. Il y avait des tas de combines tordues dans le métier... ce qui n'a rien d'étonnant quand on voit ce qui traînait dans l'entourage des filles.

Si l'un des membres de ma bande du vendredi soir, ou toute autre agence telle que Boss, Women, Company ou Partners, avait eu des nouvelles de Necker, il l'aurait aussitôt crié sur les toits. Personne ne pouvait donc en savoir plus long que moi sur le sujet à l'heure actuelle. Sauf si quelqu'un lisait à la seconde même un fax qui venait d'arriver. Je ne pensais qu'à ça, une véritable obsession, et je n'avais pas l'intention de subir cette épreuve toute seule. J'ouvris la porte du bureau de Justine sans frapper. J'étais bien décidée à abuser de ma copine, bien qu'elle ne se fût intéressée en rien à toute cette affaire.

— Tu crois que les gens de chez Necker ont renoncé à engager de nouvelles têtes ? lançai-je. S'ils n'ont pas pris de décision d'ici deux semaines et demie, ce sera trop tard. Les collections auront commencé.

— J'en doute, Francesca, répliqua Justine d'un ton acerbe. Ils passeraient pour des imbéciles.

Ah, j'avais droit à Francesca maintenant ! Seule ma mère se permettait de m'appeler ainsi, Justine le savait. C'était le nom de baptême que m'avaient donné mes parents dans un accès de snobisme. A peine entrée au cours élémentaire, j'en avais changé.

— Puis-je savoir pourquoi la décision de GN vous indiffère royalement, Mam'selle Loring.

Justine détestait se faire appeler « Mam'selle », presque autant que moi Francesca.

— Il me semble que tu n'accordes aucun crédit à toute cette histoire, poursuivis-je, que tu te conduis comme s'il s'agissait d'une arnaque. Je suis fascinée, au point d'en être écœurée, de voir que tu te crois au-dessus de la mêlée. Et je me demande vraiment en quel honneur !

— Depuis le début, je suis contre cette idée de concours, ce type de pression, répondit Justine qui me regarda avec sérieux. Les filles que choisira GN devront faire preuve d'une maturité exceptionnelle pour ne pas craquer, une fois à Paris. A la fin, deux d'entre elles seront déçues. Ce genre de refus risque d'ébranler leur confiance à tout jamais. Et sans confiance en soi, un mannequin n'a aucune chance. Tu ne crois pas qu'il y a déjà suffisamment d'occasions de se sentir rejeté dans ce métier sans le cirque de GN qui va se dérouler au vu et au su de tout le monde ? Ce n'est pas comme si elles risquaient de se planter sans que personne ne le sache.

— Tu as sans doute raison, reconnus-je à contrecœur. Mais quand même. Douze millions de dollars... Ce sera la guerre, d'accord, mais une guerre bien payée. La plupart des filles que je connais seraient prêtes à tuer pour une chance pareille.

L'un des téléphones sonna. Justine me fit signe de m'éloigner et prit la communication.

— Loring Management, bonjour.

Ce doit être un mannequin qui appelle pour dire qu'elle est très malade, songeai-je en voyant l'air consterné de Justine.

— Comment ? lança Justine.

Je ne lui avais jamais entendu un ton si dur. Son visage exprimait à la fois du défi et un certain trouble. L'espace d'un instant, je vis s'y peindre la peur... Peur, Justine ?... Non, c'était impossible. A la panique passagère succéda alors un mélange de rage et de dégoût.

— Répétez-moi ça, demanda enfin Justine d'un air mécontent.

Elle écouta son interlocuteur tout en griffonnant quelques mots sur un bloc-notes.

— Comment ? Aucune condition supplémentaire ? Étonnant. Je vous tiendrai au courant. Quand ça ? Quand j'aurai décidé.

Elle raccrocha brutalement le combiné.

— Mais enfin qui c'était ?

— Je le sentais venir ! Je m'en doutais depuis le début ! Toutes ses manœuvres ont échoué... alors, il a décidé de m'avoir par ce moyen... c'est diabolique ! Ils savent que je suis obligée de marcher dans la combine, ils l'ont sans doute déjà annoncé à la presse...

— Justine ! Arrête ! Tu délires, là ! Qu'est-ce qui est diabolique ? Qui est-ce qui essaie de t'avoir ?

Je n'aurais jamais, au grand jamais, imaginé Justine dans un tel état. Où était la belle assurance, le calme olympien de mon chef de troupe ?

— C'était Gabrielle d'Angelle. GN a choisi April, Jordan et Tinker pour le concours Lombardi, lâcha-t-elle furieuse.

— Mais... mais..., bafouillai-je, elles sont toutes de chez nous ! Toutes les trois... des filles de notre agence !

— Tu ne crois tout de même pas à un coup de chance ? me lança Justine avec mépris. Tu ne peux quand même pas penser que sur des dizaines et des dizaines de filles, ce soit les seules nouvelles têtes valables dans tout New York ? Il a calculé son coup depuis le début... quand il a vu que rien ne marchait, il s'est dit qu'il allait entrer dans ma vie par le biais du boulot, cette ordure !

— Justine, tu es devenue folle ou quoi ?

Le délire de mots incompréhensible de Justine m'étourdissait.

— C'est Necker ! Jacques Necker, ce type méprisable, ce monstre... il serait prêt à tout pour avoir ce qu'il veut. De la seconde où d'Angelle est entrée dans ce bureau avec ses airs de duchesse, j'ai compris qu'il manigançait quelque chose dans ce genre-là. Mais je n'aurais jamais imaginé qu'il irait si loin. Qu'il aille se faire foutre... c'est immonde, innommable...

— Necker ?... Justine, je ne comprends pas. Ce que tu dis ne tient pas debout. Rien de ce que tu dis.

Je finis par saisir le sens de son propos. Elle se tourna vers moi et, prenant une profonde inspiration, s'efforça de se calmer pour s'expliquer. Je lus sur son visage qu'elle était à bout : indignée au point de révéler un secret désormais trop lourd.

— Frankie, c'est mon père, dit Justine à voix basse.

Elle était si pressée d'en finir qu'elle lâcha les mots d'une traite.

— Ton quoi ? balbutiai-je.

J'étais trop troublée pour démêler le sens de ses paroles.

— Qu'est-ce que tu racontes ?

— Necker, ce salaud, ce sale type, c'est mon père, Frankie. Tu as bien entendu.

— Mais... mais... Justine... c'est complètement absurde...

— Je t'en prie, ne me demande rien, pas un mot de plus là-dessus, poursuivit Justine. Je ne peux pas en parler, pas pour l'instant, peut-être même jamais. Mais je ne suis pas parano. Je suis sa fille, hélas. Je ne veux rien avoir à faire avec lui, rien, jamais... seulement il a trouvé le moyen de m'atteindre et je ne peux pas m'en sortir.

— Mais, Justine...

— Frankie, pas un mot!

— D'accord, d'accord! Je ne dirai pas un mot sur toi et...

Je m'arrêtai et me ressaisis, mon cerveau se remettant en route.

— Il n'y a qu'une chose qui m'échappe : pourquoi le fait que GN emploie des filles de chez nous te met-il entre les mains de... cette personne? Prenons le pire des cas, tu veux bien? Tu me suis, Justine?

Je parlais avec un calme exagéré.

— Trois de nos filles vont aller à Paris présenter la collection de Lombardi, poursuivis-je, et l'une d'elles va gagner un pont d'or. Je ne vois pas où est le problème.

— Tu n'as pas entendu toute la conversation, Frankie, tu n'as pas entendu les derniers mots de d'Angelle, répliqua Justine avec violence. L'un des points essentiels est que je dois accompagner personnellement les filles à Paris.

Elle prononça ces mots avec rage, comme si la colère avait le pouvoir de les effacer.

— Et il y a pire. Il ne suffit pas que je les accompagne. En plus, d'Angelle — autrement dit Necker — veut qu'on soit toutes à Paris dans trois jours!

— Comment? Mais la collection ne débutera que deux semaines plus tard.

— Exactement. Tu aurais dû l'entendre avec son côté obséquieux... Elle était là à lui servir de bouclier, à jouer les bonnes fées pour défendre une chose qui est manifestement un mensonge... « Les mannequins pourront profiter de ces jours supplémentaires pour se mettre au courant et se familiariser avec la situation. » Quelle plaisanterie! Ils vont même donner cent mille dollars de plus à chacune pour le défilé! Personne n'en a jamais gagné la moitié, pas même Iman ni Claudia! Deux semaines entières aux frais de GN! Au Plaza avec des limousines devant la porte! Non, je t'en prie! Gabrielle sait très bien que la plupart des débutantes ont moins de jours pour s'acclimater. Et encore, quand elles les ont. Ces deux semaines laissent à Necker le temps de m'avoir et de me briser. Ne te raconte pas d'histoires, Frankie. C'est la seule explication.

— Ils ont pensé à tout apparemment, finis-je par dire.

Je m'efforçai d'oublier l'impossible paternité de Justine et me concentrai sur les solutions d'ordre professionnel. Il n'y en avait pas. Pas une seule. Quels que soient les sentiments de Justine, il nous était impossible de décliner cette offre pour nos trois filles. Comment pouvait-on justifier un tel refus ? Justine s'était bel et bien fait piéger. On resta un instant silencieuses, quêtant dans le regard de l'autre l'idée de génie. Puis, je finis par me secouer.

— On perd du temps, Justine. Tôt ou tard, il faudra bien que tu affrontes cette histoire enfouie depuis trop longtemps. Dans l'immédiat, il faut annoncer aux filles qu'elles vont aller à Paris.

Justine était en état de choc.

— Occupe-t'en, Frankie. Il faut que je réfléchisse. Inutile de te préciser que toute cette affaire doit rester entre nous.

— Évidemment, imbécile.

Je l'embrassai sur les cheveux et me retirai dans mon bureau dont je fermai bien la porte. Je restai là, sans faire un pas vers le téléphone. Je m'aperçus que je tremblais, de froid et de vertige. J'étais dans un tel état que le seul mot qui me vint à l'esprit fut celui que je réservais aux grands événements : *Caramba !*

2

— Tout est arrangé, *Monsieur**, annonça Gabrielle d'Angelle.

Elle se tenait devant le bureau de Jacques Necker au siège parisien de GN.

— Il n'y a pas eu de problème ?

— Aucun, *Monsieur**. Miss Loring n'avait pas grand-chose à dire de toute façon, elle a accepté bien entendu.

— Et comment se présente la négociation, Gabrielle ? s'enquit-il avec empressement. Quelles conditions a-t-elle demandées ?

— Aucune. Elle paraissait tout à fait dépassée. Elle était stupéfaite, comme je m'y attendais. Elle ne m'a répondu que par monosyllabes et n'a pas posé de question. Je la rappellerai demain quand elle aura digéré la nouvelle pour régler les derniers points. Ensuite, on pourra envoyer les contrats à signer.

— Faites-moi part de votre conversation avant d'autoriser le moindre communiqué de notre service de presse. Et je veux le voir dès qu'il sera prêt.

— Puis-je avertir *Monsieur** Lombardi ? Il ne se passe pas un jour sans qu'il ne vienne aux nouvelles.

— Il faudra qu'il soit patient, répliqua Jacques Necker d'un ton cassant.

Puis il la congédia d'un brusque signe de tête, comme à son habitude.

Elle aussi devrait se montrer patiente, se dit Gabrielle d'Angelle en quittant l'immense bureau. Il lui faudrait réprimer sa curiosité jusqu'à ce qu'elle devinât pourquoi Jacques Necker avait si rapidement choisi trois filles sur les heures de bande vidéo et les tonnes de notes prises à New York sur des dizaines de jeunes mannequins. Trois filles de la même agence. Elles avaient beau être exceptionnelles, et les meilleures parmi la sélection de Loring Model Management, elles n'en étaient pas les seules pour autant. Rien n'expliquait sa précipitation, pas plus que son refus obstiné à envisager toute autre suggestion.

Il lui faudrait déployer force ingéniosité afin de comprendre pourquoi on l'avait envoyée en repérage à New York, alors qu'elle aurait très bien pu s'acquitter de cette tâche en se contentant de réclamer des photos par fax à Loring Management. Pourquoi aussi cette antipathique Justine Loring avait-elle manifesté si peu d'enthousiasme, alors qu'un contrat en or lui tombait du ciel ? La directrice de l'agence avait même affiché une froideur irritée. Trois grognements en guise de remerciement quand on vous propose l'affaire de votre vie, c'est peu. Quelle grossièreté ! Elle lui avait même raccroché au nez ! Étrange réaction. Qu'est-ce que ça voulait dire ? Gabrielle n'avait pas l'intention d'en parler à Necker, car elle s'efforçait toujours de lui prouver qu'elle tenait la situation en mains.

Non, il fallait faire preuve de vigilance dans cette curieuse histoire. Question numéro un : pourquoi Jacques Necker, cet homme débordé qui dirigeait un groupe fort complexe et déléguait généralement son autorité de main de maître, avait consacré plus d'un instant à une décision aussi futile que celle du choix des mannequins de la collection de printemps de Lombardi ? D'où lui était venue cette idée d'employer des débutantes comme un jeune publicitaire brillant ? Et pourquoi s'informait-il avec un tel empressement sur des négociations de routine ?

Outre tous ces mystères, Gabrielle d'Angelle estimait qu'elle avait atteint un niveau beaucoup trop élevé au sein de la société pour qu'on l'envoyât traiter cette affaire à New York. N'importe quel styliste de l'une des maisons de couture s'en serait fort bien acquitté.

En vingt ans, Gabrielle avait mené sa carrière au sein de GN avec intelligence, perspicacité et sans jamais ménager sa peine. L'ancienne petite dactylo était aujourd'hui première assistante du service administratif de Necker. A quarante ans, elle avait acquis une élégance consommée, le naturel irréprochable d'une femme sans enfant, une femme très bien payée qui pouvait s'offrir les services des meilleurs faiseurs de Paris. Pourtant, quand Gabrielle d'Angelle, jetant un coup d'œil sur son reflet dans la glace, lissa son casque de cheveux noirs qui mettait son visage en valeur et considéra la coupe de son nouveau tailleur gris, son image impeccable ne lui donna aucune satisfaction. Elle se sentait impuissante face au concours Lombardi, car elle ne savait au juste ce qu'il représentait. Et son ambition encore inassouvie s'appuyait sur une règle d'or : savoir c'est gouverner.

Dès qu'il fut seul, Necker se leva d'un bond et s'approcha des baies aménagées au dernier étage de l'imposant immeuble GN, avenue Montaigne. Il contempla le ciel de cette belle journée de janvier en se demandant comment réprimer son émotion. Devant le spectacle de la rue, il eut l'impression que des trompettes devaient sonner, des drapeaux flotter sur tous les bâtiments, les branches des arbres nus le long de l'avenue s'orner du flambeau blanc des châtaigniers en fleurs qui annonce le printemps à Paris.

Sur la droite, il voyait jusqu'au Rond-Point des Champs-Élysées et, un peu plus loin sur la gauche, la Seine qui coulait sous le pont de l'Alma reflétait l'éclat du ciel. Juste en face se dressaient les superbes dômes 1900 du Grand et du Petit Palais et, plus loin, la vue découvrait les jardins des Tuileries jusqu'au Louvre.

Pourtant, malgré sa beauté, Paris ne suffisait pas à apaiser son émoi. Le spectacle qui s'offrait à lui, aussi grandiose fût-il, ne changerait rien à son humeur. Il fallait qu'il sortît, qu'il marchât pour se calmer un peu. Il avertit sa secrétaire par l'interphone qu'il serait absent pour la journée et prit l'ascenseur privé qui le mena au rez-de-chaussée.

Il marcha d'un pas vif pendant un quart d'heure. Il n'avait qu'une idée en tête : Justine arrivait ! Malgré ses efforts, il ne parvenait pas à y croire, il ne pouvait se convaincre que c'était vrai. Les mots sonnaient creux. Dans son état d'exaltation, il n'imaginait que les problèmes qui risquaient de surgir. L'avion de Justine pouvait s'écraser, et lui, son père, pouvait mourir d'un accident de voiture avant qu'elle ne débarquât... Pourquoi pas la fin du monde, pendant que tu y es ! se reprocha-t-il avec colère.

Son bon sens prit le dessus et il se dit que s'il achetait un cadeau à sa fille sans perdre une seconde, s'il trouvait à lui offrir un objet en trois dimensions, un objet tangible, peut-être parviendrait-il à se convaincre de l'incroyable : elle serait là dans trois jours.

Même si elle n'avait jamais répondu à ses lettres, même si elle ne les avait jamais lues, Justine savait aujourd'hui qu'ils allaient se rencontrer, se parler. C'était inévitable. Rien ne pouvait s'y opposer. Depuis l'instant où il avait appris son existence quelques mois plus tôt, il avait senti qu'il devait absolument lui parler.

Il devait avouer à Justine que rien dans sa vie ne lui faisait plus honte que la façon dont il avait traité sa mère. Il devait lui avouer que depuis trente-quatre ans il se reprochait sans cesse d'avoir abandonné Helena Loring. Étudiants à New York, tous deux avaient à peine dix-neuf ans quand Helena avait appris qu'elle était enceinte. Cédant à une panique aveugle, il était rentré en Suisse. Rien ne pourrait jamais excuser son immonde lâcheté. Il l'avait payée cher. Ce n'était pas un hasard si sa femme, la pauvre Nicole, n'avait pu avoir d'enfant, se disait-il quand il broyait du noir. Le châtiment s'était étendu à son épouse à qui il avait toujours été fidèle.

Jacques Necker n'était pas croyant. Il ne se fiait qu'aux choses concrètes. Cependant, il se surprit à prier. « Mon Dieu, faites que ma fille me témoigne un peu de gentillesse. Je ne peux espérer le pardon. Je ne le mérite pas. Je veux juste la connaître. Elle est le seul enfant que j'aurai jamais en ce monde. Je vous en prie, donnez-moi une chance. Permettez-moi au moins d'être avec elle, de regarder son visage, de l'entendre rire. »

Il avait des photos de Justine, des volumes entiers, des photos déchirantes sur lesquelles il s'épanchait chaque soir. Mais il ne savait rien d'elle en réalité, hormis quelques faits : elle avait lancé sa propre affaire où elle réussissait brillamment et ne s'était jamais mariée. Il ne connaissait pas le moindre détail de sa vie personnelle. Pourquoi ne s'était-elle jamais mariée ? Il ne savait pas si Justine était heureuse et, pour une raison inconnue, c'était la question la plus importante qu'il voulait lui poser.

Des femmes se retournaient sur lui tandis qu'il marchait sans prêter attention à rien. Un bel homme sans écharpe ni pardessus, ses épais cheveux blonds coupés très courts avec les tempes argentées, ses yeux bleus songeurs, sa cravate qui volait au vent. Il n'est pas français, se disaient ces femmes. Peut-être anglais, le costume en tous cas, les chaussures aussi. Peut-être norvégien ou suédois à cause des cheveux, des yeux, de la taille. Ou un riche Américain. Non, il est trop à l'aise dans ces rues de Paris bondées pour être américain, même richissime, en terrain trop familier pour jeter ne serait-ce qu'un coup d'œil sur les vitrines. Mais sûrement un homme important, un homme avec qui il faut compter, un homme qu'on rêve de rencontrer, peut-être même célèbre, car son visage ne leur semblait pas inconnu, encore qu'elles ne pussent poser un nom sur la silhouette qui marchait si vite.

Necker marcha jusqu'à la rue de Monceau, près du Parc. Parfait, se dit-il, se dirigeant vers une porte où une simple plaque de cuivre indiquait : Kraemer et Cie. L'endroit idéal. Il sonna à la porte du superbe bien qu'anonyme hôtel particulier aux hautes fenêtres tendues de rideaux qui donnaient sur la rue tranquille.

— *Monsieur** Philippe est là ? demanda-t-il au valet de chambre qui lui ouvrit.

— Bien sûr, *Monsieur** Necker. *Messieurs** Laurent et Olivier aussi.

— Très bien.

Le père et les deux fils figuraient parmi les plus importants antiquaires au monde. Les meubles et les objets, de facture française, exposés dans leurs neuf salons étaient tous des pièces exceptionnelles.

Ils avaient pour philosophie qu'une fois réglée la question de l'authenticité, l'état ou la beauté d'une pièce, on pouvait dans ce domaine atteindre la perfection comme dans aucun autre, hormis celui des diamants peut-être. Et qui pouvait à ce point manquer de goût pour préférer acquérir pour la somme de vingt millions de dollars une poignée de cristaux, même sans le moindre défaut, plutôt que deux vitrines Boulle assorties qui avaient appartenu à des rois de France ? Qui pouvait préférer vivre avec des pierres dues au seul passage du temps plutôt que parmi de superbes meubles aux formes éclatantes façonnés par des hommes de génie ? se demandaient-ils souvent.

— Jacques, je suis ravi de te voir, dit Philippe Kraemer en arrivant dans le hall.

Le visage rond, le regard pétillant, il avait un sourire charmant, des sourcils très broussailleux et le crâne à moitié chauve. Son grand-père, Lucien Kraemer, avait créé l'affaire en 1875.

— Entre, je t'en prie. Je peux t'offrir un verre ?

— Non, Philippe, non merci. D'ordinaire, j'aurais accepté. Aujourd'hui, je veux te parler de choses sérieuses, je n'ai pas le temps de bavarder.

— Ah bon, très bien ! Je te promets que je vais essayer de te faire plaisir, mais ce ne sera pas facile. Tu sais sûrement que les antiquaires ne font ce métier que pour bavarder. Alors, de quoi s'agit-il ?

— D'un cadeau pour une dame.

— Ah.

Il marqua une pause d'un air songeur.

— Je vois. Bien sûr. Rien n'est plus sérieux, je suis d'accord avec toi. Tu veux qu'on fasse un tour ensemble ?

— Volontiers, répondit Necker avec impatience.

Il pénétra aussitôt dans l'un des salons. Il connaissait bien la maison car il collectionnait depuis longtemps ce qui se faisait de mieux en meubles français. Deux générations de Kraemer vivaient et travaillaient en ces lieux. Ils occupaient à eux tous quatre appartements et avaient installé deux ascenseurs ainsi qu'une piscine intérieure, en plus des neuf salons d'exposition où leurs trésors envahissaient jusqu'au moindre recoin.

— Tu es fixé sur le dix-septième ou le dix-huitième ? demanda Philippe Kraemer.

Il ne vendait que cela.

— Peu importe. Je le saurai quand j'aurai trouvé, répondit Necker d'un ton distrait.

Il se fraya un passage, entre un magnifique secrétaire en marqueterie Louis XV et un fauteuil doré provenant de Versailles, pour admirer une pendule habilement cachée dans un vase sur pied en bronze céladon.

— Une petite chose peut-être ? suggéra Kraemer. Pour un cadeau, mieux vaut choisir un objet. Il est plus difficile de trouver une place à un meuble. A moins que tu n'aies la pièce en tête, naturellement.

— Oui, tu as raison, acquiesça Necker d'un air absent.

Affairé à explorer le terrain, il prenait des chandeliers, des encriers, des boîtes, des urnes décoratives, des vases qu'il examinait avec attention avant de les remettre en place en secouant la tête. Il s'attarda un moment devant un service à chocolat en Limoges et jeta un coup d'œil sur les nombreux petits tableaux, assiettes et bougeoirs accrochés aux murs lambrissés. Il allait d'un salon à l'autre où les objets les plus récents dataient de la fin du dix-huitième, découvrant des dizaines de pièces rares qu'il aurait pu acheter pour lui, mais dont aucune ne convenait pour Justine.

Kraemer, qui gardait un silence courtois, le suivait de plus en plus surpris. Ce n'était pas le genre de Jacques Necker qui venait souvent quatre ou cinq fois traîner pendant des heures autour d'un meuble qu'il observait d'un œil de collectionneur averti avant de se décider à l'acheter. Aujourd'hui, il ressemblait à un enfant lâché dans un magasin de jouets qui n'arrivait pas à faire son choix. Il avait déjà repoussé une centaine d'objets que n'importe quelle femme au monde aurait été ravie de recevoir en présent.

Necker s'arrêta brusquement.

— Ah ! Voilà. Je savais bien que je trouverais le cadeau idéal.

Il désigna un petit secrétaire, une pièce qui avait l'air perdu au milieu de l'hôtel particulier des Kraemer. D'une délicatesse et d'une richesse incroyables, elle était décorée sur presque toute la surface si bien que le bois sculpté disparaissait quasiment sous les ornements. Le haut et le devant des tiroirs étaient couverts de médaillons incrustés en porcelaine de Sèvres dans des tons de rose, vert et bleu pastel agrémentés d'une profusion de fleurettes et de guirlandes peintes.

— C'est parfait pour elle, ce sont ses couleurs.

Kraemer, qui contemplait d'un air pensif la pièce qu'il venait d'acheter à une vente aux enchères à Genève, ne dit rien. C'était un *bonheur du jour**, un secrétaire de boudoir fait pour Mme de Pompadour au milieu du dix-huitième, peu avant sa mort. Le parfait exemple d'un temps où tous les grands *ébénistes** de France se consacraient à satisfaire le goût exquis de l'exigeante marquise qui avait longtemps régné sur le cœur de Louis XV.

Necker caressa le secrétaire d'une main délicate.

— Oui, reprit-il, ravi. Les dimensions sont idéales. Il est suffisamment petit pour le mettre n'importe où. Philippe, tu peux l'expédier tout de suite ? Je vais te donner le nom et l'adresse. Ça doit partir aujourd'hui, dans l'heure, tu comprends. Il faut l'envoyer par avion, par courrier à New York. Ça doit arriver demain. C'est possible ? Bien. Tu as une carte vierge, Philippe ? Parfait, merci.

Il réfléchit un instant, écrivit quelques mots et glissa le billet dans le tiroir central du secrétaire.

— Tu voudras bien m'excuser, mais il faut que je retourne au bureau.

Necker serra précipitamment la main de l'antiquaire et retraversa les salons à grands pas.

Quand Kraemer entendit la porte d'entrée se refermer sur Jacques Necker, il s'aperçut que son vieil ami ne lui avait pas demandé le prix, ni la provenance. Il aurait pourtant pris beaucoup de plaisir à raconter l'histoire de ce secrétaire à ses clients. Ces personnages haut placés l'auraient admiré. A la réflexion toutefois, ils auraient trouvé qu'une si petite pièce, même d'un charme indéniable, ne valait pas de dépenser tant d'argent. Ce bijou n'était arrivé dans ses salons que deux jours plus tôt. A Paris, personne ne l'avait encore vu. Et voilà qu'il s'en allait ! Pour New York, en plus ! Kraemer avait toujours estimé qu'acheter les plus belles pièces était un bon investissement, quel qu'en soit le prix. En revanche, les vendre présentait certains inconvénients. Il avait l'impression de perdre une ravissante femme qu'il venait de rencontrer.

D'un autre côté, qu'il était beau de voir un homme, pour qui il avait de l'admiration et de l'amitié, aussi amoureux.

3

Quand Justine me confia la tâche de réunir nos trois filles pour leur annoncer l'incroyable nouvelle, je restai pétrifiée pendant une bonne dizaine de minutes. Plantée sur le seuil de mon bureau, je respirai à fond en marmonnant « *Caramba !* » telle une incantation, tout en essayant de me ressaisir. Justine venait de me donner le choc de ma vie. Je finis par me reprendre et réussis à donner des instructions aux bookers qui étaient enfin devant leurs ordinateurs.

— Faites venir April, Tinker et Jordan dès qu'elles seront libres, envoyez-les chercher en voiture, ordonnai-je, sans laisser à quiconque le temps de me questionner sur toute cette précipitation.

Je devais avoir mon ton autoritaire habituel car personne ne me lança de regards interrogateurs. Cependant, une distance me séparait de ce décor familier. J'avais l'impression d'être au théâtre. C'était comme si l'agence, tout le personnel de l'agence, évoluait sur une scène derrière un rideau transparent tandis que j'étais seule dans la salle, coupée de tout, spectatrice et rien d'autre.

Je m'efforçai encore de me faire à l'idée que Justine était la fille de Necker. Ce devait bien être vrai puisqu'elle le disait. Pourtant, je n'éprouvais rien apparemment. Ni surprise, ni même une curiosité naturelle. Je ne me demandais pas depuis quand elle le savait, ni comment c'était arrivé. La stupéfaction me paralysait trop pour laisser place à toute autre émotion.

Je parvins néanmoins à marcher au radar jusqu'à ce que les trois filles se retrouvent dans le bureau de Justine. Elles semblaient sur leurs gardes, car c'était la première fois qu'on passait les prendre en voiture à la fin d'une prise de vue pour les ramener à l'agence. Quand elles virent qu'on les attendait, elles durent se demander ce qu'elles avaient bien pu faire. Justine ne les fit pas attendre plus longtemps.

— Tinker, April, Jordan, vous avez été choisies pour présenter le défilé de Lombardi à Paris, leur annonça-t-elle.

Elle s'arracha un grand sourire.

— Félicitations. On est ravies pour vous.

Elles eurent le genre de réaction primaire qu'ont les jeunes filles quand elles remportent le titre de Miss America, ou plutôt celui d'une Miss Poids et Haltères. Elles se mirent à s'étreindre, s'embrasser, hurler et sauter de joie tout en répétant :

— Oh non, je n'arrive pas à y croire !

Justine resta à les regarder, l'œil vide, tandis que je rétablissais l'ordre :

— Mesdemoiselles, mesdemoiselles, asseyez-vous et écoutez-moi.

D'ordinaire, on appelle toujours les mannequins « les filles ». Quand l'occasion m'en est donnée cependant, je leur donne du « mademoiselle » pour leur rappeler le sens des réalités.

— Mesdemoiselles ! On a une foule de détails à régler qu'on vous épargnera pour l'instant. Je ne vous dirai qu'une chose. Justine sera à Paris avec vous pendant tout votre séjour, vous n'avez donc pas à vous inquiéter. Vous partirez dans trois jours et vous aurez deux semaines devant vous pour découvrir Paris et faire connaissance avec Lombardi. Prévenez vos parents tout de suite et préparez ce que vous avez de plus chaud. A partir de maintenant, vous n'avez pas le droit de quitter New York, ni même de sortir, pas une fois. Ne pensez plus aux hommes et considérez que vous êtes consignées jusqu'à l'heure du décollage. Et je parle sérieusement, très sérieusement. J'ai bien dit consignées !

Je les observai avec attention, guettant celle qui allait se rebiffer en prétendant qu'elle devait faire ses adieux à son petit ami ou à sa mère. Pas un œil ne cilla, pas un sourire ne s'effaça. Toute autre raison mise à part, Necker s'est choisi trois jeunes ambitieuses, songeai-je en fuyant le regard sinistre de Justine.

La veille du départ, celle-ci me fit venir dans son bureau.

— Alors, ça y est ? Tu es prête à partir ? demandai-je.

Elle m'avait évitée ces jours derniers. Elle aurait pourtant dû se douter que je ne tenterais pas de lui extorquer d'autres renseignements. Je n'attendais qu'une chose : qu'elle s'en aille et que toute cette affaire soit réglée. Elle ne pouvait échapper éternellement à son père, et peut-être que tout compte fait Necker n'était pas un monstre. A la vérité, j'espérais qu'elle changerait d'attitude à l'égard de son cher papa. Un type qui montait un coup de douze millions de dollars rien que pour voir le bout de votre nez ne pouvait être si méchant.

Justine aussi devait voir les choses d'un autre œil, me dis-je avec soulagement en entrant dans son bureau où régnait une atmosphère beaucoup plus détendue. Apparemment, ma copine retrouvait ses esprits.

Elle leva les yeux vers moi tandis que je brandissais l'emploi du temps que j'avais pris des mains de l'un des bookers presque en larmes. Il était bon à fiche au panier. C'était celui de l'un de nos mannequins vedette qui avait eu le culot de s'absenter trois semaines sous prétexte qu'il se mariait. Si vous voulez mon avis, le droit à la lune de miel devrait être strictement interdit par contrat dans ce métier.

— J'ai une surprise! lança Justine.

Elle plissa les yeux en me décochant un grand sourire, comme jamais depuis le coup de téléphone de Gabrielle.

— Je t'en prie, Justine! J'ai eu assez de surprises comme ça pour cette année, et on n'est que début janvier.

— Tu pars pour Paris, Frankie. Demain.

— Tu sais bien que je ne peux pas venir te tenir la main. Il faut que quelqu'un garde la boutique.

— Ne t'inquiète pas, je vais m'occuper de tout. Ici même, ajouta-t-elle avec un sourire satisfait.

— Il est hors de question que tu n'y ailles pas!!!

— Ah oui?

Je lui déversai une foule de bonnes raisons, puis compris que je n'arriverais pas à la faire changer d'avis. Justine estimait quant à elle qu'elle avait été scandaleusement dupée et qu'elle ne devait strictement rien à Necker. A sa décharge, j'avoue qu'elle m'offrit deux valises pleines de toilettes qu'elle m'avait achetées chez Donna Karan, des toilettes dont j'aurais besoin pour le voyage et mes nouvelles attributions de duègne, précisa-t-elle. Apparemment, je ne pouvais plus représenter l'agence dans mes éternelles tenues de danseuse que Justine s'efforçait de supporter depuis si longtemps. Ça ne faisait pas assez « sérieux », comme elle dit, cherchant à faire preuve de tact alors que je savais pertinemment à quel point elle désapprouvait mon accoutrement.

Il ne me restait plus qu'à rentrer préparer ma trousse de

maquillage, m'annonça-t-elle avec joie. Comment allais-je expliquer cela à Necker ? Rien de plus simple. Elle comptait envoyer un fax à d'Angelle une fois qu'on serait parties pour l'informer qu'une vilaine otite l'empêchait de prendre l'avion et qu'elle m'envoyait à sa place. Tout le monde sait qu'on ne peut prendre l'avion quand on a une otite. Son médecin le lui avait affirmé quand elle l'avait appelé, cherchant le prétexte le plus convaincant sans pour autant se faire plâtrer des pieds à la tête.

Que pouvais-je répondre ? Tout d'abord, Justine était mon patron, c'était elle qui décidait. De plus, n'auriez-vous pas pensé, dans la mesure où vous ne pouviez rien y faire, que l'idée de partir à Paris devait être plus excitante que de rester à New York ? Je vous le jure, j'avais déjà presque pardonné à Justine avant même qu'elle n'eût fini ses explications. Et ces valises... de la seconde où elle m'en avait parlé, je m'étais demandé si porter du Donna Karan ne serait pas un excellent point pour ma carrière après avoir passé ma vie en collants et jambières. J'avais sans doute toujours été trop radine pour me fendre d'une nouvelle garde-robe. D'accord, je suis du genre accommodante.

D'après les informations du pilote, on avait atteint notre altitude de croisière quand je glissai dans la pochette du siège avant le numéro d'*Allure* sur lequel je ruminais et me pelotonnai, les yeux clos, en pensant que je haïssais Paul Mitchell. Je ne sais même pas s'il existe un type qui porte ce nom. Mais s'il existe bel et bien, un jour je lui foutrai mon poing dans la gueule. Vous connaissez la publicité de ses produits : ces photos sublimes, généralement dans des tons sépia, où on voit la tête d'un mannequin secouant des cheveux si alléchants qu'ils ne risquent pas de pousser sur le crâne de qui que ce soit ? Des cheveux qu'on a envie de manger, comme des bonbons, ou d'arracher par poignées entières. Sans parler du texte... faut être malade pour écrire des trucs pareils ! « Des cheveux... des cheveux qui ondoient en toute liberté comme la mer. Qui vivent en harmonie avec la lumière, qui dansent dans ses ombres. Des cheveux en pleine forme, des cheveux vibrants... nourris et traités avec les ressources de notre Terre. Tels sont les cheveux... Paul Mitchell. » Sincèrement, vos cheveux dansent-ils la rumba et le cha-cha dans les ombres ? Et comment des cheveux peuvent-ils être « en pleine forme » ? Comme s'ils avaient des muscles et qu'ils s'entraînaient pour le triathlon !

Pourquoi me sentir offensée par Paul Mitchell qui essaie juste de se faire du fric en vendant des soins capillaires dans le genre d'un machin baptisé « Le Démêleur » — dis donc, Popol, t'as jamais entendu parler d'un peigne ? — alors que je pourrais sourire avec indulgence devant les brillantes incursions de Helmut Newton dans l'univers d'un porno pas-si-innocent-que-ça où des dobermans surexcités bavent sur des filles habillées en Chanel ?

Une fois par mois, je revendique la prérogative de feuilleter les magazines américains et étrangers qui viennent de sortir dans lesquels je découpe toutes les photos des filles de l'agence qui travaillent en Europe. Entre parenthèses, croiriez-vous que le nouveau *Vogue* italien coûte trente-trois dollars une fois arrivé ici ? N'importe quel booker pourrait s'en occuper évidemment. Mais cela me permet de me tenir au courant de la concurrence et des nouvelles tendances des coiffeurs et des maquilleurs européens qui sont beaucoup plus audacieux que ceux de New York.

A chaque fois que je tombe sur une publicité Paul Mitchell je fais une crise. Pour des raisons que je vous expliquerai plus tard, je ne me suis jamais sentie tarte face à un mannequin, mais ce fichu coiffeur et ses stupides arguments ont le don de me mettre dans tous mes états. Je ne peux m'empêcher de rentrer chez moi inspecter mes cheveux pour voir s'ils ondoient un tant soit peu comme la mer. Tout ce que je peux dire, c'est qu'ils sont longs et qu'ils m'arrivent à la taille. D'un châtain correct, avec une pointe de roux quand on y regarde de près. Non, leur côté « vibrant » ne me saute pas aux yeux. Mais ils répondent à ce que j'en attends : ils me couvrent la tête et sont un hommage à mon art perdu. Je ne fais pas non plus appel aux « ressources de notre Terre » pour les traiter. Apparemment, le shampooing pour bébé fait l'affaire. Soit dit en passant, Popol, on ne met pas de majuscule au mot « terre ».

Après avoir constaté que je n'ai toujours pas des cheveux Paul Mitchell, je ne m'attarde pas devant la glace. Je n'en ai pas besoin pour voir que j'ai le nez, indiscutablement italien, de mon père, trait le plus proéminent de mon visage. Un nez fin, long, busqué, tout ce qu'il y a d'aristocrate dans le style vieille Europe. Un vrai nez tout simple, presque un nez à la Sophia Loren. Le rédacteur de Paul Mitchell serait bien obligé de le reconnaître. Et j'ai les yeux bruns de ma mère, qui sont nettement plus vibrants et dansants que mes cheveux.

Mais la grande question de Paul Mitchell qui est de savoir

si ce visage « vit en harmonie avec la lumière »... alors là, mystère ! Qu'est-ce que j'en sais, moi ? Je me regarde à la lumière de la salle de bains, pas à celle du jour. De plus, ça ne veut pas dire grand-chose, harmonie. En tous cas, personne n'a jamais employé ce mot à mon endroit. « Reluque-moi ça, mon pote, quelle harmonie cette gonzesse ! » Non, je n'ai jamais entendu ça, pas une fois.

Des femmes qui ne travaillent pas dans le domaine de la mode me demandent souvent, toujours avec une délicatesse exquise, si je ne « flippe » pas à force de vivre parmi les mannequins. La question ne se veut pas blessante. Elle est le reflet de ce qu'elles éprouveraient, s'imaginent-elles, si elles faisaient mon boulot. En fait, mes années formatrices, mes années de danse de six à vingt ans, me permettent de comprendre ce milieu mieux qu'aucune femme sans doute. Comme tout mannequin à succès, moi aussi j'ai brillamment passé les examens sans étudier. Moi aussi, je suis née « conçue à la perfection ». Je ne me rappelle que trop bien cette impression d'avoir tout ce qu'il faut sans avoir fait le moindre effort !

A dix-sept ans, j'étais en terminale quand je fus reçue chez Juilliard dans la section danse. Je faisais partie d'une classe qui comptait moins d'une centaine d'élèves choisis parmi des milliers de postulants venant de tout le pays. A mon concours d'entrée, on affirma que mon corps était parfait pour la danse moderne : des jambes et des bras immenses, une tenue naturelle, un dos d'une souplesse rare et des articulations d'une flexibilité exceptionnelle. J'avais aussi des yeux parfaits pour une danseuse : de grands yeux très écartés, détail indispensable pour transmettre l'émotion. Traitez-moi de prétentieuse, si vous le voulez. En attendant, pendant mes années d'études, surtout mes trois ans chez Juilliard, j'étais sur un petit nuage, portée par une fierté imméritée.

Je vous dirai donc : non. La réponse à la question sur mes sentiments à l'égard des mannequins est la suivante : je comprends dans ma chair même, dans mes splendides os et ligaments à la Severino, que c'est un pur coup de chance si une fille naît en décrochant le gros lot qui lui permet de faire ce travail. Je sais que, si les mannequins sont dotés de ce mélange complexe et magique qui fait un physique, ils n'en sont en rien responsables.

J'ai une théorie là-dessus. A la naissance de chaque petite fille, une multitude de fées se penchent sur son berceau : les fées chargées de prodiguer le teint idéal et les longues jambes, celles qui dispensent le nez droit et les lèvres charnues, celles des grands yeux, celles du menton, des pommettes, des jolies mains et de la taille fine. Une fois de temps en temps, une fois sur des dizaines de millions, toutes les fées — souvent à l'exception de celle des dents — décident d'accorder leurs dons à une seule petite fille. Parmi ces privilégiées, certaines grandiront dans le monde occidental jusqu'à devenir des jeunes filles en bonne santé, et parmi celles-ci, certaines deviendront mannequins. Ce n'est pas anormal, c'est juste le hasard qui régit la nature et les fées.

Selon moi, le physique d'un mannequin n'est pas une grâce plus injuste que mes superbes pieds. J'ai de longs pieds ravissants, des pieds exceptionnels, des pieds fins, dotés d'une cambrure parfaite et des orteils magnifiques. C'est important, les orteils. Même le petit suit parfaitement la ligne des autres. Je ne fais pas tout à fait un mètre soixante-dix et je chausse un merveilleux quarante et un ! Si je n'avais pas eu cet accident, ces pieds auraient pu me lancer vers le firmament de la gloire dans le monde de la danse.

Naturellement, je n'en étais pas consciente quand j'avais six ans et que j'entrai au cours de Martha Mazier à Sheepshead Bay, tout près de chez mes parents à Brooklyn.

De son temps, Martha avait été une vedette de Martha Graham. Son mari, Woody Guthrie, était un excentrique qui me ravissait. J'étudiai avec elle pendant huit ans, huit années de travail formidable. J'étais si maigrichonne que la plupart de mes camarades se moquaient de moi. Mais je savais que c'était un bon point pour une danseuse. Je pointais donc mon grand nez bien haut, marchais fièrement sur mes grands pieds et les dédaignais.

Une fois au lycée, j'entrai à la Martha Graham School à Manhattan. Je faisais mes devoirs dans le métro en sortant de classe. Ce fut Martha Mazier qui m'encouragea à poursuivre mes études chez Juilliard quand je passai mon baccalauréat à l'Abraham Lincoln, le meilleur lycée à vocation artistique de Brooklyn.

Je déclinai la proposition de l'hôtesse qui m'offrait une autre coupe de champagne et me demandai si tout le monde était comme moi en avion. Dès qu'un vol dure plus d'une heure, je médite sur mon existence. Peut-être à cause du léger risque qu'on n'oublie jamais, même si on se déplace souvent. A peine ai-je l'impression d'être partie pour un long voyage, je me mets à penser à la chance que j'ai eue dans ma vie. A commencer par mes chers parents qui n'ont commis qu'une erreur en voulant m'affubler de ce nom : Francesca Maria. Mon nom de baptême m'a toujours agacée parce qu'il paraît humble, soumis, presque saint. Rien à voir avec l'enfant que j'étais. La religion et moi, cela faisait deux au point que je n'arrivai même pas à ma première communion.

Le jour de mon entrée au Lincoln, j'annonçai à tout le monde que je m'appelais Frankie. On se moqua beaucoup de mon nom, mais je le gardai. Ce changement n'enchanta pas mes parents. Comme d'habitude cependant, ils finirent par penser que tout ce que je faisais était merveilleux. Fille unique, j'étais arrivée après leur vingtième anniversaire de mariage alors qu'ils n'y croyaient plus. Maman avait alors quarante ans et papa cinquante. Je fus donc élevée comme un futur Dalai Lama. Il y a cinq ans, mes parents sont morts dans un accident de voiture sur la route d'Amalfi. Au moins étaient-ils ensemble, ce fut la seule note de clémence de ce drame.

Je vis toujours dans le six pièces qu'ils occupaient au neuvième étage d'un joli immeuble en co-propriété de Brighton Beach qui donne sur les planches juste à la limite de Coney Island. L'appartement a une vue magnifique sur la mer. Le balcon est assez grand pour y mettre des chaises longues. Quand je m'y assieds le soir et que j'écoute déferler les vagues en contrebas tandis que les mouettes passent au-dessus de moi, que je sens l'air marin sur mon visage et que je vois les étoiles, je peux m'imaginer sur un yacht. Justine trouve inadmissible que je sois encore à Brooklyn. Elle estime que je ferais mieux de m'installer dans un minuscule appartement chic et scandaleusement cher de Manhattan, car elle se refuse à comprendre le charme de cet endroit.

Mes parents, qui adoraient aller à la plage, avaient délaissé l'Avenue X, le quartier italien à proximité, pour s'installer ici où il suffit de prendre l'ascenseur jusqu'au rez-de-chaussée pour se retrouver à trente mètres de Bay 6, la plage en face de chez nous. Des jetées protègent du ressac, on peut donc nager sans problème, et le sable blanc d'une grande finesse ne vous colle jamais à la peau. Que pourrait m'apporter une adresse huppée à Manhattan à côté de ce petit paradis ?

Quand j'étais enfant, ce quartier était presque entièrement juif. Estimant que l'école catholique du voisinage n'était pas assez bien pour sa petite danseuse, mon père m'envoya au Lincoln où j'étais parfois l'unique élève les jours de fête du calendrier juif. Le seul garçon dont je m'entichai au lycée était juif. Pourtant, quand je me suis mariée la grosse erreur de ma vie, j'ai épousé un catholique, un Irlandais lunatique de surcroît.

On grandit en sachant, sans qu'on vous l'ait dit, que le monde regorge d'hommes qu'il ne faut pas prendre au sérieux. Des hommes qui ne devraient se montrer en public qu'avec un tatouage sur le front proclamant : « Jamais, au grand jamais. » C'est bien connu, non ? Alors, pourquoi fait-on preuve d'un flair infaillible pour détecter le type qui cloche avec vos amies, et se trompe-t-on sur toute la ligne quand il croise votre chemin ?

Le mien s'appelait Slim Kelly. Il était, et il est toujours, un excellent reporter sportif du *Daily News*. La dernière fois que je l'ai vu, il ressemblait à Pat Reilly jeune : exalté, poétique, puissant. Regardez les choses en face, je n'avais aucune chance de m'en tirer. Folle de lui pendant les six premiers mois de notre mariage, son humeur commença alors à me porter sur les nerfs. Quand on divorça trois ans plus tard, on était si exténués par l'effort de vivre ensemble qu'on ne se disputa qu'une chose : la fréquentation de Big Ed, notre bar préféré. On tira à pile ou face et je gagnai. Depuis lors, soit près d'un an, je vis dans un état de chasteté, d'abstinence ou de célibat — je laisse le choix du terme à vos fantasmes personnels. Et ce de mon plein gré, je vous l'assure.

Pour moi, les hommes, c'est fini, absolument fini.

Quand on a Big Ed, on n'en a pas besoin ! Mes sorties sont toutes trouvées, ce qui rend Justine folle. Elle sait que c'est ma cantine et voit mon avenir tout tracé : j'y finirai vieille fille en faisant partie des meubles.

Big Ed doit son titre incontesté de meilleur bar sportif de Brooklyn à *Mrs. Ed's Happy Hour Food*, un buffet mexicain : des monceaux de travers de porc grillé et, le fin du fin, des *buffalo wings*, des délicates ailes de poulet frit si épicées qu'il faut les noyer dans la sauce au bleu et à la crème pour les manger. Justine prétend que ces délices m'ont fait prendre près de trois kilos depuis mon divorce. Ce à quoi je réponds qu'il faut compenser quand est seule, si on ne veut pas devenir aigrie. Elle a parfois tendance à me traiter comme un mannequin de l'agence pour qui trois kilos de plus relèveraient de la cour martiale.

J'aurais préféré ne pas en arriver à penser à mon péché mignon : comme toujours, même en première, il fallut attendre des heures avant d'en finir avec l'apéritif pour servir le déjeuner.

Après deux parts de foie gras et une double ration de caviar, la mienne plus celle de Maude Callender, je me sens mieux.

Toutes les places de première sont réservées à notre petit groupe en route vers Paris. Maude, qui s'est affalée à côté de moi au décollage, se montre toujours généreuse avec les plats bourrés de calories car elle est éternellement au régime pour éviter de prendre le moindre centimètre de tour de taille. Ce qui vaut mieux quand on affiche des tailleurs sur mesure de dandy de la Belle Époque, trop originaux pour mériter le terme de vêtements. Elle arbore des pantalons de fin lainage anglais aussi ajustés que ceux de Beau Brummell, des redingotes, des vestes sophistiquées, des chemises à jabot, et ce qui porte sans doute le nom de cravate-plastron. On dirait le fantôme d'Oscar Wilde. Comme ça, elle ne se demande jamais comment s'habiller. En fait, c'est une excellente idée quand on a des jambes superbes et le culot de se moquer de sa position en vue. Question culot, Maude en a assez pour avoir de multiples facettes. Encore lui en reste-t-il pour le week-end !

Maude s'est intégrée à notre groupe quand Maxi Amberville, éditeur de *Zing*, le magazine de mode presque aussi coté que *Vogue* aujourd'hui, s'est tant intéressée au concours Lombardi qu'elle a décidé de nous consacrer un grand article. Le reportage a été confié à Maude, qui collabore régulièrement à *Zing*, et à Mike Aaron, leur meilleur photographe qui nous accompagne. Ils ont pour mission de concocter une version des *Innocents en voyage* de Mark Twain. La chronique couvrira tous nos faits et gestes de l'instant où on a quitté New York jusqu'à la fin du défilé et la proclamation de la gagnante.

Justine a accepté l'organisation précipitée de ce reportage exhaustif, car elle est si amie avec Maxi qu'elle ne pouvait refuser. Bien que j'aie aussi beaucoup d'amitié pour elle, je me doute que Maude s'est assise à côté de moi, alors qu'elle pourrait disposer d'un rang entier, pour me tirer les vers du nez pendant le voyage. Tandis que j'attendais le plat de résistance, elle a commencé par une question soi-disant désinvolte : comment font les mannequins pour rester si minces ? Celles qui ne souffrent ni de boulimie, ni d'anorexie prennent toutes de la cocaïne et des amphétamines, ai-je eu envie de répondre. Et, bien évidemment, elles fument au moins cinq paquets de cigarettes par jour.

Le fait est que des filles qui se droguent, il y en a et il y en aura toujours. Quand c'est sérieux, elles se ruinent la santé et finissent par perdre leur beauté. Alors qu'elles sombrent vers cette fin inéluctable, il devient difficile de travailler avec elles : elles arrivent en retard au studio, disent des choses désagréables aux autres, se montrent peu coopératives avec les photographes. En quelques mois, quelques années parfois, selon les quantités de drogue qu'elles absorbent, on les demande de moins en moins, même si elles sont sublimement belles.

Quant à l'élite — les « tops » ou les « vedettes », comme on les appelle, ou peut-être devrait-on se prosterner à leurs pieds et les appeler des déesses —, elles s'entretiennent avec acharnement car leur carrière est entièrement liée à leur capacité de rester au mieux de leur forme. Je n'en ai jamais connu qui n'ait son entraîneur personnel. Presque toutes portent des appareils pendant des années : non, une dentition parfaite ne fait pas forcément partie du gros lot génétique à cause de cette fameuse fée des dents si-difficile-à-contenter. Elles appellent leur mère une fois par jour. Et, précision qui vaut ce qu'elle vaut, elles ont au minimum une demi-douzaine de vestes en cuir, trop de jeans pour les compter et une flopée de ces robes en stretch d'Azzedine Alaia qui se ressemblent toutes à mes yeux.

L'idée qu'elles téléphonent chez elles tous les jours m'a toujours laissée un peu perplexe. Comment peut-il y avoir tant d'enfants modèles ? C'est sans doute à cause de leur jeune âge.

Depuis le coup de fil d'Angelle, je m'étais demandé plusieurs fois qui, au sein de GN, avait choisi April Nyquist, Jordan Dancer et Tinker Osborn parmi les vingt portraits qu'avait proposés Justine. Était-ce Jacques Necker en personne, Marco Lombardi, Gabrielle ou quelqu'un d'autre ? La personne en question avait sélectionné les plus grandes des filles. Tinker et Jordan mesurent un mètre quatre-vingts et April les dépasse d'un centimètre. De plus, on avait apparemment misé sur le contraste, comme dans les publicités pour les shampooings Clairol : April, le blond Viking, Jordan, la « femme de couleur » brune, et Tinker, la rousse. Toutes débutantes qu'elles fussent, chacune était sans aucun doute assez belle pour se défendre sur n'importe quel podium parisien.

Rien d'étonnant quand on pense que les bonnes agences de New York voient défiler en moyenne sept mille filles par an sur lesquelles une trentaine suit une formation. Au terme de cet apprentissage, quatre ou cinq, dont la majeure partie ne deviendront pas des vedettes, se voient signer un contrat. Parmi ces dernières, cinq seulement ont aujourd'hui une renommée internationale et sont encore à leur apogée : Claudia, Linda, Kate, Naomi et Christy. Et je ne suis pas convaincue que tout le monde sache que Christy s'appelle Turlington de son nom. C'est une telle loterie !

Prenez April Nyquist par exemple, qui est assise de l'autre côté de l'allée. Elle vient de Minneapolis, le réservoir de vraies blondes des États-Unis. Certains diront peut-être : « Pourquoi April parmi toutes les blondes de Minneapolis ? » Pour une bonne raison : le patrimoine héréditaire scandinave, d'une pureté absolue pendant des dizaines de milliers d'années de reproduction, qui a fini par engendrer les fabuleux cheveux bouton d'or d'April ferait hurler Paul Mitchell de joie. De plus, on a l'impression qu'elle respire un air plus frais que celui dont on dispose, bien que son visage d'un classicisme parfait ne soit pimenté que par un sourire curieusement engageant, un brin contraint, qui lui donne l'air d'avoir encore moins de dix-neuf ans.

April travaille depuis le jour où elle a fini sa période de formation. Pas autant qu'on l'aurait voulu cependant car elle a un côté royal, ce qui est toujours difficile à vendre aux annonceurs.

— Comment vivent la plupart des mannequins ?

Maude me posa cette question de son ton confidentiel comme si elle me livrait un secret, alors qu'en réalité elle cherchait à savoir si c'était des salopes.

— Pour ce que j'en sais, à New York elles vivent seules ou avec leur petit ami. C'est environ cinquante cinquante, répondis-je. Et certaines partagent un appartement avec une autre fille.

L'idée de jouer les experts en matière de comportement chez les mannequins ne m'enchantait guère. Toutefois, j'étais dans le métier depuis assez longtemps pour savoir de quoi je parlais. Et mieux valait que Maude l'apprît de ma bouche plutôt que d'une autre.

L'hôtesse apporta une langouste soigneusement décortiquée. Je jetai un regard gourmand vers Maude. Hélas, ce n'était apparemment pas contraire à son régime. Je me concentrai sur la mienne après avoir vu Jordan Dancer, installée à côté d'April, refuser la sienne d'un geste impérieux et déballer les produits diététiques qu'elle avait apportés dans un récipient.

Quand elle est sérieuse, Jordan se définit comme « noire ». Pourtant, un jour qu'on chahutait, elle me déclara que sa peau avait le subtil ton miel foncé d'un jeune aulne sous les rayons du soleil. Je lui rétorquai qu'elle n'avait sans doute jamais passé la nuit en forêt car je trouvais que son teint avait plutôt la couleur d'une tisane que j'aime beaucoup, baptisée Jardin d'Automne, avec une pointe de sucre et de lait. Mais je n'avais pas l'intention de pinailler sur des détails pareils.

Justine et moi nourrissions l'espoir que Jordan deviendrait le premier top model noir, celui qui prouverait enfin qu'une femme de couleur peut être tout aussi commerciale qu'une Blanche. Elle avait les qualités requises pour être considérée comme une belle femme qui transcende les questions de couleur et de race. Imaginez Ava Gardner bronzée.

Fille d'un colonel de carrière, Jordan est sortie de Cornell avec une licence de français et un diplôme d'histoire de l'art. A vingt-deux ans, elle est posée, mûre, et beaucoup plus sophistiquée que les débutantes habituelles ou les jeunes filles de son âge. Elle a une allure folle. Quand je la vois, j'ai envie de lui envoyer des baisers.

Jordan, qui avait fini son repas, s'était préparée à dormir quand je me tournai de nouveau vers elle. J'adorais la regarder et évaluer les étonnantes variations tout en ovale que présentait son visage : des sourcils arqués sur d'immenses paupières, des yeux relevés aux pupilles noisette, de ravissantes narines au bout d'un petit nez droit et une bouche sensuelle. Le contour des yeux et de la bouche était dessiné avec une netteté presque introuvable chez un mannequin blanc sans maquillage. Ses cheveux coiffés en bouclettes angéliques d'un brun profond dégageaient le front. Sans doute personne ne s'interrogerait-il jamais sur ce choix.

— Frankie ? chuchota Maude Callender en aparté. Tu ne crois pas que la mode n'est qu'une immense conspiration ayant pour but de rendre les femmes malheureuses devant leur garde-robe ? Une terrible intimidation fomentée essentiellement par les hommes pour leur faire dépenser de l'argent inutilement ?

— Écoute, Maude, on dépense plus d'argent en vêtements qu'en armement de par le monde. Faites de la mode, pas la guerre, c'est ma devise.

— Sans blague, dit-elle d'un ton dubitatif.

Je n'avais rien inventé. Irritée, j'improvisai :

— De surcroît, les Américaines dépensent plus de trois millions de dollars par an rien que pour s'épiler les jambes à la cire.

— Ça, tout le monde le sait, acquiesça-t-elle avec condescendance.

Visiblement, Maude imposait ses propres préjugés au reportage sur *Les Innocents en voyage*. Ce n'était pas mon problème. En revanche, Tinker Osborn me préoccupait.

Notre troisième mannequin avait un passé difficile. Justine et moi savions que son avenir était problématique. Pourtant, de toutes les nouvelles, c'était sans doute celle qui avait le meilleur potentiel.

On était tombé en extase devant les essais de Tinker. La fascination n'est pas un vain mot, et elle en avait. Le charme non plus, et elle en avait aussi. Ses traits n'ont pratiquement rien de commun : une masse de longs cheveux un peu ondulés d'un roux clair, presque corail, le fameux blond vénitien que recherchaient les femmes de la Renaissance en s'asseyant au soleil sur leur terrasse après avoir mis du henné ou ce genre de boue sur leurs racines, un teint superbe et de grands yeux gris argenté. Des yeux *Moonriver*, comme je les appelle. Ils ont plus d'âme, plus de mystère, plus de tranchant que April ou Jordan n'en auront jamais. Ils vous donnent envie de la connaître, de lui poser des questions, de la regarder vivre. Pourtant, sans maquillage, le visage de Tinker est d'une neutralité parfaite, tel un caméléon albinos sur une feuille blanche. Le rêve de tout maquilleur.

Tinker vient du Tennessee où elle fut la vedette du concours du plus beau bébé à l'âge de deux ans. Puis elle grandit sous la pression inhumaine que subissent ces enfants.

Elle continua à remporter des concours jusqu'à l'âge de douze ans. Là, contrairement à Brooke Shields, Tinker atteignit brutalement l'âge ingrat, un vrai désastre : elle se couvrit d'acné et grossit énormément. Il lui fallut près de six ans pour s'en sortir et devenir ce qu'elle est aujourd'hui. Au lycée, elle n'avait pas d'amie avec qui partager les souffrances de l'adolescence, pas de résultats scolaires. Elle n'avait qu'un goût pour la lecture qui, fort heureusement, la prit de plus en plus dans son exil loin du seul monde qu'elle connaissait.

— En terminale, m'avoua Tinker en fronçant les sourcils, j'ai de nouveau osé regarder les revues de mode. J'essayais des coiffures et des maquillages dans ma chambre. L'idée m'est alors venue qu'avec un peu de chance... je pourrais peut-être retrouver mon identité, poser pour des magazines et redevenir une gagnante. C'est la raison de ma présence ici.

Je ne me rappelle pas si je grognai ou gardai mon opinion pour moi. De toutes les motivations, la recherche d'identité est la pire qui soit. A mes yeux, toute forme d'ambition est acceptable : de la conquête du monde entier aux mariages en série avec des vedettes de rock. Certains de nos plus brillants mannequins font ce métier pour l'argent, ce qui me paraît être la meilleure des motivations. Mais les problèmes d'identité, surtout pas ! C'est une simple question de bon sens : un métier basé sur une chose aussi éphémère qu'un physique ne pourra jamais apporter à une fille une identité sur laquelle s'appuyer.

Justine et moi étions conscientes de la fragilité de Tinker. On savait également qu'elle était assez décidée pour faire le tour des agences jusqu'à ce que quelqu'un l'engageât. Aussi, décida-t-on de la prendre et de la protéger autant que faire se peut.

Tinker venait juste de finir sa période de formation quand Gabrielle d'Angelle vint nous voir. On aurait préféré que GN tombât sur n'importe quel autre mannequin. Cette fille n'avait jamais mis le pied sur un podium de sa vie. Sa carrière n'avait même pas débuté qu'elle allait devoir présenter un défilé de haute couture dans l'atmosphère électrisée des collections de printemps. Un fiasco sous les feux de la publicité qui entourerait la nouvelle image Lombardi était la pire des choses qui risquait de lui arriver. Hélas, on ne pouvait rien y faire. GN avait fait son choix.

Du moins verrait-elle Paris.

— Puis-je avoir une autre langouste ?

Juste derrière moi, occupant deux sièges, l'un pour lui, l'autre pour ses appareils trop précieux pour s'en séparer, j'entendis Mike Aaron réclamer, sans un mot de politesse, la seconde langouste que je n'avais pas osé demander. Naturellement, il ne m'avait pas reconnue. Il était en terminale à Lincoln quand j'y entrai. Tout à la fois capitaine des équipes de football et de base-ball, rédacteur de l'annuaire, président du club de photo et de sa classe. Rien que cela. Une légende vivante !

Mike Aaron était le type dont je m'étais entichée au lycée. Onze ans plus tard, je dois admettre que ce n'était pas une simple toquade. Je l'avais aimé pendant des années, bien après qu'il eut passé son baccalauréat et se fut envolé dans la nature. Je l'avais aimé d'une farouche passion sans espoir avec la candeur de l'adolescence, passion que je n'ai jamais éprouvée pour mon mari au plus fort de mes sentiments, me semble-t-il. Comment peut-on être aussi bête ?

Quel salaud arrogant il était devenu maintenant que je le retrouvais ! Je n'aimais pas le goût du jeu qu'il dégageait à plein nez, le pouvoir de séduction dont il usait avec les filles, technique qu'il devait pratiquer devant la glace jusqu'à se convaincre que ça avait l'air naturel. Son magnifique sourire piquant, son gros rire insouciant et son côté voyou désinvolte, tout de charme et de cuir éreinté, ne m'inspiraient pas confiance. Pour couronner le tout, le salaud avait des cheveux Paul Mitchell !

4

Allongée sur la moquette de sa chambre du Plaza Athénée, Peaches Wilcox tenait devant elle une glace dans laquelle elle s'inspectait sous toutes les coutures. Grâce à ses formidables abdominaux, elle se redressa très lentement sans détacher les yeux du miroir. Enfin, elle s'autorisa un sourire satisfait.

Dans la position assise comme allongée, son visage semblait le même, ainsi que le lui avait promis le Dr. H. à New York deux mois plus tôt. Pas un muscle, pas un centimètre de peau ne s'était relâché sous l'effet de l'âge. Naturellement, elle évita de se regarder lorsqu'elle se pencha pour ramasser la glace. C'était le meilleur moyen de se gâcher la journée. Combien de femmes savent-elles que la position souvent négligée du missionnaire vous rajeunit la gueule de quinze ans? Seule une très jeune fille peut se montrer à califourchon avec tout qui dégringole, même si cette position aiguise la sensation de frottement.

Cela faisait un bon moment qu'elle ne s'était plus offert cette fantaisie, songea Peaches en sonnant la femme de chambre pour qu'elle lui apportât la tisane, le pamplemousse et le toast de pain complet sec qui composaient son petit déjeuner. Oui, il était certaines choses qu'on ne pouvait acheter. Même avec les cinq cents millions de dollars que lui avait légués ce cher Jimmy, sans avoir à subir cette épouvantable absurdité des fidéicommis qui ne lui aurait laissé qu'un revenu. N'ayant pas d'enfant et la Wilcox Foundation étant pourvue, Jimmy avait voulu qu'elle eût tout ce que l'argent peut offrir. Elle avait déjà plus que sa part : une bonne santé, de beaux cheveux, une belle peau — ce qui est, ne l'oublions jamais, l'élément le plus étendu du corps. Et un cul sublime. Il avait toutefois tenu à lui assurer un bel avenir.

Ce pauvre Jimmy était mort sans savoir que l'argent ne peut tout acheter. Peaches se creusa la tête à la recherche d'un bien tangible. Il ne lui vint à l'esprit qu'un porte-avions, un parc national et la citoyenneté suisse. Elle avait des propriétés plus qu'il ne lui en fallait, Dieu merci, mal au cœur dans un bateau à rames et n'avait jamais voulu être autre chose que texane. Mais comme on dit, ce qui compte, c'est ce qui est intangible. Comme de ne faire que de beaux rêves et de retrouver ses quarante-six ans. Toutes choses impossibles. A elle aussi, il lui arrivait de faire des cauchemars bien qu'elle eût la conscience tranquille et le jour, importun et resté secret, de son quarante-septième anniversaire était tombé deux semaines plus tôt. La jeunesse était aussi inaccessible que Marco Lombardi qu'on aurait dû ficher avec de longs clous rouillés à un fourneau brûlant dans des feux éternels pour le punir de ce qu'il lui faisait. C'était tout ce qu'il méritait !

Pour une femme reçue par tout le Gotha, se morfondre pour un couturier italien encore inconnu et de douze ans son cadet était pour le moins humiliant. Et s'il ne possédait pas un charme si irrésistible, s'en enticher serait une terrible faute de goût. Ouais, la passion partagée, encore une chose que l'argent ne pouvait acheter ! C'était le seul mot qui convenait à ses sentiments à l'égard de Marco. Quand je pense que ce ne serait jamais arrivé s'il avait été pédé ! se dit-elle en enfilant son collant de danse.

Non, Peaches McCoy Wilcox n'avait aucun problème avec les hommes, s'assura-t-elle en commençant ses exercices quotidiens de stretching et de gymnastique au sol avant la demi-heure sur l'une des machines de ski de fond dont elle disposait dans ses quatre maisons, ainsi que dans tous les hôtels où elle comptait passer plus d'une nuit.

A commencer par son père, autrefois propriétaire de toutes les concessions Caddy de Houston à Dallas, elle avait toujours eu de la chance avec les hommes. Ses parents lui avaient accordé le bonheur d'avoir des frères en adoration devant elle, sans l'affliger d'une peste de sœur. Elle avait eu une collection de petits amis si importante qu'il lui avait fallu des années pour en venir à bout, brisant des cœurs sans pitié comme il se devait, avant d'épouser enfin ce cher Jimmy qui n'avait jamais regardé une autre femme jusqu'au jour de sa mort trois ans plus tôt. Naturellement, il était dans le pétrole. Le seul moyen de gagner beaucoup d'argent en dehors de l'immobilier, le secteur qui bat tous les records de réussite. A moins d'être assez roublard pour inventer la énième version inutile de ces cochonneries d'ordinateurs.

Peaches avait bel et bien pleuré Jimmy pendant six mois, puis repris la vie digne d'une veuve de son rang qui veut s'occuper sans faire semblant de s'intéresser à toutes ces réunions de comité d'un ennui mortel : la villa du Cap-Ferrat pendant les deux mois d'été, Venise en septembre, New York pendant les fêtes, Saint-Moritz après Noël. Et bien sûr, quelques jours de temps en temps dans le ranch du Texas pour se reposer.

La présentation des collections de printemps et d'automne à Paris composait les deux constantes essentielles de son existence. C'est ainsi qu'elle avait connu Marco Lombardi, songea Peaches avec colère. Si seulement elle avait eu le bon sens de rester au Texas sans perdre son temps en mondanités, sans vouloir toujours de nouvelles toilettes signées de couturiers français pour jouer les coquettes, elle n'aurait jamais su qu'un tel salaud manipulateur pouvait exister. A l'heure qu'il est, elle serait remariée avec un type charmant, commanderait comme de bien entendu sa garde-robe aux défilés privés de chez Neiman et ne verrait que du feu entre la confection de Seventh Avenue et la haute couture de l'avenue Montaigne.

Peaches tenait à entretenir son charme éblouissant. Elle aurait pu opter pour l'élégance : édulcorer son physique de vedette de cinéma, couper ses superbes cheveux qui tombaient en vagues blondes sur ses épaules, adopter un sourire plus discret et maîtriser son penchant à acheter des modèles de grand luxe.

L'élégance, c'est à la portée de n'importe qui. Il suffit de se faire bien conseiller. Mais il était hors de question qu'elle renonçât à son côté sexy avant soixante ans... disons soixante-cinq. Or l'élégance et le goût de la provocation ne se marient guère. Marco aurait-il partagé son amour si elle avait été chic ? Peaches repoussa ce rêve fou. Pour cela, il aurait fallu qu'elle eût vingt-cinq ou trente ans. En attendant, elle devait se contenter de ce qu'il lui offrait : le plus beau coup de sa vie et d'innocents baisemains à l'italienne à n'en plus finir. Mais quand sa tête brune se penchait vers sa main, cette incroyable tête avec ces cheveux bouclés qu'il aimait à porter trop longs, ces cils tout aussi démesurés, cette bouche un peu boudeuse et trop bien dessinée pour un homme, ce chaud teint olivâtre... quel dommage qu'il ne fût pas pédé, ce salaud ! Ainsi, elle aurait pu l'ébouriffer, le taquiner en disant qu'il n'y avait pas de mot pour décrire sa beauté, et l'oublier sitôt parti.

Alors que Marco provoquait chez elle un désir angoissant qui ne s'éteignait que l'espace d'un instant après l'amour ou quand elle se concentrait sur sa gymnastique du matin. Jamais un homme ne l'avait dominée, jamais un homme ne lui avait inspiré un tel feu. Un an plus tôt, elle l'avait vu monter l'escalier de chez Dior à toutes jambes et demandé à la vendeuse de les présenter. Ce qui ne se faisait pas, vue la réaction de celle-ci. Sans réfléchir, Peaches l'avait invité à prendre un verre le soir même, sachant que le renom de ses invités pourrait impressionner n'importe qui, surtout un petit assistant styliste.

Marco ne resta qu'une demi-heure. Il fit preuve d'une telle confiance en soi que toutes les femmes présentes l'appelèrent le lendemain pour savoir où elle avait bien pu le dénicher. En partant, il lui proposa de partager un hamburger avec lui chez Joe Allen à l'occasion.

C'est ainsi que tout avait commencé, songea Peaches en abandonnant la machine de ski de fond, le cœur battant comme il se doit, pour prendre les poids qui constituaient la dernière partie de ses deux heures d'exercices quotidiens. Il lui avait tout dit sur son passage aux Beaux-Arts de Rome où il avait compris, au bout de quelques années, qu'il serait mieux servi par sa curiosité sur l'architecture du corps humain plutôt que de poursuivre dans la filière classique. Il avait quitté les Beaux-Arts pour entrer comme apprenti chez Roberto Capucci, un remarquable couturier peu connu aux États-Unis mais considéré comme un grand artiste par les conservateurs des musées d'Europe et d'Extrême-Orient.

Tandis qu'il lui tendait un gâteau au chocolat dont elle n'avait aucune envie dans la salle bruyante et bourrée de jeunes cadres qui goûtaient l'ambiance américaine, Marco déclara d'un ton sérieux :

— On a construit des édifices sur un nombre de données assez limité qui avait avant tout pour but d'abriter les hommes. Alors que les vêtements, qui sont aussi essentiels, présentent une infinité de variétés. Pourquoi invente-t-on tant de façons différentes d'envelopper les épaules, la poitrine, la taille, les hanches, les jambes, dont aucune ne change fondamentalement au fil du temps ?

Peaches se rappelait qu'elle n'avait pu émettre la moindre réponse sensée. Le regarder avait provoqué un court-circuit dans son cerveau et fait d'elle une pure créature de chair qui ne pensait qu'à baiser avec lui. Des années à jouer les coquettes, des années à laisser les hommes les plus séduisants de l'Université du Texas dans un état chancelant de trouble et de désir l'avaient empêchée de faire ouvertement le premier pas. On ne se défait jamais de certaines habitudes. Il avait fallu une semaine entière avant que Marco, qui affichait un soi-disant respect, cessât de jouer avec elle pour lui donner ce qu'elle crevait d'obtenir.

Peaches Wilcox reposa le poids de deux kilos craignant, de rage, de le jeter par la fenêtre de l'hôtel et de tuer un type qui se promenait avenue Montaigne. Marco ne l'avait pas rappelée depuis cinq jours. Comment osait-il se le permettre ?

Pourquoi cherchait-il dans sa poche une cigarette qui ne s'y trouvait plus depuis trois ans ? se demanda Marco Lombardi avec agacement. Il n'en avait pas éprouvé le besoin depuis un an. Pourquoi, alors qu'on travaillait sur sa collection de printemps, que les modèles étaient prêts, l'envie le démangeait-elle d'en dessiner une autre qui fût plus délirante que Jean-Paul Gaultier dans son humour importable, qui allât plus loin que Versace dans le côté strip-tease et esclavage, qui fût d'une opulence encore plus prétentieuse que celle de Lacroix, d'un avant-gardisme plus absurde que celui de Viviane Westwood ? En d'autres termes, une collection qui susciterait un tel choc, voire un scandale, que la presse serait obligée d'en parler.

Marco quitta précipitamment son atelier avant de nourrir d'autres pensées indignes et troublantes. Sa secrétaire, une Française d'une cinquantaine d'années aux manières sévères et au visage quelconque qui le regardait durement, l'arrêta en chemin.

— Vous devriez rappeler ces gens, *Monsieur** Marco. J'en ai toute une liste qu'il faut rappeler avant demain. *Madame** Wilcox aussi a rappelé.

Sa voix se fit caressante.

— Dites-moi, *cara Madame** Elsa, que m'arrivera-t-il de si terrible si je ne les rappelle pas, selon vous ?

— Je... vous savez bien que c'est important, répliqua-t-elle.

Elle tenta de prendre son ton le plus revêche.

— Et si vous ne les rappelez pas aujourd'hui, il faudra le faire demain. Et il y en aura encore plus.

— Avez-vous vu *Autant en emporte le vent, cara Madame** Elsa ?

Elle l'observa avec circonspection. Jamais elle n'avait travaillé avec un homme si imprévisible. Il avait voulu la convaincre de l'appeler par son prénom, elle s'y était refusée. Mais elle avait fini par céder à son insistance en acceptant un compromis qui sauvegardait les formes. Comme chacun sait, les Italiens sont des enfants, il faut faire des concessions pour eux. Elle était trop intelligente pour ne pas comprendre qu'il comptait sur son physique, cet homme d'un charme qui risquait de lui coûter cher. Elle se félicitait néanmoins de ne pas lui vouer un véritable culte, comme tant de ses collaboratrices.

— Oui, bien sûr, avoua-t-elle.

Elle songea qu'il ferait bien de se couper les cheveux, comme elle l'y exhortait depuis des mois. Un couturier sérieux ne peut pas avoir l'air d'un farouche étudiant des Beaux-Arts sculpté par Michel-Ange courant dans Paris dans une veste en tweed, un pantalon de flanelle et une écharpe autour du cou.

— Alors, vous vous rappelez la dernière réplique du film ? Demain sera un autre jour, il sera temps d'y penser demain, un truc dans ce genre-là. Pour tout vous dire, je ne suis pas d'humeur à passer des coups de fil.

Marco décocha à sa secrétaire un sourire charmeur.

— Il faut que j'aille faire un tour... j'ai besoin de prendre l'air. Peut-être même suis-je un peu nerveux, vous ne croyez pas, *Madame** Elsa ? C'est naturel, non ? Vous n'êtes pas un peu nerveuse pour moi, vous ?

A regret, elle acquiesça d'un signe. Elle travaillait dans ce domaine depuis trop longtemps pour ne pas être agitée avant une collection. Malgré tout, ces appels...

Marco se pencha vers sa secrétaire qu'il regarda avec une vive attention.

— Pourtant, on ne devrait pas l'être. Ni vous ni moi, vous ne croyez pas ? Tous les couturiers de Paris sont fébriles chaque année à la même époque. Pourquoi les imiter ? Allons, parlons d'autre chose, *Madame** Elsa.

Il lui tapota le bras d'un air gentiment autoritaire.

— Je trouve votre nom charmant. Malgré l'habitude, il chante à mon oreille, il résonne... Elsa... oui, vous avez bien de la chance, votre mari aussi.

— Merci, dit-elle en réprimant un sourire satisfait. C'est le nom de ma grand-mère, comme vous le savez.

— Le délicieux monde d'autrefois. Oui, il vous va bien. Si on donnait encore des noms aux robes, comme jadis, j'appellerais mon premier modèle « Elsa » en votre honneur. Bon, je vous laisse. Je vais repousser les barbares qui tambourinent contre les grilles.

— Et si *Monsieur** Necker rappelle ? s'enquit-elle, affolée. Ou *Madame** Wilcox ?

— *Madame** Elsa, comment pouvez-vous poser une question pareille ? Vous, une femme pleine d'imagination autant que de charme ? Trouvez quelque chose... Je compte sur votre tact. *Monsieur** Necker ne s'attend tout de même pas à ce que je reste enfermé ici toute la journée comme un collégien alors que l'inspiration est partout. Ne dites rien à *Madame** Wilcox. J'ai disparu, vous n'en savez pas plus. *A domani, cara Madame** Elsa.

Marco échappa à sa secrétaire, cette femme supérieure, vertueuse et vigilante qu'avait installée Necker dans son bureau pour le tenir à l'œil. Quelques jours d'observation avaient suffi à découvrir ses points faibles : son teint encore frais, ses jolies oreilles, ses chevilles fines et son prénom. A Necker, elle ne servait plus à rien car elle ne recevait d'ordre que de lui désormais. Il pouvait la faire rougir à sa guise.

Les ateliers et les bureaux de Marco se trouvaient dans un immeuble de la rue Clément-Marot, juste au coin du siège de GN. Alors qu'il s'apprêtait à sortir, il se rappela soudain la robe qu'il avait déchirée la veille après l'avoir vue sur le mannequin cabine. Il monta une volée de marches qui menait à l'atelier où son ouvrière la plus habile, la redoutable *Madame** Ginette, qui avait travaillé chez Lanvin avant guerre puis chez Dior où Saint Laurent l'avait débusquée, recousait la robe. Aujourd'hui, quinze ans après avoir pris une retraite bien méritée, Necker l'avait convaincue de se remettre au travail pour cette collection. Marco la trouva penchée sur un ourlet. Quand elle s'arrêta pour le regarder et posa son ouvrage, il la prit gentiment par les épaules.

— Alors, *ma toute belle**, ça avance ?

Elle retira ses lunettes en soupirant et répondit d'un ton las :

— Vous savez aussi bien que moi que c'est très long de travailler ces épaisseurs de mousseline de soie taillée dans le biais. Je suis épuisée.

— Vous ne voulez pas que j'admire le miracle auquel vous avez œuvré ?

Il lui passa un doigt sous le menton et lui tira délicatement l'oreille.

— Vous voulez juste voir si je réussirai à sauver cette robe, grommela-t-elle. Vous auriez pu faire plus attention hier quand vous l'avez déchirée. Vous avez arraché un ourlet à plusieurs endroits.

— Vous avez raison. Si je vous l'avais confiée, rien de tout cela ne serait arrivé. Avouez que les ourlets, c'est l'horreur, chérie. La moitié de ces gamines ne connaissent pas leur métier. Je crains de m'être emporté.

— Vous êtes un fou d'Italien, le gronda-t-elle en fredonnant. Jamais *Monsieur** Dior ne se serait emporté. C'était un agneau, le pauvre homme.

— Et *Monsieur** Saint Laurent ? demanda-t-il.

Il prit sa main usée et observa le bout de ses doigts.

— Jamais un mot de travers. Un vrai gentleman.

Même du temps où Saint Laurent était un jeune homme adulé, du temps où elle était encore sensible au charme, il ne l'avait jamais emberlificotée comme *Monsieur** Marco. Ces Italiens, on devrait leur interdire de passer la frontière ! Ils avaient des yeux, un sourire... irrésistibles. Surtout celui-là.

— Vous avez de belles mains, *Madame** Ginette, dit Marco d'un air songeur. Elles démontrent la qualité de votre travail.

— Ce ne sont que des mains, répliqua-t-elle, agitée. Des mains de vieille femme, ajouta-t-elle.

Elle tenta de lui échapper. Il la tint fermement.

— Non, vous ne comprenez pas... quand on a travaillé de belles choses pendant des années, cela se voit.

Il la libéra, touchant le bout de chacun de ses doigts qu'il effleura d'un léger baiser.

— Alors, je peux le voir cet ourlet ? *Bravissimo !* C'est ce que j'espérais... vous l'avez sauvé. Cette robe sera le clou de la collection.

Elle se redressa avec une fierté attendrissante et lui fit un sourire timide.

Il lui donnait l'impression de retrouver sa jeunesse, c'était un ange. Mais de là à déchirer un ourlet ! Enfin, il avait un caractère passionné, cet Italien ! En attendant, une bonne coupe de cheveux ne lui ferait pas de mal.

— C'est sûr ! C'était la grande époque. Jusqu'à demain, *ma toute belle**, je compte sur vous.

Comme il descendait l'escalier, Marco se dit que Ginette, arguant de sa fatigue et de son grand âge, ne referait pas le coup de vouloir partir avant une semaine. Peut-être même deux avec un peu de chance, car il avait besoin d'elle. Quand arriverait le moment d'essayer les modèles sur les mannequins, cette vieille sorcière serait une aide inestimable.

Il aurait dû prendre son manteau, se dit-il en marchant. Le ciel était si bleu qu'il avait cru qu'il ferait chaud pour une fois.

Mais Paris était toujours aussi froid et humide malgré le soleil trompeur. Il entra dans un petit restaurant italien et s'installa au bar désert où il commanda un double express.

Il avait besoin de repos ! De se changer les idées ! Il pouvait faire une croix dessus pour le moment. Et ce, jusqu'au jour où ses rêves allaient devenir réalité... où les journalistes de mode dénonceraient son imposture. On la dénoncerait devant les grands noms de la presse et les acheteurs du monde entier, devant CNN, devant *Vogue, Zing* et *Bazaar*, devant le *New York Times* et *Le Figaro*, jusque devant le plus petit journal de la plus petite ville de province au fin fond de *la France profonde**.

Comment n'avait-il pas pensé, tout à son ambition, qu'un nouveau couturier s'expose plus que personne à la critique ? Si un film ne marche pas, un acteur débutant peut passer inaperçu dans son premier rôle. Un futur champion de tennis perdre un match en début de carrière sans craindre le ridicule. Alors qu'en matière d'élégance, les femmes se prennent pour des grands maîtres et vous assassinent au premier raté.

On écrivait sur la mode plus que sur n'importe quel sujet, on photographiait les défilés plus que n'importe quel match international. Du rédacteur en chef de *Elle* aux vendeuses de Prisunic, un chœur de louanges, d'ironie ou d'indifférence accueillait chaque collection. Il voyait les filles quitter leur rayon pour juger les photos dans les journaux du regard serein, mais de fouine, qu'adoptent les précieuses clientes des grands couturiers, toujours assises au premier rang devant le podium.

— Lombardi ? Hummm... Jamais entendu parler de lui, ça doit être un nouveau. Qu'est-ce que tu en penses ? Ouais, je suis d'accord, c'est pas mon style, même si j'avais les moyens. Oh, regarde Claudia dans cette adorable veste Chanel... ça me plairait bien d'en avoir une, pas toi ? On peut la mettre avec n'importe quoi, même un jean.

Les mots méprisants qui lui étaient venus le faisaient enrager. Maintenant que le moment qu'il attendait depuis toujours allait arriver, se pouvait-il qu'il fût incapable de l'affronter ? D'autres couturiers avaient-ils éprouvé ce sentiment avant leur première collection ?

Il était impossible de le savoir, impossible de poser la question à qui que ce soit. Car les couturiers, comme des chanteurs d'opéra concurrents ou des boxeurs professionnels avant le combat, ne se retrouvent pas pour partager leurs émotions. Il tenta en vain d'imaginer de grands noms de la mode en proie à l'angoisse, comme lui en ce moment. Saint Laurent, bien sûr.

Un véritable maniaque de la crise de nerfs, le martyr de la mode, le personnage de Christ tourmenté qui se mourait à chaque collection pour la sauver. Mais un génie de ce genre, il n'y en avait qu'un.

Marco commanda un autre express. Il était content d'être seul, que personne ne fût encore venu prendre l'apéritif. Il avait des dizaines de choses à faire en cette journée d'hiver qui déclinait derrière la fenêtre, une centaine de détails à examiner. Pourtant, grâce au ciel, il ne savait même pas qui seraient les trois jeunes mannequins du défilé. Quelle excuse avait Necker pour lui imposer des débutantes alors qu'il lui aurait fallu des filles expérimentées qui enlevaient toutes les tenues, des filles sublimes sur lesquelles les photographes auraient aussitôt flashé ? Seulement voilà, Necker avait voulu s'en mêler. Il avait organisé un concours comme si Paris était toujours la consécration. Comment avait-il pu concevoir un coup publicitaire d'une bêtise aussi criminelle ?

Marco avait envie de le tuer ! Toute son angoisse se reporta soudain sur l'homme qui l'avait mis dans cette situation. De quel droit ce bourgeois suisse imposait-il son goût à la présentation de la collection ? Pouvait-il décider de tout sous prétexte qu'il la finançait ? C'était lui qui avait tenu à organiser le défilé dans le superbe institut de beauté aménagé au sous-sol du Ritz où l'on pouvait recouvrir l'immense piscine pour transformer les lieux en salle de fête ou d'exposition.

— Ce doit être un vrai gala, Marco, avait déclaré Necker. Le défilé aura lieu le soir, en smoking, et sera suivi d'un buffet. C'est la seule solution avec un inconnu. Les journalistes et les acheteurs ont des journées si délirantes qu'ils n'arriveraient jamais à te caser sans ça. Les collections, c'est le royaume de la publicité et de la mégalomanie. Il faut une approche plus distinguée.

Qu'en savait Necker ? C'était un homme d'affaires. Brillant certes, mais un homme d'affaires ! Un type qui avait des filatures, un type qui achetait le talent d'autrui, un type qui connaissait les techniques de vente, qui fourguait l'éphémère illusion de l'espoir emballée dans des flacons de parfum. Pas un couturier, pas un artiste qui devait s'arracher les tripes et forcer son imagination pour arriver à créer quelque chose de neuf.

Mais Necker était malin. Le salaud, il fallait bien le lui accorder. Assez malin pour s'assurer que Marco, la locomotive de cette affaire, restât à court de carburant. Bien évidemment, il n'aurait jamais pu lancer seul une grande collection, il lui fallait des fonds énormes pour le commanditer.

— Tu auras un salaire, Marco, un excellent salaire, reconnais-le. Mais je n'ai pas l'intention de te donner un centime sur les bénéfices. Peut-être n'y en aura-t-il jamais, d'ailleurs. GN prend un risque mesuré en finançant un nouveau nom. Pour moi, c'est une spéculation, un investissement qui risque de s'avérer mauvais. Je vais perdre de l'argent sur la haute couture, comme tout le monde. Le prix de fabrication d'une robe sera plus élevé que celui qu'on pourra en demander. S'assurer une image est la seule raison d'être de la haute couture. Il faudra plusieurs saisons avant que le prêt-à-porter ne soit rentable, si jamais il l'est, et des années avant que le parfum ne sorte, si tant est qu'il voie le jour. Marco, j'admire ton talent, mais les affaires sont les affaires.

Depuis toujours, Marco était un esclave salarié, assistant et styliste au service d'autrui. C'était sa seule chance d'avoir sa propre marque. Il l'avait donc saisie, comme s'en doutait Necker. Jamais il ne pardonnerait au Suisse de ne pas lui avoir laissé une seule miette du gâteau. Où en serait la mode sans les quelques hommes et les rares femmes qui détenaient l'esprit créatif ?

Il se surprit à chercher une cigarette dans sa poche. Si ça continuait, il allait en demander un paquet au barman. Au lieu de le calmer, ces heures de liberté étaient contre-productives. Ce qu'il lui fallait, c'était une femme, se dit brusquement Marco. Depuis quand n'en avait-il pas eu ? Il n'avait pas eu le temps de baiser depuis deux semaines, trois peut-être.

Oui, une femme, une femme sans problème qui n'aurait aucun besoin de toute cette cour que réclamaient sans arrêt les harpies qui l'entouraient. Il voulait se soulager de sa tension, vite, brutalement, le genre de libération primaire que seule une professionnelle peut vous apporter. Il n'avait jamais fait appel à une prostituée. Tandis qu'il jaugeait la liste des possibilités avec l'attention qu'il aurait portée à la carte d'un nouveau restaurant, il eut un regard critique.

Au bout de quelques secondes, il poussa un soupir résigné. Il se contenterait de Peaches, il n'avait pas le temps d'en chercher une autre. Elle l'agaçait depuis un bon moment. Son désir de possession l'irritait, sa totale disponibilité lui inspirait du mépris. Aujourd'hui encore, alors qu'elle aurait dû se consacrer à ses enviables mondanités, être à New York pour assister à une dizaine de galas, elle traînait lamentablement à Paris dans l'espoir de le voir. Cette femme pouvait-elle être celle qu'il avait jugée, le temps d'une soirée, si ce n'est inaccessible, du moins pas facile ? Une femme avec qui il s'était cru obligé de tenir ce genre de propos pseudo-intellectuels destinés à impressionner l'auditoire ? Comment aurait-il pu imaginer que la meilleure cliente de Dior, une femme mondialement connue pour sa richesse et son standing, serait si facile, si empressée, si dépourvue de la dignité qui, selon lui, seyait à son âge ?

Malgré tout, estima Marco, physiquement elle était juste ce qu'il lui fallait dans l'immédiat : des cuisses écartées qui ne vous posent pas de questions. Il passa un coup de fil pour s'assurer qu'elle était dans sa suite. Un instant plus tard, il se dirigeait vers le Plaza qui se trouvait juste au coin de la rue.

Peaches était contente d'elle lorsqu'elle reposa le combiné. Elle avait dit d'une voix douce à Marco de monter tout de suite. Elle s'était bien gardée de préciser qu'elle donnait un cocktail pour des amis du Texas de passage à Paris, dont certains s'empiffraient déjà de caviar dans son vaste salon.

Quand il sonna, pensant tomber sur la discrète femme de chambre qui le faisait entrer d'habitude, un majordome en blanc lui ouvrit la porte et un serveur lui prit son écharpe.

— *Madame** Wilcox est dans le grand salon, *Monsieur**, annonça ce dernier.

Marco croyait trouver Peaches à se prélasser au petit salon en l'attendant dans l'un de ses innombrables déshabillés raffinés sous la lumière flatteuse de ses petites lampes. Il fut décontenancé quand, laissant un groupe de ses compatriotes devant la cheminée, elle vint vers lui. Dans un tailleur de velours rouge à la veste ajustée et brodée d'or dont les poignets ainsi que la jupe large étaient gansés de zibeline, elle avait vraiment un côté Grande Catherine ce soir.

Il lui prit la main et l'embrassa au creux du poignet, sachant qu'aucun de ses invités ne devinerait le degré d'intimité que recelait son geste, intimité qu'on n'exhibe pas en public.

Elle lui décocha son sourire éclatant aux lèvres fardées comme si elle venait de le quitter et lui proposa :

— Champagne ?

— Pourquoi ne m'as-tu pas dit que tu avais des invités ?

Elle ouvrit grand ses beaux yeux en feignant la surprise.

— Mais Marco, ces vieilles peaux sont des clientes potentielles. Tu as toute la soirée devant toi pour les conquérir. On ira dîner ensuite.

— Je ne suis pas ici pour vendre des robes.

— Ah bon ? riposta-t-elle en jouant l'étonnement.

Elle le conduisit au salon.

— Viens saluer les Henderson, Selma et Ralph de Fort Worth, et ces gens merveilleux que sont Betty et Hank Curtis de Houston. Je vous présente Marco Lombardi. Il est couturier. Vous allez beaucoup entendre parler de lui !

Tandis qu'il serrait la main des Texans et entendait Peaches accueillir un autre couple qui venait d'arriver, Marco se jura qu'il serait parti dans trois minutes. Il allait s'éclipser et s'engouffrer dans l'ascenseur sans même dire au revoir à Peaches. Il demanda un whisky qu'il but d'un trait et en accepta un autre.

Trop heureux de se retrouver pour accorder plus d'un sourire à cet inconnu agité, les amis de Peaches l'ignoraient. Comme elle le présentait à d'autres convives, Marco remarqua qu'elle s'amusait beaucoup de leur froideur à son égard. Il parlait couramment français et ses rares erreurs paraissaient charmantes. En revanche, il ne s'était jamais senti à l'aise en anglais, langue qu'il parlait avec un fort accent italien et en faisant parfois des fautes de syntaxe. Un peu à l'écart, Marco regardait Peaches afficher sa feinte indifférence avec autant d'éclat que les superbes diamants qu'elle portait aux oreilles. Elle savait que ses amis, d'une élégance somptuaire, semblaient fades et provinciaux comparés à sa blondeur éblouissante. Observant Peaches qui était le point de mire de la soirée, il se sentit soudain furieux. S'imaginait-elle qu'il allait rester dîner avec ces gens-là ? Il traversa la pièce et, la prenant par le coude, l'attira dans un coin.

— Je veux te parler.

— Tu ne vois donc pas que ce n'est pas le moment ?

— Je vais dans ta chambre. Suis-moi.

— Je n'en ferai rien.

Ses yeux étincelaient de malice.

— Tu veux que je fasse un scandale ?

— Ne sois pas idiot, Marco.

— Je te jure que je vais en faire un, et tes amis iront le raconter à qui veut l'entendre dans tout le Texas.

— C'est du chantage !

— Je t'aurai prévenue. Suis-moi, répéta-t-il.

Il se faufila, traversant le grand salon, le hall puis le petit salon, et entra dans sa chambre. Quelques instants plus tard, elle le rejoignit.

— Tu es content? lança Peaches comme à un enfant. Qu'est-ce que tu cherches à prouver? Que tu as des manières épouvantables?

— Ferme la porte.

— Je vais retrouver mes invités, répliqua-t-elle en s'apprêtant à partir.

Il la repoussa, ferma la lourde porte à clé et la prit par les bras.

— Je vais te sauter. Ici. Tout de suite.

— Sûrement pas! Je vais crier.

Il la cloua à la porte et se frotta contre elle, de plus en plus excité.

— Arrête! Laisse-moi!

Elle en avait le souffle coupé.

— Sûrement pas, marmonna-t-il.

Usant de sa force herculéenne, Marco la souleva de terre et la jeta sur le lit. Tandis qu'elle se débattait pour se redresser, d'une main il serra ses poignets délicats et, de l'autre, releva sa jupe, puis baissa son slip de soie et de dentelle. Il ne lui restait que son porte-jarretelles et ses bas.

— Laisse-moi! hurla-t-elle.

— Personne ne t'entend avec tout ce bruit. Tu peux brailler autant que tu veux, ça ne changera rien, grommela-t-il en ouvrant la fermeture de son pantalon.

— Marco, arrête! Non!

— Tu en meurs d'envie, ne prétends pas le contraire.

Il lui déchira son slip, l'obligea à écarter les cuisses et la força à plier les genoux pour lever les jambes. La maintenant ainsi, il se mit à califourchon sur elle pour l'empêcher de bouger. En vain, elle lui frappait le dos de ses poings et agitait les jambes. Il se dégagea légèrement pour prendre son sexe dans sa main.

Alors qu'il l'enfonçait en elle, sa résistance et sa froideur inhabituelles le grisèrent tant qu'il ne l'entendait plus le supplier d'arrêter. Le monde se résumait à la fabuleuse volupté qu'il sentait monter au creux de ses reins. Un homme armé d'un revolver n'aurait pu le contenir. Il abusa impitoyablement de Peaches, s'abandonnant à un plaisir démultiplié qui le fit hurler comme une bête sans prononcer un mot.

Sa jouissance pleinement satisfaite, il se redressa en prenant appui sur ses mains et regarda son visage. Elle avait les yeux clos et une expression qu'il ne lui connaissait pas.

— Ne t'inquiète pas, je vais m'occuper de toi maintenant, promit-il, le souffle court. Avec ma bouche, comme tu aimes.

Elle ouvrit les yeux. Il vit la rage qui les habitait.

— Si tu me touches, je te tue, lança Peaches d'une voix glaciale.

— Ne sois pas si mélo, se moqua Marco avec indolence.

Si elle voulait feindre la colère, cela ne l'impressionnait pas. Jamais une femme ne l'avait désiré avec une telle avidité.

En un éclair, Peaches se libéra de son étreinte et se retrouva debout.

— Sors d'ici. Sors de mon lit, sors de cette pièce, fous le camp, ordonna-t-elle.

— Tu es d'un ridicule exquis, tu sais ça ? Non mais regarde, tu es impeccable, pas une mèche de travers. Allez, reviens, laisse-moi te sucer. J'ai envie de savourer ton parfum. Tu vas jouir si vite, si fort, entre mes lèvres, sur ma langue... ce sera formidable, encore mieux que la dernière fois, je te le promets. C'est ça qu'il te faut, *bella*, c'est pour ça que tu es si en colère. Tu ne comprends donc pas ? ajouta-t-il, câlin.

Il se retourna et lui fit signe de venir. Peaches lui tourna le dos, enfila les escarpins qu'elle avait ôtés d'un coup de pied, lissa sa jupe, se regarda dans la glace et quitta la pièce, le tout en une seconde.

Voyant que la porte était restée béante et qu'il était allongé, la braguette ouverte, Marco jura. Puis il s'ajusta à la hâte et gagna précipitamment le hall où l'arrêta le serveur qui lui avait pris son écharpe. Le temps qu'il la trouvât, Marco entendit le rire de Peaches s'échapper du salon où elle avait rejoint ses invités.

5

Peut-être aurait-elle dû se sentir coupable d'avoir prévenu Frankie au tout dernier moment, se reprocha Justine. D'un autre côté, l'envoyer à Paris avec une nouvelle garde-robe et une vie trépidante en perspective était sans doute le genre de thérapie de choc dont Frankie avait besoin pour sortir du marasme où elle se trouvait depuis son divorce.

Oui, estima Justine qui rôdait de son bureau à la salle de booking, il était grand temps d'agir. Qu'allait-elle devenir, cette fille, si on ne la prenait pas en main ? En fait, Justine aurait dû le faire un an plus tôt, mais l'occasion ne s'était pas présentée. Elle avait épuisé son pouvoir de suggestion et ses conseils avisés, qualités aiguisées à force de métamorphoser des débutantes. Elle avait ensuite cédé au harcèlement. Mais ça ne marchait pas non plus avec une personne aussi entêtée, campée si solidement sur ses pieds gigantesques dont elle était si fière et chez qui tout partait du plexus solaire avec une telle vigueur qu'on le voyait presque. Martha Graham avait sa lourde part de responsabilités là-dedans, jugea Justine, l'air sombre.

Elle retira ses chaussures d'un coup de pied et s'étendit, les jambes en l'air, sur le canapé de son bureau pour se détendre. Puis elle respira à fond, à la façon de Ponce Pilate, pendant quelques instants. Voyant que ça ne donnait rien, elle s'empara de son vernis à ongles, ce qu'elle ne faisait plus depuis vingt ans. Frankie lui tapait sur les nerfs, songea-t-elle, se renfrognant encore plus. Elle ne supportait pas de voir quelqu'un gâcher ainsi sa vie ! Il n'y avait pas d'autre mot pour le dire quand on pensait à la chance qu'elle avait.

Elle était d'une telle beauté avec son corps sculptural qu'elle la traitait presque comme sa terrible sœur jumelle. Du jour où elles s'étaient promenées ensemble dans la rue, Justine s'était aperçue que Frankie ne remarquait même pas la façon dont les hommes, manifestement attirés par sa vitalité éclatante, son originalité qui lui allait si bien et la superbe de son port un instant entrevues, se retournaient sur elle quand elle les croisait de son pas alerte. Incroyable, cette fille, absolument inclassable ! Tout bien réfléchi, Frankie avait un maintien de danseuse : très droite, la tête inclinée sur son cou gracieux en une pose proclamant son arrogance. Tous les matins, cette créature infernale passait vingt minutes à se faire un maquillage qu'on voyait à trois kilomètres. Puis, en trois secondes sans même se regarder dans la glace, elle ramassait ses longs cheveux bruns en un chignon qu'elle piquait de deux épingles en écaille sur le haut de son crâne.

Si Frankie avait été mannequin, Justine l'aurait virée à peine aurait-elle pris un kilo. Sans parler de l'obstination avec laquelle elle cachait son extraordinaire chevelure ! Heureusement qu'elle ne pouvait prendre le voile et masquer son visage d'une intensité saisissante. Non, elle n'avait pas une belle gueule, une jolie frimousse comme on en voit tant. Mais un visage plein de vie, de rires, de larmes, un faciès beaucoup plus intéressant. Même si Frankie se refusait à admettre qu'elle avait quelque chose de spécial, la garce ! Elle souffrait d'un mal de danse contemporaine incurable, c'était ça son drame. Comprenait-elle qu'une femme hyper professionnelle et bien payée qui s'affublait tous les jours de la semaine comme si elle allait répéter un ballet aurait sans doute dû suivre une thérapie ? Que Frankie aille au diable, ce n'était pas son problème !

Justine écouta les bruits de la salle de booking qui filtraient par la porte ouverte de son bureau. Apparemment, tout le monde était au téléphone, comme d'habitude. Pourtant, on percevait un certain relâchement, comme si les bookers travaillaient machinalement au lieu de rester aux aguets pour saisir la moindre occasion potentielle au détour de la conversation, tels les éclaireurs indiens d'un vieux western écoutant le grondement des rails du chemin de fer.

Comme elle le leur avait répété cent fois, elle en apprenait autant sur la situation de ses filles quand les bookers lui expliquaient les raisons pour lesquelles elles avaient été engagées ou pas. Les bookers étaient sa seule source de renseignements. Était-ce un relâchement de retour de vacances ? Aucune agence ne pouvait se le permettre. La photo de mode était un domaine qui fonctionnait toute l'année. Mais elle n'était pas d'humeur à aller voir ce qui se passait. Que les bookers aillent au diable, eux aussi, ce n'était pas son problème !

Elle se sentait... angoissée... comme s'il allait arriver un drame, ce qui était absurde. Elle aurait dû être merveilleusement soulagée, se raisonna Justine. Elle avait attendu le départ des filles pour Paris, partagée entre l'envie de fuir et celle de se battre, mais bien décidée à échapper au piège qu'on lui avait tendu. Une fois Frankie, les filles et l'équipe de *Zing* dans l'avion, rien n'était résolu hélas. Peut-être était-ce cela son problème. De toute façon, Frankie laissait un grand vide derrière elle. Savoir qu'elle était là pour parler de boulot, papoter à cœur ouvert sur n'importe qui... oui, elle en était arrivée à compter sur sa pétulance, son optimisme.

Et si Necker venait à New York et débarquait chez elle ?

Quelle horreur ! Justine se leva d'un bond, le cœur battant, comme s'il venait d'apparaître dans l'embrasure. Ça faisait trois jours que ce genre de folie la réveillait, en nage, au beau milieu de la nuit. Elle ferma la porte et s'obligea à s'asseoir à son impressionnant bureau, l'endroit au monde où elle se sentait la plus forte. Elle devait examiner la question, s'exhorta sévèrement Justine. Sinon, elle serait victime de son inquiétude grandissante. Qu'avait-elle réglé en refusant d'aller à Paris ? Elle n'avait fait que repousser les choses. Elle était trop réaliste pour nier l'évidence : une confrontation avec Necker était inévitable. Merde, au lieu d'agir, elle réagissait. C'était contraire à ses principes.

Enfin, en temps normal. Elle n'avait pas l'habitude de se cacher, elle disait ce qu'elle pensait et prenait des décisions sans tergiverser. Elle aimait jouer les femmes décidées, s'identifier à des femmes de la fin du vingtième siècle qui maîtrisaient leur destin.

Pourtant, quel que soit l'angle sous lequel on regardait les choses, il fallait bien reconnaître que l'une des données essentielles de sa vie était loin d'être normale. Justine avait treize ans quand sa mère lui avait appris, sitôt ses premières règles, que son père qu'elle croyait mort au Vietnam était vivant.

— Ç'a été le premier homme de ma vie et il m'a larguée quand j'ai su que je t'attendais. Je n'ai plus jamais eu de ses nouvelles. Maintenant que tu es devenue une femme, que tu pourrais avoir un enfant à ton tour, je me dois de te le dire. Il faut que tu saches ce que les hommes risquent de te faire, même si tu crois les aimer ou en être aimée. Tu ne dois jamais oublier cette leçon que j'ai dû tirer.

— Mais qui est mon père ? demandait sans arrêt Justine à sa mère. Comment était-il ? Comment a-t-il pu te laisser ainsi ?

Comment l'as-tu rencontré ? Combien de temps es-tu restée avec lui ?

Des questions sans fin jusqu'au jour où elle comprit, à son grand regret, que sa mère ne lui apprendrait rien. Même si elle répétait qu'elle avait le droit de savoir, de tout savoir sur son père.

— Hormis ce qu'il m'a fait, rien de ce qui le concerne n'a d'importance, chérie, répondait invariablement Helena Loring. Si tu étais un garçon, je ne t'en aurais rien dit. Le sujet est clos, Justine. J'ai gagné le droit de garder le reste pour moi.

En dehors de son silence obstiné, sa mère était une femme formidable. Il n'y avait pas de doute là-dessus. Quand Justine fut plus grande, Helena Loring voulut enfin lui en dire plus long. Justine découvrit que sa mère n'avait pas cédé au désespoir lorsqu'elle s'était retrouvée seule et enceinte. Elle avait vidé son compte d'épargne des économies amassées pendant des années grâce aux cadeaux d'anniversaire et aux emplois saisonniers, puis était allée accoucher près de Chicago dans une petite ville où personne ne la connaissait. Ayant une forte tendance à affirmer son indépendance, elle avait caché la naissance de Justine à ses parents à qui elle n'apprit la nouvelle que quelques semaines plus tard. Sûre de son bon droit, Helena Loring leur annonça alors qu'elle avait l'intention d'élever seule son enfant, même si elle avait commis une erreur.

Moins de trois semaines après la naissance de Justine, elle avait trouvé une femme gentille et compétente pour s'occuper du bébé et décroché un emploi de vendeuse dans le meilleur grand magasin du coin. Helena Loring s'était tant donnée à son travail qu'elle devint rapidement acheteuse adjointe, pour accéder ensuite au poste de chef de rayon et enfin à celui de sous-directrice.

Sa mère l'aimait tendrement, elle n'aimait qu'elle car elle n'avait jamais répondu aux avances des rares hommes qui avaient cherché à mieux la connaître. Elle avait un cercle d'amis, composé de couples et de femmes seules, à qui elle avait habilement fait comprendre que la mort de son mari l'avait tant bouleversée qu'elle n'avait jamais voulu se remarier.

— Le risque.

A prononcer ce mot, Justine céda au déferlement d'émotion qu'il suscitait toujours chez elle. Sa mère était hostile au risque en matière de sentiments, comme si elle craignait de voir sa vie s'écrouler devant elle si elle se confiait, ne serait-ce qu'un peu, à d'autres qu'à sa fille. Justine n'avait pas dix ans quand ses grands-parents moururent, c'était sa seule famille. A l'école, elle était populaire. Mais elle n'avait jamais avoué à aucune de ses amies le moindre mot sur sa situation. On ne pouvait révéler à personne un secret aussi dangereux dans un monde où chacun se connaissait et qui raffolait des cancans. Au lycée, on comprit vite que Justine Loring, la belle de sa classe que se disputaient les garçons, n'accordait jamais plus d'une bise sur la joue à ses admirateurs.

Justine avait dix-sept ans quand un découvreur de talent de l'agence Wilhelmina la dénicha. En partant pour New York, elle emporta gravés dans sa mémoire les avertissements répétés de sa mère. Cédant à une curiosité naturelle, elle eut malgré tout quelques aventures dont la première ne fit que confirmer les mises en garde maternelles. Plusieurs fois, Justine avait failli tomber amoureuse, mais toujours les histoires s'étiolaient avant de devenir sérieuses. Pour une raison ou une autre, les espoirs de l'été n'arrivaient jamais à l'automne. Il y avait beaucoup d'hommes dans sa vie, mais ils passaient bien après l'agence.

Quand Justine franchit la trentaine, elle songea à faire une analyse. Néanmoins, cela prenait un temps fou. Surtout au vu des minces résultats apparemment obtenus par ses amis. Elle envisagea même d'épouser le premier type possible qui le lui proposerait, puis de divorcer, histoire d'en finir avec cette histoire. Ainsi, elle n'aurait plus à endurer les sous-entendus qu'elle percevait, à juste titre, chaque fois qu'elle rencontrait quelqu'un. Son bon sens et sa fierté l'en empêchèrent. Elle n'avait pas besoin de se justifier par un divorce pour se sentir elle-même. Si les gens voulaient jaser sur son compte, libre à eux. L'expérience de sa mère lui avait sans aucun doute donné un point de vue limité sur la gent masculine. Pourtant, à voir les salades impossibles dans lesquelles s'empêtraient ses mannequins, Justine avait l'impression que sa mère avait raison : on ne pouvait pas compter sur les hommes. L'expression « un brave homme » était un véritable contresens.

Quelques mois plus tôt, quand sa mère apprit qu'elle n'avait plus longtemps à vivre, elle appela Justine pour lui annoncer que Jacques Necker était son père.

— Pourquoi me le dis-tu aujourd'hui ? Enfin, j'ai trente-quatre ans ! lança Justine, incrédule et furieuse. A quoi me sert d'avoir un inconnu pour père ? J'ai grandi sans, tu te le rappelles ? Et pourquoi diable as-tu attendu tout ce temps, si tu avais l'intention de me le dire un jour ? Ça fait plus de vingt ans, maman !

— Je n'en avais pas l'intention, chérie. Il était inutile que tu le saches, et lui ne le méritait pas. J'ignorais ce qu'il était devenu, jusqu'au moment où il a acquis une telle notoriété qu'il était impossible de ne pas tomber sur son nom dans les journaux. Quand il s'est marié, j'ai pensé qu'il allait avoir des enfants. Avec les années, j'ai compris qu'il n'en aurait pas. Maintenant que je n'en ai plus pour longtemps, je vois les choses différemment. Je comprends tout ce que j'ai manqué à cause de cet homme. Il m'a pris ma vie, Justine, et je m'aperçois que je ne crois pas à l'au-delà. Alors, j'ai décidé de me venger. C'est la seule chose qui me réconforte un peu.

— Te venger? Mais de quoi parles-tu, maman?

— Des albums, répondit sa mère.

Elle dit cela avec une satisfaction sardonique que Justine ne lui connaissait pas.

— Les albums? Ceux que... ceux que tu as faits avec les photos de moi?

— Oui, toutes les photos. A commencer par celle prise en salle d'accouchement quand tu es née. Toutes les photos, Justine, celles où je te donnais ton bain quand tu étais toute petite, celles de ta première fête d'anniversaire, celles de la maternelle, du lycée, du cours de danse, des spectacles à l'école, des pages de tes meilleures photos de mannequin déchirées dans des magazines, des photos du beau bébé que tu étais jusqu'à celles de la belle femme que tu es devenue. Il les a toutes. Je n'en aurai plus besoin.

— Mais pourquoi?

— Pour qu'il comprenne ce qu'il a perdu. C'était le seul moyen. Comme ça, il va souffrir... oh, pas autant que moi! Presque assez pour assouvir ma vengeance, malgré tout. C'est sûr, tu ne crois pas?

— Et... que va-t-il faire? demanda Justine.

Le ton de victoire implacable de sa mère la stupéfiait. Jamais elle ne le lui avait entendu.

— Que peut-il faire, ma chérie? Il ne peut ni te nuire, ni t'aider. Tu t'es débrouillée pour gagner ton indépendance, comme moi. Mais je sais ce qu'il éprouvera. Et cela suffit à me laisser mourir en paix.

Épuisée, sa mère s'était tue alors. Pourtant, elle affichait toujours cet étrange sourire de triomphe. Ensuite, Helena Loring se renferma. Elle parlait de moins en moins. Pourtant, lorsque Justine la veilla jusqu'à sa mort quelques jours plus tard, un léger sourire de contentement se dessina plusieurs fois sur ses lèvres.

A peine une semaine après sa disparition, les lettres de Necker avaient commencé à arriver. Après mûre réflexion, Justine décida de les lui renvoyer sans les ouvrir. A ses yeux, ce geste était le seul hommage qu'elle pouvait rendre à la mémoire de sa mère. La seule façon de la dédommager des meilleures années de sa vie qu'elle lui avait consacrées, une vie complètement gâchée par Jacques Necker.

Elle avait rarement été si heureuse d'être chez elle, se dit Justine en s'asseyant devant la cheminée de son petit salon à la fin de cette froide journée de janvier. Naturellement, il ne s'était rien produit de spécial à l'agence. Elle n'avait aucune raison de se mettre dans un état pareil, au point d'en bousiller son vernis à ongles. Seule une volonté incroyable l'avait empêchée de s'attaquer aux petites peaux à coup de dents.

Elle finit par se détendre, se nichant au creux de sa maison comme sous une immense couette. Quand elle contemplait son hôtel particulier situé entre Park et Lexington Avenue, elle voyait de tous côtés le résultat de dix ans d'économies à force de travail acharné. Elle l'avait acheté trois ans plus tôt lorsque les prix surcotés de New York dans les années 80 avaient chuté et ne l'avait jamais regretté, pas même quand elle signait tous les mois l'énorme chèque de son emprunt. L'idée d'être propriétaire d'une maison qui se dressait là depuis cent ans, une maison occupée par des générations et des générations d'une seule famille jusqu'à ce qu'elle l'achetât lors de la succession de son dernier représentant avait quelque chose d'extraordinaire, songeait Justine en buvant son thé.

D'un autre côté, cent ans de vie avec un minimum de modernisation l'avaient laissée dans un état qui nécessitait qu'on en « prît tendrement soin », comme le reconnut l'agent immobilier. Si elle avait été impeccable, ne serait-ce que correcte, jamais Justine n'aurait pu s'offrir une maison de quatre étages dans l'une des meilleures rues de ce quartier chic. Tendrement soin, tu parles! se dit Justine en admirant le superbe manteau en marbre sculpté de la cheminée d'époque. Si sa pauvre maison avait été un être en chair et en os, elle l'aurait aussitôt envoyé à la clinique Mayo, puis au Golden Door pour une cure de trois mois de remise en forme.

Le toit était en bon état, Justine avait dû s'en occuper tout de suite. Quant au reste, elle l'avait pratiquement laissé tel que, se contentant de lui donner un air coquet en jouant sur les tissus et les papiers peints, sans compter l'incroyable collection de bibelots et de meubles victoriens au charme vieillot qu'elle avait rassemblés au fil des ans, pour masquer l'importante rénovation qu'il aurait fallu entreprendre.

Quand elle allait dans les ventes aux enchères et chez les petits antiquaires hors des sentiers battus, Justine s'entichait de vieux machins, des objets manifestement cassés et réparés, des tapis et des coussins usés jusqu'à la corde, des glaces au tain abîmé par le temps, des meubles aux dorures envolées et à la peinture écaillée, des pièces qui, selon les dires des vendeurs, avaient « souffert ».

Peut-être était-ce par réaction à la fraîcheur pimpante des filles qu'elle côtoyait tous les jours, ou aux intérieurs modernes d'une ordonnance glaciale sans une touche de nostalgie qu'aimait sa mère. Toujours est-il qu'il lui suffisait de tomber sur une chaise ou une lampe abandonnée pour se faire avoir.

Il y avait des limites à tout, cependant. Et Justine avait fini par être acculée. Comment lutter contre un chauffage qui allait rendre l'âme, une tuyauterie en panne une semaine sur deux, une cuisine et des salles de bains si démodées que ses gouvernantes la quittaient au bout de quelques mois alors qu'elle leur demandait juste de faire le ménage et de lui laisser de quoi dîner dans le réfrigérateur ? Le plus habile rafistolage de brocante usagée ne camouflait les choses que jusqu'à un certain point, s'avoua Justine à regret en attendant l'entrepreneur chaudement recommandé qui devait venir.

Pourquoi se doutait-elle qu'il allait la plumer ? Pourquoi était-ce un fait établi dès qu'on parlait d'entrepreneurs ? S'ils avaient si mauvaise réputation, elle devait être méritée. Si Justine avait un jour regretté d'être célibataire, c'était bien aujourd'hui. Seuls les hommes avaient, de droit divin, le devoir de traiter avec les entrepreneurs. En l'occurrence, il lui fallait un mari. Pour ça et rien d'autre ! se rebella Justine.

On sonna à la porte. Elle devait reconnaître qu'il était ponctuel. Ne pouvait-on s'y attendre ? N'était-ce pas le meilleur moyen pour faire bonne impression, décrocher le chantier, commencer les travaux, faire des trous béants dans les murs et les planchers avant de se volatiliser sans plus répondre à ses appels en lui laissant un chambardement dont aucun de ses collègues ne voudrait se charger ? Elle connaissait très bien ce genre de stratagème. Elle aussi en avait quelques-uns dans sa manche, se rappela Justine en ouvrant la porte.

— Miss Loring ? Aiden Henderson, dit-il avec un sourire étonnamment sympathique.

Très habile, songea Justine en lui serrant la main. Il a réussi à se présenter d'une telle façon qu'on pourrait le prendre pour un type bien si on ne savait à quoi s'en tenir.

Justine avait le don de juger les gens au premier regard. Elle les jaugeait en une seconde, saisissait le détail révélateur dans leur attitude, pressentait leur personnalité à travers leur faciès.

Aiden Henderson avait l'air honnête, il paraissait rassurant, compétent. Bien évidemment, se dit-elle de plus en plus sur ses gardes. Quoi de plus rusé qu'un tel artifice pour un entrepreneur ? Le mélange dû au hasard de ce regard direct, ces yeux bleus amicaux, cette bouche solide, ce nez cassé à l'attrait certain et cette touffe de cheveux d'un châtain tout bête concourait à l'impression d'honnêteté. Il était agréable à regarder. D'un charme naturel, pas d'une beauté qui suscite la méfiance. Un grand gaillard, ce qui, injustement, inspirait confiance. Selon les statistiques, le plus grand des candidats remporte presque toujours les élections. Musclé, bien bâti, il avait des lunettes à monture d'écaille, ce qui lui donnait cet air compétent et rassurant. Les lunettes, quelle idée géniale ! remarqua-t-elle froidement. Elle était sûre qu'il les portait pour la frime.

Pire, il était habillé avec une certaine recherche. Sa tenue montrait qu'il avait un certain vernis, même si c'était un ouvrier. D'ailleurs, un entrepreneur relève-t-il de cette catégorie ? Un duffel-coat élimé juste comme il faut, une veste en tweed correcte, un pantalon en velours côtelé, une chemise à col ouvert en Oxford bleu, le tout bien usé. Pour sûr, ce Aiden Henderson n'était pas un homme des bois ! Il avait sans doute étudié sa mise pendant des années.

— J'admire votre maison, s'exclama-t-il comme elle accrochait son manteau.

— Comment pouvez-vous dire une chose pareille alors que vous ne l'avez pas encore vue ? riposta Justine.

— Inutile d'en voir les entrailles pour l'admirer, assura-t-il en riant. La façade est absolument intacte. Combien reste-t-il de maisons dans cet état dans le quartier ?

Tout en le conduisant au petit salon, elle lança d'un ton brusque par-dessus son épaule :

— Des milliers sans doute. Des dizaines de milliers.

— Pas vraiment. La plupart des gens suppriment l'escalier extérieur qui mène à l'étage noble pour aménager l'entrée au niveau de la rue.

— Ah bon ? Tant mieux pour eux. Je peux vous offrir un thé ?

Son invitation était la moins cordiale qui fût.

— J'en serais ravi, merci.

Henderson la suivit à la cuisine.

— Ciel !

— Combien de gens ont-ils encore le fourneau d'époque, hein ? observa Justine avec un petit sourire.

— Sans parler de la théière d'époque.

— Alors, toujours aussi admirateur ?

— Ouais. C'est exceptionnel dans son genre. On dirait un voyage dans le temps. A la façon de Ray Bradbury, mais dans l'autre sens. Je peux ?

Il s'assit à la table de cuisine.

Justine attendit que l'eau bouillît tout en observant l'entrepreneur du coin de l'œil. Trop Américain pour Armani, jugea-t-elle, définissant aussitôt son style. Trop brutal pour Ralph Lauren, beaucoup trop viril pour Calvin Klein, pas assez homme des bois pourtant pour Timberland. Guess Man, alors ? Non, pas assez excentrique. Si elle avait eu à le proposer, elle l'aurait mis sur... Malboro ? Oui, peut-être. Dockers ? Possible. Ou Hugo Boss ? Versant l'eau dans la théière, elle se rappela à l'ordre : enfin, ce type n'était pas là pour poser dans un magazine ! C'était un entrepreneur retors en qui on ne pouvait absolument pas avoir confiance.

— Depuis quand avez-vous cette maison ?

Aiden Henderson posa la question avec curiosité en mettant deux cuillerées de sucre dans son thé.

— Quatre ans, répondit Justine en s'asseyant à son tour.

— Quels sont les travaux que vous envisagez ?

— Les plus limités possibles. En fait, si ce n'était que moi, je ne ferais rien. Mais il faut s'occuper de certaines choses, paraît-il.

— Votre mari aime vivre au milieu de toutes ces antiquités victoriennes ?

— Fort heureusement, je n'ai pas à satisfaire les goûts d'un mari en matière de décoration. En aucune matière, d'ailleurs. Dites-moi, Mr. Henderson, votre femme choisit-elle vos vêtements ?

Elle fut surprise par sa propre question.

— Non. Elle s'en est allée dans un monde meilleur.

— Oh, je suis navrée... je ne savais pas...

— Elle n'est pas morte, ajouta-t-il aussitôt. Elle est mariée avec un type qui se fait faire tous ses costumes sur mesure. Chez Sulka. Dunhill aussi, à ne pas oublier.

— Ah.

— C'est la vie, s'exclama-t-il joyeusement. On n'avait pas d'enfants à traumatiser, c'est toujours ça de pris. Vous en avez, vous ?

— Sûrement pas !

— Il n'y a rien d'insultant là-dedans, que je sache.

— En théorie, sans doute pas. Mais dans la mesure où je viens de vous dire que je ne suis pas mariée, ça l'est, répliqua Justine avec le plus d'arrogance possible.

— Je supposais que vous l'aviez été. Il n'y a pas de raison. A moins que vous ne soyez lesbienne, évidemment.

— Il se trouve que je ne le suis pas. Mais qu'est-ce que c'est que ce genre de question ? Vous avez besoin de ce type de renseignements pour refaire la maison des gens qui risquent de vous le proposer ?

— Miss Loring, on doit tout dire à un entrepreneur. Sinon, comment pourrait-il comprendre vos besoins ? Et y répondre ?

— J'ai besoin de chauffage et d'eau chaude, répliqua Justine.

Elle ne put s'empêcher de rire.

— Ça, je vous le garantis, assura-t-il. C'est le minimum. Mais sans doute découvrirez-vous que vos besoins ne s'arrêtent pas là.

— Ah, nous y voilà ! Vous essayez de me convaincre de faire toutes sortes de transformations dont je peux très bien me passer.

— Pas du tout. On peut se limiter au chauffage et à l'eau chaude, affirma Aiden Henderson avec sérieux. Je prends dix pour cent sur le prix des travaux pour obtenir des tarifs concurrentiels sur le chantier et choisir de bons ouvriers que je supervise. Je suis si débordé que je suis venu uniquement pour faire plaisir à vos amis qui m'ont dit que vous aviez besoin d'un entrepreneur. « Désespérément besoin », pour reprendre leurs termes exacts. Elle est désespérée, Aiden, il faut absolument que vous trouviez le temps de vous occuper d'elle.

— Où avez-vous fait vos études ? demanda Justine sans réfléchir.

La première arme venue pour donner l'impression qu'elle avait moins besoin de lui qu'il ne le pensait.

— A l'université du Colorado. Je suis de Denver.

— Vous faisiez partie de quelle équipe de foot ? lâcha-t-elle d'un ton accusateur.

Un cow-boy ! D'où le style cent pour cent américain.

— Aucune. Je faisais de l'athlétisme et de la boxe. Et du ski de compétition, évidemment.

— Évidemment. Quelle bêtise de ne pas avoir deviné que vous faisiez forcément du ski de compétition.

Elle le regarda de travers avec superbe.

— Très alambiquée cette phrase ! Qu'est-ce que vous voulez dire par là ?

— Sans doute envie-je les gens qui n'ont rien de mieux à faire que de monter et de descendre des pistes, en étant récompensé par-dessus le marché. Moi, j'ai commencé à travailler à peine sortie du lycée, ajouta Justine avec une petite moue.

— Vous faisiez quoi ?

— J'étais mannequin.

— C'est bien ce que je pensais. En fait, j'avais une photo de vous affichée sur mon tableau au dortoir.

— Pourquoi m'avez-vous posé la question si vous le saviez ?

— Ça fait... voyons, j'ai trente-six ans... ça remonte à seize ans plus ou moins. Vous étiez une gosse superbe. Vous êtes tellement plus belle aujourd'hui qu'il me semblait impossible que vous soyez la même personne.

— J'ai dit uniquement du chauffage et de l'eau chaude.

— Vous croyez encore que j'essaie de vous arnaquer ? Écoutez, déclara Aiden avec le plus grand sérieux, je vais vous chercher un autre entrepreneur et reprenons les choses à zéro.

— Quelles choses ?

— Vous le savez bien.

— Ah bon, vraiment ? riposta Justine qui se voulait moqueuse.

— Oui, vraiment.

Il retira ses lunettes et l'observa avec attention.

— Vraiment !

— Non, dit catégoriquement Justine.

Elle se montrait sensée, c'est tout, estima Justine. Son attitude était dictée par son jugement qui ne pouvait en rien se laisser affecter par les petites cicatrices qu'il avait au-dessus du sourcil et une autre, plus grande, sur le menton qui lui donnaient un air d'une loyauté digne de Harrison Ford. Un mauvais coup ? Dans cette fameuse équipe de boxe ? Un accident de voiture ? Elle mourait d'envie de le savoir, s'aperçut Justine avec horreur.

— Comment ça non? s'enquit Aiden.

Il semblait quelque peu troublé quant à la nature du refus.

— Je ne veux pas d'un autre entrepreneur. Disons que vous êtes engagé.

— Très bien. Je peux vous emmener dîner maintenant?

— C'est une tout autre question.

— Et quelle en est la réponse?

— J'en serais ravie.

Ses premières impressions avaient la réputation d'être infaillibles, se rappela Justine avec ce qui lui restait de jugeote. De plus, avoir des préjugés contre quelqu'un sous prétexte qu'il exerçait un métier peu recommandable n'était pas correct. C'était même anti-américain. Comme de refuser de voter sous prétexte qu'on n'a pas confiance en les politiciens. Il devait quand même y avoir des gens bien dans le lot!

— Demain?

— Pourquoi pas ce soir? Je meurs de faim. Mon four à micro-ondes ne marche pas, mentit pitoyablement Justine.

— Il est impossible de brancher un engin pareil dans cette cuisine. Vous feriez sauter les plombs.

— Je suis une pauvre malheureuse, alors?

— Uniquement dans les quartiers chics. Un italien? Un thaïlandais? Un acadien? Un mexicain?

— Vous êtes encore amateur... de viande? s'enquit Justine.

Elle avait envie de le garder là, sur son territoire.

— Ouais. Et de martini aussi.

— Je crois qu'un steak me ferait du bien. Je me sens un peu... faible.

Elle badinait avec lui, elle badinait sans pouvoir s'en empêcher, comme poussée par un besoin irrépressible. Elle minaudait depuis la seconde où cet homme était entré, encore qu'il ne s'en rendît sûrement pas compte. Et elle n'en avait même pas honte.

— Moi aussi. Le genre de faiblesse exquise.

Livrant une bataille perdue pour que ses doutes paraissent encore justifiés, Justine contempla ses mains. Mais les mains d'Aiden semblaient chaudes et sûres. Douces. Si grandes et si douces. Elle adorait ses cals. Elle avait envie de les prendre entre les siennes. Justine s'empara des lunettes d'Aiden et regarda à travers. La vache! Elle ne voyait rien, c'était pas du bidon. Elle les reposa et s'aperçut qu'il avait l'air vulnérable. Vulnérable, doux, porteur de chauffage et d'eau chaude.

Elle déploya la stratégie qui lui était venue quelques instants plus tôt.

— Je peux vous faire un steak, si vous le voulez, proposa-t-elle. Le gril marche et j'ai de la viande au frigo. Il y a aussi du gin dans le garde-manger. Du vermouth... et même...

Elle chercha une idée.

— Et même ?

— ... des petits oignons ! Je peux vous préparer un Gibson. C'est l'une de mes spécialités.

— Je ferais le tour de New York pour un Gibson.

— Alors, c'est décidé, non ? lança Justine avec un air de grand seigneur.

Aiden Henderson allait bénéficier de ses uniques talents culinaires. Ils pourraient régler les détails du chantier plus tard.

6

A peine arrivée dans le hall où flottait un parfum de bon cigare mêlé d'eau de toilette pour homme raffiné, je perçus la situation. Bien que le Plaza Athénée soit l'un de ces grands hôtels de luxe, on y trouve aussi des escrocs de haut vol dont certains étaient campés en petits groupes dans leur QG, les profonds fauteuils disséminés dans le vaste hall.

Ces gros richards étaient sûrement déjà là la dernière fois que j'étais venue à Paris un an plus tôt quand j'étais descendue à l'hôtel de La Trémoille, un établissement nettement moins cher au coin de la rue. Ce n'étaient certainement pas des pères de famille. Plutôt le genre de types cosmopolites aux activités douteuses et très à leur aise qui sirotaient un verre, envoyaient des fax et recevaient des coups de téléphone dans l'attente d'un spectacle dont nous étions un parfait échantillon. Les Trois Grâces ! Le Plaza donnant sur l'avenue Montaigne presque en face de chez Dior et étant entouré par d'autres maisons de couture, c'est l'endroit rêvé pour repérer les nouveaux venus.

— Venez, les enfants, suivez-moi, dis-je d'un ton ferme à mes ouailles.

Je les conduisis à la réception où je nous annonçai. J'étais venue deux fois à Paris voir où en étaient les agences françaises, toujours très au fait. Je n'avais jamais joué les chaperons. Mon nouveau rôle accentuait mes qualités de chef. Sans avoir besoin de me retourner, je devinai que nous étions l'*attraction du jour**. A qui aurait-on pu reprocher de dévisager trois filles immenses, toutes affublées d'un fuseau collant, un parka en duvet et ces bottes de l'armée qu'arboraient les mannequins cet hiver ?

Accompagnés d'une horde de larbins avides de pourboires qui ne nous laissa rien porter hormis nos indispensables sacs à dos, on arriva enfin au troisième étage où nous étions cantonnés. Avant de chercher ma chambre, je m'assurai que chacune des filles avait une suite, comme promis. En dehors de Jordan, qui gardait son calme, on aurait dit de jeunes chiens : elles couraient partout, ouvraient les portes, allumaient et éteignaient la lumière des placards, s'exclamaient devant les bouquets, les paniers de fruits et le champagne au frais dans des seaux, elles allaient même jusqu'à sauter sur les dessus de lit en brocart et en satin tandis que Mike Aaron, ce sale voyeur comme tout photographe qui se respecte, n'en perdait pas une miette.

Il fallait reconnaître qu'il faisait bien son boulot. De la seconde où on s'était retrouvés à l'aéroport, il avait travaillé sans arrêt et sans se faire remarquer. Mes ouailles s'étaient déjà habituées à sa présence. Elles avaient oublié qu'elles étaient les vedettes d'un reportage homérique et se comportaient avec le plus grand naturel malgré les deux appareils chargés qu'il portait autour du cou en permanence, plus celui dont il se servait. J'étais assez nerveuse comme ça sans avoir, par-dessus le marché, un objectif braqué sur moi au moment où je m'y attendais le moins. Aussi avais-je mis les choses au point sitôt en salle d'embarquement.

— Ton reportage, ce n'est pas moi, c'est elles. Alors, dégage, Aaron. Je ne supporte pas qu'on me prenne en photo, surtout que tu me prends toujours par surprise.

Il m'avait observée et accordé un regard blessé. Enfin, ce qui en tenait lieu selon lui. Quel hypocrite, m'étais-je dit, dressant la liste de ce qui avait changé chez lui depuis sa sortie de Lincoln. En gros, le grand garçon d'un charme diabolique était devenu un homme encore plus séduisant. Des cheveux noirs, des yeux sombres, le tout sublime... le même visage que dans mes innombrables rêves, sauf que le temps m'avait immunisée et que je pouvais y résister désormais. Oui, évidemment, je sais bien qu'il avait quelque chose de différent : une réputation établie, le dynamisme de la réussite, l'intériorité de celui qui est arrivé. Et alors ? Je n'avais pas l'intention de le laisser nous mener à la baguette.

— Maxi m'a dit que Justine faisait partie du reportage, protesta Mike. Dans la mesure où je ne l'ai pas eue, ça retombe sur toi, ma vieille. Je n'ai pas le choix. Tous les gens qui touchent à cette histoire y sont liés. Pourquoi as-tu si peur de l'objectif ? Non, ne te fatigue pas, je le sais. C'est ton nez, hein ?

Il m'attrapa par les bras, me fit pivoter pour m'exposer à la lumière et, sans me laisser le temps de me libérer, m'observa sous toutes les coutures. Toutes sauf le dos de mon crâne. J'avais l'impression d'être à vendre, un faux à vendre. La seule question étant : un faux quoi ? A chaque fois qu'il clignait les yeux, je percevais le message : « Débarrasse-moi le plancher, c'est moi qui commande ici, pas toi. »

— Il est très bien ce gros pif, déclara-t-il enfin comme pour me rassurer.

Me dire ça, à moi ! J'étais si furieuse qu'on ose traiter ainsi mon superbe nez que j'en bafouillai, incapable de trouver mes mots.

— La moitié des comtesses italiennes en ont un pareil, poursuivit-il.

Il dit ça comme si j'étais trop bête pour le savoir.

— Les Américaines ne perçoivent pas le charme d'un vrai nez. Je te l'expliquerai un jour. Enfin, si j'ai le temps. Tu pourrais sans doute perdre deux ou trois kilos. Quoique personnellement, je déteste pas les femmes un peu enrobées. Et tu contrastes d'une façon géniale avec les filles. Tu feras comprendre aux lecteurs l'abîme qui sépare les mannequins du commun des mortels. Ils pourront s'identifier à toi.

Mike Aaron, cette ordure immonde, eut ensuite l'incroyable culot de me sourire, un sourire sur mesure comme on n'en fait pas. Qu'est-ce qu'il s'imaginait ? Que j'allais être si impressionnée que ses yeux se posent sur moi, ô pauvre mortelle, si impressionnée qu'il m'exhibe ses dents blanches qu'il pourrait me prendre pour Madame tout le monde sans que ça ne me défrise. Je ne vous dis pas dans quel état j'étais ! Toute chose... S'il m'avait souri ainsi quatorze ans plus tôt, à l'époque où j'étais à peine entrée au lycée, je parie que je me serais évanouie. C'est sûr et certain. Je serais tombée raide... dans ses bras. Je n'étais pas du genre à perdre une bonne occasion.

Aujourd'hui, j'étais différente : éprouvée et tempérée par le temps, toute passion éteinte, comme l'a dit quelqu'un un jour. Je réussis à parler avec froideur, mais sans paraître irritée.

— Justine a été mannequin pendant des années, champion. Moi pas, ça change tout.

— « Champion » ? Personne ne m'a traité de champion depuis belle lurette.

— « Aaron le champion », le petit prodige de l'Abraham Lincoln, lançai-je d'un ton ricaneur, lui décochant un sourire irrésistible à ma façon. Toujours prêt à jouer, à ce qu'on disait, hein ! J'étais là quand tu as perdu contre Erasmus. Perdu par ta faute, tu t'es bien planté. Ce dernier coup franc si important... tu te souviens ? Dans les choux, le ballon ! Tu as raté le panier de plus d'un mètre. Pas de pot, champion ! Ou bien était-ce une question de... se peut-il que ça ait été... les nerfs ?

— Tu es une fieffée salope !

— Tu as tout compris, petit. Bravo. Alors, dégage !

Et il s'était plus ou moins exécuté. Il ne s'était plus essayé à me balancer son fameux sourire et, quand il m'arrivait d'être dans le champ, je n'étais pas en gros plan. Je crois que Mike n'avait pas très envie que je lui rappelle d'autres de ses exploits sportifs. Les meilleurs joueurs aussi ont leurs mauvais jours. Et il ne pouvait pas savoir que je ne l'avais vu jouer que l'année de sa terminale qui, entre nous, avait été super brillante, le match contre Erasmus mis à part.

Je laissai Mike et Maude avec les filles, qui étaient ensemble, sûrement accoudées le plus photogéniquement du monde à un balcon à prendre leur première bouffée d'air parisien. L'employé de la réception, qui ne m'avait pas quittée d'une semelle, me conduisit à ma chambre dont il ouvrit grand la porte en me faisant signe d'entrer.

— Qu'est-ce que c'est que ce machin ? m'exclamai-je.

— *Madame** d'Angelle en personne s'est occupée de votre réservation.

Je contemplai l'immense suite d'angle. Elle se composait d'un vaste salon, presque circulaire et doté de trois portes-fenêtres qui donnaient chacune sur un balcon, de deux chambres magnifiques, l'une encore plus grande que l'autre, équipées de grands placards et de superbes salles de bains. Sans compter des toilettes réservées aux invités dans le vestibule. Le tout était grotesque.

— *Madame** d'Angelle ne savait pas si vous préféreriez dormir sur le jardin ou l'avenue Montaigne. Elle a donc pris les deux chambres, expliqua-t-il. Peut-être est-ce plus calme côté jardin.

— Et ces fleurs ?

De voir les somptueux bouquets dressés partout, les bras m'en tombaient.

— Je ne sais pas, *Madame**. Je n'ai pas lu les cartes.

Il haussa les épaules de ce petit coup sec, dit le haussement gaulois, comme si les Français en détenaient l'exclusivité.

— Puis-je faire venir la femme de chambre pour qu'elle défasse vos bagages, *Madame** ?

— Bien sûr, pourquoi pas ? Et apportez-moi un Valium avec des glaçons. Le grand bleu, pas le petit jaune.

— Pardon ?

— Non, ça ne fait rien.

Je compris enfin que tout cela était destiné à Justine. Quand avait-elle envoyé le fax annonçant qu'elle ne viendrait pas ? Quand Necker l'avait-il appris ? Pas avant ce matin, manifestement. Sinon, je n'aurais pas croulé sous ces monceaux de fleurs qui allaient sûrement me donner le rhume des foins en plein hiver. Frankie, me dis-je, profites-en tant que tu peux. Demain, on va te mettre dans un placard à balai.

— *Madame** d'Angelle m'a laissé ce billet à vous remettre en main propre, ajouta l'employé en partant.

Chère Justine,

Bienvenue à Paris ! J'espère que vous avez fait un très agréable voyage, ainsi que les jeunes filles, et que vous êtes bien installées. J'aimerais vous inviter, de la part de Monsieur Necker, vous et vos trois « débutantes », à un dîner sans façon chez lui ce soir à huit heures. Une voiture passera vous prendre un quart d'heure plus tôt. Si vous avez besoin de quoi que ce soit, n'hésitez pas à faire appel au directeur de l'hôtel. Il a pour instruction de satisfaire toutes vos demandes.*

Je me réjouis de vous revoir ce soir,

Très cordialement,

Gabrielle d'Angelle.

Je lus le billet à deux reprises. C'était visiblement une proposition qu'on ne pouvait décliner. Ces gens ne se rendaient-ils pas compte qu'on venait d'arriver de New York et, qu'avec le décalage horaire, on ne tiendrait plus debout ce soir ? Quelle dureté de la part de Necker que de passer par Gabrielle pour convier Justine à un dîner en grand comité au lieu de s'en charger lui-même ?

J'envisageai les solutions possibles. Les filles seraient folles de joie d'être invitées à une réception pour leur première soirée à Paris. Elles risquaient d'être déçues si on ne fêtait pas l'événement. Elles étaient encore trop surexcitées pour sentir la fatigue du voyage. De plus, à quoi je m'attendais franchement ? A ce que Necker appelât Justine tout simplement ? Ne valait-il pas mieux affronter cette rencontre difficile en organisant un dîner avec d'autres convives pour amortir le choc ?

A la réflexion, je me dis que c'était la meilleure idée. Tu parles d'une situation gênante ! Il n'y avait qu'un problème : Justine n'était pas à Paris. Non, deux problèmes, en fait : elle n'y était pas et moi, si !

Je laissai la femme de chambre déballer les affaires que je n'avais pas encore vues puis, ne connaissant pas le numéro de chambre des filles, je suivis le grand couloir à leur recherche pour leur annoncer la nouvelle. Devant l'ascenseur, je découvris Mike penché apparemment avec une tendre attention sur la main d'une blonde qui me tournait le dos. Il va toujours aussi vite en besogne celui-là, songeai-je avec mépris. Et je passai devant lui sans m'arrêter.

— Frankie, attends ! Viens que je te présente cette malheureuse Peaches Wilcox, ordonna-t-il.

Je me retournai pour saluer la veuve la plus joyeuse qui fût : elle avait l'air de danser le charleston aux alentours de trente-cinq, trente-six ans. Celui qui lui avait retapé la gueule avait fait du bon boulot.

— Salut, voisine, dit-elle avec un accent traînant du Sud. Quelle chance, non ? On est tous au même étage ! J'ai tout lu sur cette histoire digne de Cendrillon dans *Women's Wear*. Je suis si excitée à l'idée de vivre ça de près. Puis-je organiser une petite fête pour toute l'équipe dès que possible ? Et présenter les filles à des garçons charmants ?

— On en serait ravis, répondit Mike Aaron à ma place.

Il tenait toujours la main blessée de la veuve joyeuse avec sollicitude.

— Peaches s'est cassé deux doigts en skiant, expliqua-t-il. Alors, elle est rentrée de Saint-Moritz.

— Franchement, qu'y a-t-il de plus frustrant que de rester à l'hôtel quand tout le monde fonce sur les pistes ?

Elle décocha un sourire qui, même à mes yeux critiques, faisait croire que tout était vrai : sa cordialité comme ses dents.

— Quelle horreur ! acquiesçai-je entre mes dents bien à moi. Je trouve ça atroce quand ça m'arrive.

— Mike m'a photographiée à l'occasion d'un reportage sur les femmes les plus séduisantes du Texas, dit-elle avec une modestie affectée. C'est comme ça qu'on s'est rencontrés. Quelle coïncidence qu'on se soit retrouvés ici par hasard, vous ne trouvez pas ?

— J'adore ce genre de choses.

— Moi aussi, renchérit Mike qui me jeta un sale œil. Tu cherches les filles ? demanda-t-il.

— C'est mon lot apparemment.

— Elles sont toutes dans la chambre de Maude à lui raconter pour son papier comment elles ont perdu leur virginité. J'ai dû partir. C'était beaucoup trop animé pour moi, je ne supporte pas ce genre de choses.

— Merci, Aaron, répliquai-je.

Sur ce, je déboulai le couloir au pas de charge.

— Chambre 311, hurla-t-il dans mon dos.

Je frappai à la porte de la 311, folle de rage. Aucune des filles ne s'était jamais fait interviewer. Elles ne savaient pas qu'il suffit de quelques mots pour que les journalistes, et Maude Callender tout particulièrement, leur fassent dire autre chose en les déformant ou en les citant hors de leur contexte. Maude, qui ouvrit la porte, se rembrunit en me voyant. Elle avait retiré sa lavallière et ses bottines traînaient par terre. Tout comme mes ouailles, vautrées sur la moquette devant une pile d'énormes clubs sandwichs, à s'empiffrer et à boire du Coca.

— Les filles, tout ce que vous déclarerez pourra être retenu contre vous ! lançai-je avec colère.

— Étonnant, remarqua Maude d'un ton acide, il s'avère qu'elles sont vierges toutes les trois. Tu l'aurais parié, toi ?

— N'est-ce pas la raison pour laquelle *Zing* a titré ce reportage *Les Innocents en voyage* ? s'enquit Jordan.

Elle me jeta un regard aussi explicite qu'un clin d'œil.

— On croyait qu'on nous avait choisies pour ça, renchérit April.

Redressant sa tête princière à laquelle il ne manquait qu'une tiare pour la couronner, elle ajouta :

— Moi, en tous cas.

Abusant à qui mieux mieux de sa moue qui valait de l'or, Tinker intervint à son tour.

— Moi, on m'a embrassée, avoua-t-elle d'un ton plaintif. « Un baiser de l'âme », je crois qu'il appelait ça. Est-ce que ça compte ? C'était la seule fois et ça ne m'a pas beaucoup plu.

— Ne laisse plus jamais quelqu'un te faire une chose pareille ! l'exhorta Jordan d'un ton cassant. C'est le premier pas sur le chemin de la perdition. C'est bien connu.

— Mais c'était la Saint-Sylvestre, expliqua Tinker.

— Ce n'est pas une excuse, répliqua Jordan. Il y a toujours une bonne raison... quand c'est pas la Saint-Sylvestre, c'est la Saint-Patrick ou le *President's Day*... Refuse, un point c'est tout.

— Enfin, on n'a pas complètement perdu notre temps, déclara Maude. J'ai appris que vous êtes de fieffées menteuses. Ce qui ne me sert pas à grand-chose, vu que je n'ai pas de preuves.

— On est invitées à dîner chez *Monsieur** Necker toutes les quatre, annonçai-je aux filles. Alors, allez voir ce que vous voulez mettre. Allez, debout tout le monde. Et que ce soit le dernier club sandwich que vous avalez jusqu'au défilé.

Maude me regarda d'une façon qui me déplut souverainement. Je voyais bien ce qu'elle pensait. Elle estimait que je n'étais pas en mesure d'imposer la discipline en la matière. Elle devait savoir que j'avais pris trois kilos. J'avoue qu'elle avait marqué un point. Des visions d'horreur m'apparurent : j'imaginais les filles commander à manger dans leur chambre à toute heure du jour et de la nuit.

— Après ce dîner, je me mets au régime, décrétai-je. Je compte sur vous pour m'encourager et me donner le bon exemple.

— Tu te mets au régime à Paris ? lança Maude.

Incrédule, elle griffonna quelques mots dans son carnet.

— Je peux le dire dans mon papier ? ajouta-t-elle.

— Maude, tu n'écris pas un papier sur moi, mais sur elles.

— Tout dépend des desirata de Maxi Amberville, comme toujours, répliqua Maude. Et selon elle, tout le monde est dans le coup. On est invités, Mike et moi, à cette réception ?

— Non, tout dépend des desirata de Necker et il ne sait rien de *Zing*. J'en suis désolée.

— Sincèrement, moi pas. J'ai besoin d'une bonne nuit de sommeil. Ce n'est que partie remise avec Necker, affirma Maude.

Elle ôta sa veste de dandy en se tortillant et déboutonna son gilet qu'elle retira en s'étirant.

Depuis le début du voyage, elle avait l'air détendu. Dans son pantalon et sa chemise à jabot, je fus surprise de voir qu'elle ne paraissait pas plus curieusement habillée que nous et beaucoup plus séduisante que je ne l'aurais imaginé. Son déguisement, son tailleur strict d'une autre époque, lui servait de carapace pour interroger les gens. Étonnant ce que peut faire le choix d'une tenue. Maintenant que ses courts cheveux blond cendré étaient ébouriffés et qu'elle avait perdu son air inquisiteur, Maude était vraiment jolie. Oui, c'était le mot. L'observant, je pensai qu'elle devait approcher tout juste de la quarantaine. Une fois retirés sa veste et son gilet, elle avait un corps voluptueux d'une étrange féminité, une poitrine superbe sous sa chemise, la taille fine et des hanches de vraie femme. Déshabillée, son côté androgyne disparaissait.

— Je suis crevée, dit-elle. Le décalage horaire est déjà assez dur comme ça sans essayer de parler avec ces gamines. Tu veux un sandwich ?

— Non, merci, refusai-je à regret.

Peut-être l'ignorait-elle, mais je venais de commencer mon régime. Je n'avais jamais beaucoup apprécié l'expression « bien enrobée ». Quand Aaron, à qui rien n'échappait, l'avait employée à mes dépens, j'avais fait la grimace, il faut bien l'avouer.

— Tu veux un Coca basses calories ? proposa-t-elle en me désignant un fauteuil.

— J'en serais ravie, répondis-je en m'asseyant.

Je me dis qu'il valait mieux avoir de bons rapports avec elle.

— Maude, je sais que tu as des tas de questions à poser pour ton article, mais pourquoi ne pas attendre de faire connaissance avec les filles ? Elles sont gentilles, mais elles ont peur des coups. Les gens fourrent toujours leur nez dans les affaires des mannequins, comme si c'étaient des animaux étranges. Pourquoi es-tu si curieuse de savoir si elles sont vierges, par exemple ? Après tout, on est dans les années 90. Qu'est-ce que ça peut faire ?

— C'est à cause de tous ces débats sur la chasteté et l'abstinence... il y a deux ans, jamais je n'aurais pensé poser la question. Aujourd'hui, cela reprend de l'intérêt. De l'importance même, car ce sont des modèles aux yeux des autres filles. Si une ou deux sont vierges, c'est significatif, ça vaut la peine d'en parler. Trois, ça ferait carrément un gros titre.

— Je comprends ton point de vue. Malgré tout, je crois qu'il est trop tôt pour espérer qu'elles soient franches avec toi. N'oublie pas qu'elles ont l'habitude d'être traitées comme des monstres par tout le monde, hormis leurs camarades et leur agent. Ce qui fait qu'elles ont peur des coups.

— Mais ce sont des monstres ! protesta Maude. Il n'y a pas une femme sur dix millions qui ait ce physique. Ce sont des aberrations de la nature.

— C'est vrai, Maude. En attendant, elles n'y peuvent rien. Tu devrais les voir comme de superbes bêtes humaines, pas comme des monstres. Et si tu veux mon avis, le fait qu'elles ne fument pas, chose étonnante sur le plan statistique, constitue une meilleure approche que leur vie sexuelle.

Je l'avais mise sur la bonne voie. C'était un premier pas. En tout cas, on était devenues amies. Un semblant d'amitié. Dans le monde des agents, personne ne croit à l'amitié avec un journaliste. On s'y est trop souvent fait prendre.

Le temps que je regagne mon palais parfumé, on avait fait la couverture, allumé les lumières et un feu flambait dans le salon. J'ouvris l'un des placards et faillis tomber à la renverse en découvrant la garde-robe qu'avait déballée la femme de chambre.

Justine devait vraiment se sentir coupable ! Il y avait une rangée entière de vêtements : des robes, des pantalons, des vestes, deux manteaux, l'un en poil de chameau doublé de peau de porc rouge, l'autre, une longue cape en cachemire noir doublé de satin matelassé pour le soir. Une demi-douzaine de paires de chaussures alignées par terre et, dans les tiroirs, des tonnes d'écharpes en cachemire, des sacs à main, des gants, des piles de lingerie et de collants. Passant la main dans les vêtements, je découvris un monceau d'autres choses en cachemire, cuir et soie, toutes du noir à l'ivoire avec quelques pointes de rouge, gris, vert mousse et de bruns subtils, rien que des tons de bon goût qui rendaient les fausses notes impossibles. Les matières avaient ce genre de souplesse agréable que donnent les mélanges de lycra et de fibre élastique. J'espérai que Justine avait tout acheté en gros. D'un autre côté, comme chacun le sait quand on paie des impôts, un déjeuner n'est jamais gratuit. Encore moins une garde-robe de chez Donna Karan ! Quel prix allais-je la payer ?

Je ne tardai pas à l'apprendre.

— Qu'est-ce que vous faites ici ? souffla Gabrielle d'Angelle.

Elle se tenait juste derrière le valet de chambre qui avait ouvert la porte de l'hôtel particulier de Necker dans l'avenue de Suffren à côté du Champ-de-Mars.

J'étais aussi étonnée qu'elle.

— Justine ne vous l'a pas expliqué dans son fax ?

— Son fax ? On n'a pas reçu de fax !

— C'est impossible, affirmai-je d'un ton catégorique. Elle vous l'a envoyé dès qu'elle l'a su.

J'improvisai pour gagner du temps. Mon mot d'excuse n'était pas arrivé et, sous l'effet du choc, j'avais perdu la mémoire.

— Dès qu'elle a su quoi ? *Monsieur** Necker attend Miss Loring !

— C'est ennuyeux. Mais quand les médecins vous disent que vous ne pouvez pas prendre l'avion, il n'y a rien à faire. Vous le comprenez aussi bien que moi, Gabrielle. A propos, je vous remercie pour les fleurs. Elles sont extraordinaires, même si elles ne m'étaient pas destinées. Je dirai à Justine qu'elles sont magnifiques quand je l'appellerai.

Ah oui, ça y est ! Une énorme otite. Tout me revint en un éclair. Tout, sauf la raison pour laquelle Justine n'avait pas envoyé le fax.

— On ferait mieux de prier que les antibiotiques fassent de l'effet et qu'elle se remette à temps pour le défilé, ajoutai-je. Ces otites sont très dangereuses, vous ne croyez pas, Gabrielle ?

Quand j'ai des ennuis, j'essaie toujours de les partager.

— Allons, les filles, entrez, je vous en prie, bredouillai-je. Gabrielle ne veut pas que vous restiez dans le froid. Pas vrai, Gabrielle ?

Je les poussai dans le hall sans lui laisser le temps de réagir.

— L'important, c'est que les filles soient là, saines et sauves. Pas vrai, Gabrielle ?

Elle retrouva l'air de duchesse que je me rappelais.

— Bien sûr, acquiesça-t-elle. Bienvenue à Paris. Je suis enchantée que vous soyez là.

Tandis qu'elles se saluaient, j'observai son attitude. Visiblement, elle ignorait ce que manigançait Necker. Elle paraissait encore un peu contrariée qu'on eût changé de chaperon, d'autant que le nouveau était moins prestigieux, mais dix fois moins que son patron n'allait l'être. Comment Justine avait-elle pu me rouler ainsi ? Je brûlais de le savoir. Elle avait juré qu'elle aurait envoyé le fax sitôt le décollage. Qu'est-ce qui avait bien pu l'en empêcher ?

— *Monsieur** Necker vous attend en haut, annonça Gabrielle. On va prendre l'ascenseur.

Je jetai alors un regard circulaire et m'aperçus qu'on se trouvait dans une pièce au sol de marbre noir et blanc et aux dimensions dignes d'une salle de bal qui ne pouvait être que le hall du plus bel hôtel particulier que j'aie jamais vu. D'un côté s'élançait la vis d'un escalier, le genre d'escalier imposant qu'un couple présidentiel descend à la Maison-Blanche pour aller accueillir ses hôtes de marque. Pourquoi ne montait-on pas à pied ? D'autant que ce serait plus long. Chaque seconde comptait. Quant à moi, j'aurais aimé ne jamais rencontrer Necker. Hélas, le valet de chambre nous enlevait nos manteaux.

Malgré tout, prendre l'ascenseur paraissait logique car on continuait à monter. « En haut » devait vouloir dire au tout dernier étage de l'édifice qui, vu de la rue, semblait en avoir au moins cinq. Quand la cabine s'immobilisa, beaucoup trop tôt à mon goût, je réussis à me glisser entre les filles comme l'un de ces personnages de western qui s'accroupit au milieu d'un troupeau de chevaux. Redoublant de politesse, nous nous évertuions toutes les cinq à laisser les autres passer les premières, ce qui créa une certaine confusion. C'était bien ce que j'espérais.

On réussit enfin à s'extraire de l'ascenseur. Ne pouvant plus retarder le moment fatal, je me repris et me préparai à faire la connaissance du père de Justine. Assez courageusement, si je puis me permettre, j'affrontai l'ennemi : la vaste pièce aux lumières tamisées, qui donnait sur une baie vitrée de deux étages de haut, était vide. Derrière, à trois cents mètres environ, se dressait le pied de la tour Eiffel illuminé par des projecteurs.

Nous étions si stupéfaites par ce géant de fer sorti tout droit de Jules Verne, si ébahies de le voir flotter si près de nous, qu'on resta là, bouche bée. On aurait dit la pièce d'un énorme jeu de construction. De par ses dimensions et son côté spectaculaire, le tableau était insensé. Fascinées, les filles se précipitèrent vers la baie et tendirent le cou en s'exclamant. Je restai auprès de Gabrielle. Assez longtemps pour regarder la vue après avoir jaugé la situation.

Gabrielle s'adressa au majordome :

— Jules, où est *Monsieur** ?

— Je ne sais pas, *Madame**.

— Allez lui dire que ses invités sont arrivés.

Elle était visiblement surprise qu'il ne fût pas là à nous attendre. J'eus soudain un éclair de génie. Necker était aussi nerveux que moi. Il se cachait, comme moi dans l'ascenseur. Non, encore mieux ! Necker était aussi nerveux que l'aurait été Justine si elle avait été là. Je n'avais donc rien à craindre ! Je n'étais que le messager.

Ce raisonnement me rasséréna quelque peu. Puis Necker entra dans la pièce et, brusquement, je me sentis encore plus mal. Il affichait un calme absolu. La curiosité me poussa à scruter un instant son regard. J'y vis un tel espoir radieux où se mêlaient timidité et humilité que j'en eus le cœur brisé. S'arrêtant net dans l'embrasure, il se tourna aussitôt vers les filles qui se tenaient devant la fenêtre, puis de nouveau vers moi. Il se dirigea alors vers Gabrielle.

— Où est Miss Loring? lui demanda-t-il.

— Miss Severino va vous le dire, répondit-elle.

— Miss Severino?

Il me serra la main d'un geste automatique.

— Miss Loring a-t-elle été retardée? s'enquit-il.

— Oui, c'est cela, *Monsieur** Necker, elle a été retardée. Enfin, à New York, pas à Paris. Je ne comprends pas pourquoi elle ne vous a pas prévenu, il y a manifestement eu un problème de communication. Justine est malade, très malade, elle a une otite. Les médecins lui ont strictement interdit de voyager, elle prend des antibiotiques à haute dose. Elle m'a chargée de vous dire combien elle regrette cet empêchement de dernière minute. Elle compte venir dès qu'elle le pourra. En attendant, elle m'a envoyée à sa place...

— Elle n'est pas à Paris?

Sa phrase n'était pas une question, bien qu'il l'eût formulée ainsi comme s'il ne m'avait pas bien comprise.

— Non.

Il ne goba pas un mot de mon histoire. Je le sentis tout de suite. J'avais pourtant donné le meilleur de moi-même et j'ai toujours été la reine du mensonge. N'importe qui d'autre m'aurait crue. Rien ne trahissait le choc qu'il venait de recevoir, mais il n'avait plus cet étrange regard.

— Elle vous a envoyée à sa place?

Il répéta mes paroles comme s'il ne s'agissait que d'une simple délégation de pouvoir.

— Oui, je suis son bras droit, donc ce rôle me revenait. Tout a été si précipité, j'ai dû faire mes bagages à la dernière minute, je ne pensais pas partir, vous imaginez...

Je me trouvai prise de court, car il ne me venait rien qui pût lui donner un peu d'espoir. Impuissante, je contemplais la détresse qui se lisait dans son regard.

— Oui, je vois. Quel dommage, n'est-ce pas? J'espère qu'elle ira mieux très bientôt. Enfin, quoi qu'il en soit, vous êtes là, vous avez l'air charmant et vous êtes plus que la bienvenue chez moi. Je suis sûr que vous êtes bien installée à l'hôtel.

Il prit une profonde inspiration et me lança un sourire courtois qui me fit mal.

— Permettez-moi de vous offrir un verre, Miss Severino. Ensuite, vous me présenterez à ces jeunes personnes.

Génial ! songeai-je en le suivant. Désormais, je savais d'où Justine tenait ce sang-froid, ce calme olympien. C'était du Necker tout craché. La vache, si ce type avait été le père que j'avais perdu, je lui aurais sauté au cou, oubliant et pardonnant le passé. C'est sûr et certain ! Pas seulement parce qu'il était riche, mais à cause de sa classe exceptionnelle. Sans parler de son charme. J'avais rarement vu un homme aussi séduisant.

Les filles, qui avaient remarqué la présence de Necker entre-temps, nous rejoignaient. Je me rappelai soudain que ce moment était crucial pour chacune d'elles. Personne ne savait quel rôle jouerait Necker dans le choix de l'image Lombardi. On supposait toutefois qu'il serait primordial.

April approcha la première avec une grâce naturelle. Elle avait bien choisi sa mise : une robe de soie noire sans manches, décolletée mais sage, agrémentée d'un rang de perles qui soulignait son air altier mieux que n'importe quelle tenue sophistiquée. Elle lança soudain un sourire éclatant, juste comme il faut. Ses superbes cheveux, qui dégageaient son visage, lui tombaient dans le dos tels ceux d'Alice au pays des merveilles. Je me dis qu'une jeune Grace Kelly d'aujourd'hui se serait habillée ainsi pour rencontrer sa future belle-mère. Ah, April ! Toujours impeccable, toujours parfaite !

Une fois que Necker lui eut serré la main, il accueillit Tinker. Je m'étais demandé quel rôle elle allait interpréter ce soir. Allait-elle nous jouer les divas de la haute couture ou la ravissante petite orpheline rêvant d'un arc-en-ciel ? J'étais trop nerveuse pour m'en préoccuper. La jeune princesse avançait, vêtue — on ne pouvait dire « habillée » quand il s'agissait de Tinker — vêtue donc de satin blanc : une robe courte aussi simple que celle d'April, mais avec des manches longues et un petit décolleté bien sage. Elle avait traficoté ses cheveux pour en faire une coiffure désinvolte avec des bouclettes qui lui encadraient le visage puis, faisant bon usage des bouquets dressés dans sa suite, elle avait piqué ici et là quelques boutons de rose. Manifestement, Tinker avait beaucoup appris des maquilleurs qui avaient travaillé sur elle. Ce soir, on ne voyait que ses yeux extraordinaires et sa bouche d'un rose très pâle. Elle n'avait pas d'autre maquillage. Elle avait l'air d'avoir douze ans, une fillette de douze ans, songeuse, grave, dangereuse, que vous auriez casée très vite si vous aviez été ses parents. Il devrait y avoir une loi, songeai-je fièrement jusqu'au moment où je m'aperçus que, malgré tous nos efforts, elle ne savait toujours pas marcher. Son allure ne proclamait pas « Regardez-moi », mais « Pourvu que je passe inaperçue ». Ce n'était pas tant une question de maladresse, que sa timidité maladive qui lui donnait l'air un peu absent. Comme elle approchait, je notai que ses lèvres tremblaient, que son regard trahissait une certaine peur.

Alors, arriva Jordan. Elle portait une longue tunique à col montant et un pantalon évasé de velours grenat froissé avec des ballerines argentées et de gros cercles de cristal de roche pendaient à ses ravissantes oreilles. Les deux autres portaient des chaussures à très hauts talons, si bien qu'elles dépassaient légèrement Necker. Seule Jordan semblait bien assortie à côté de lui. Elle n'éclipsait pas tant les autres de par sa fabuleuse tenue que par son attitude. Elle aurait pu être l'hôtesse et Jacques Necker l'invité. Elle était si sereine qu'il paraissait impossible qu'elle fût à peine arrivée. Bien qu'il m'eût serré la main ainsi qu'aux deux autres, Necker l'embrassa. Ce qui sembla tout naturel à Jordan. Il a beau être suisse, songeai-je, il se conduit comme un Français.

Je n'étais que trop contente de garder les yeux baissés et mon nez dans mon verre, tandis que Necker mettait April et Tinker à l'aise en leur posant des questions sur leur vie. Ayant réussi son entrée, Jordan s'éloigna et se planta devant un long bureau de bois sombre couvert d'un velours rouge usagé et décoré de somptueuses moulures dorées. Quelques objets précieux étaient disposés sur le dessus. La place d'honneur revenait à un petit tableau représentant un cheval cabré à la robe noir et blanc dans un cadre ouvragé. Je la regardai abandonner le bureau et aller tranquillement d'un meuble à l'autre, apparemment plongée dans ses pensées sans prêter l'oreille à la conversation. Jordan était-elle timide? me demandai-je. Ou préférait-elle ne pas disputer l'attention de Necker pour le moment?

Les meubles ne pouvaient l'intéresser à ce point. Pour ma part, j'avais l'impression que tout se ressemblait plus ou moins. Ce devait être le summum de la beauté. Pourtant, je les trouvais ennuyeux, comme si je les connaissais déjà. Seule la vue ôtait ce caractère trop grandiose à la pièce, et j'étais trop nerveuse pour l'apprécier.

On servit enfin le dîner. Necker me fit asseoir à sa droite, la place destinée à Justine. Il fit signe à Jordan de s'installer à sa gauche, puis dit aux autres de se mettre où elles voulaient. Couvrant le bourdonnement étouffé des conversations féminines, j'entendis la voix de Jordan.

— *Monsieur** Necker, le tableau sur le *bureau plat** en ébène là-bas ne serait-il pas de Jean-Marc Winckler ?

— Oui, acquiesça-t-il, visiblement surpris. Le cheval était celui de l'une des princesses du Liechtenstein. Comment avez-vous deviné ?

— J'ai fait ma thèse sur *Madame** de Pompadour et l'influence décisive d'une maîtresse sur le roi dans le domaine des arts décoratifs.

— Ils ont malgré tout continué à évoluer sous le règne d'un autre Louis.

Il dit cela avec un sourire distrait qui me rappela tant Justine que je faillis en suffoquer.

— Un Louis mène forcément à un autre, non ? s'exclama Jordan en riant. Après Louis XV, j'ai étudié seule et j'ai fini par être presque aussi attirée par Louis XVI... jamais je n'aurais imaginé qu'un particulier pût avoir des pièces aussi magnifiques des deux périodes.

— J'ai commencé ma collection avant que ce ne soit la mode, expliqua-t-il.

— Jamais je n'aurais pensé que Joseph ou Leleu pouvait passer de mode. Ils sont au-delà des modes, assura Jordan avec esprit.

Je portai un toast silencieux à une cause perdue. Je savais ce qu'elle manigançait, mais cela ne lui servirait à rien après la désillusion que venait d'éprouver ce pauvre homme. Malgré tout, je la bénissais de faire la conversation. Cela me permettait de souffler un peu. Et c'était une bonne leçon. J'avais appris que je n'y connaissais strictement rien en meubles anciens.

Le dîner s'éternisa. Peu après, je fus soulagée quand Gabrielle suggéra qu'on devait être fatiguées et qu'on voulait sans doute partir tôt. Tôt ! Il était onze heures passées et je n'aurais pu dire combien d'heures, ou de jours, s'étaient écoulés depuis mon départ.

Dans la limousine, les gloussements superflus de ces demoiselles m'empêchèrent de m'endormir. Dans un français vif et, pour moi, parfaitement incompréhensible, Jordan se liait d'amitié avec Philippe, le chauffeur à la cinquantaine empreinte de dignité. D'abord Necker et maintenant le chauffeur, songeai-je avec lassitude quand on s'arrêta enfin. Les filles bondirent hors de la voiture en se bousculant. J'ouvris les yeux. Il n'y avait pas trace de l'hôtel.

— Mais où est-on ? m'enquis-je.

— Aux Bains Douches, comme l'ont demandé ces demoiselles, répondit Philippe qui vint m'ouvrir la portière.

Malgré ma vie monacale, moi aussi j'avais entendu parler de la boîte la plus connue et, comme diraient les filles, la plus « branchée » de Paris. Des travelos aux trafiquants de drogue en passant par les vedettes de rock, c'était le rendez-vous à la mode. Aménagé dans un établissement de bains du début du siècle, l'atmosphère, trouble, avait bien changé depuis. On n'y venait pas pour se laver.

— Dites-leur de revenir immédiatement ! hurlai-je.

— Mais *Madame**, on les a déjà fait entrer.

Quelles salopes ! Je les aurais tuées de mes mains. Folle de rage, je retrouvai mon énergie et sortis de la voiture.

— Enlevez votre casquette et venez avec moi, ordonnai-je à Philippe. Je ne peux pas entrer là-dedans toute seule.

— *Madame* !* s'exclama-t-il, choqué.

Je lui arrachai sa casquette que je jetai sur le siège. Il faisait un cavalier fort respectable bien qu'un peu décrépit. Je le fis passer devant les trois colosses — portiers, videurs ou je ne sais quoi de leur état, placés là pour refouler les indésirables d'un endroit pareil ou, selon le point de vue, admettre uniquement les gens de cette espèce — avec l'autorité incontestable d'un agent secret, une version d'Andy Sipowicz mâtinée de Serpico.

— Vous avez encore de la place pour deux, mesdames ? demandai-je en lançant un regard noir à Jordan.

Les filles étaient assises juste devant la piste de danse prise d'assaut, visiblement à la place d'honneur. Pour l'instant, elles étaient seules. Je sentais le regard vorace, fasciné, de toute l'assemblée sur elles. J'avais l'impression d'être dans l'œil d'un cyclone.

— Frankie, on croyait que tu t'étais endormie comme une masse, répondit Jordan sans se démonter. Sinon, on ne t'aurait pas laissée.

— Merci de votre sollicitude. Je m'en souviendrai quand je vous attacherai au radiateur.

— Je t'en prie, Frankie, s'exclama April en riant, ne joue pas les rabat-joie. Toi aussi tu as été jeune, il y a bien longtemps.

— Ah bon, tu t'y mets, toi aussi ? Allons, les filles, on s'en va.

— On se fait juste une danse, dit une voix d'homme.

Je vis alors un type saisir April par la main et l'entraîner en tourbillonnant. Un autre fit lever Tinker et deux se disputaient Jordan. Je n'eus pas le temps d'en voir davantage qu'un quidam m'arrachait à mon siège et que je me mettais à danser à mon tour.

On rentra à l'hôtel à l'aube. Inutile de vous préciser qu'à côté de moi ces demoiselles firent triste mine. On aurait dit qu'elles en étaient encore à apprendre à mettre un pied devant l'autre !

7

— Mais qu'est-ce qu'elle a Justine aujourd'hui ? s'interrogea Carrie, l'un des bookers.

Les téléphones s'étaient enfin tus en cette fin d'après-midi au lendemain du départ de Frankie et de ses ouailles pour Paris.

— Peut-être a-t-elle hérité d'un cousin inconnu, répliqua Dodie, l'une de ses collègues. Ce matin, elle fredonnait un air. Quand je lui ai demandé ce que c'était, elle a paru surprise et m'a dit qu'elle n'en avait pas la moindre idée. Ça m'est revenu ensuite, c'est un grand classique : « It Might As Well Be Spring ». Bizarre, hein ? Ce n'est pas son genre.

— Ou bien essaie-t-elle d'exercer une bonne influence sur le temps, risqua Johanna, une autre fille. Vous avez entendu la radio hier et ce matin ?

— On annonce du blizzard et du gel à pierre fendre, répondit Carrie. Justine fait sans doute partie de ces gens qui se sentent bien quand se prépare une tempête. S'il fait encore plus froid, on va devoir fermer la ville par bienveillance à l'égard de la population.

— Avec un peu de chance, ce sera « jour de neige » demain, comme du temps où on allait à l'école, songea Dodie avec nostalgie. Vous vous rappelez comme c'était bien quand on ne pouvait pas aller à l'école et qu'on regardait des feuilletons à la télé toute la journée ? Qu'est-ce que j'aimerais retrouver cette époque-là !

Justine fit alors son apparition.

— Allez, la journée est finie, annonça-t-elle. On est vendredi et il est presque l'heure. Je pourrai me débrouiller toute seule si jamais il se passe quelque chose.

Sans demander leur reste, les filles filèrent aussitôt. Justine éteignit les lumières, s'assit à la place de l'un des bookers et posa les pieds sur la table ronde. Elle adorait être seule au bureau, maître de son domaine qui dominait les bâtiments les plus proches. Les baies de la salle de booking donnaient sur une rue qui traversait la ville jusqu'à Central Park West. Derrière les tours extravagantes des vieux immeubles, Justine apercevait les dernières lueurs du crépuscule qui se fondaient de l'autre côté de l'Hudson dans les tons de prune du ciel hivernal.

Où pourrait-on vouloir vivre, si ce n'est à la limite d'un continent ? Où pourrait-on vouloir vivre, hormis ici en cette fin du vingtième siècle ? Comment pourrait-on vouloir vivre à une autre époque, avant l'invention des antalgiques, de la laque, du téléphone, des voyages en avion et des superbes magazines de mode bourrés d'idioties ? Comment pourrait-on vouloir vivre en un âge où les femmes ne pouvaient créer leur entreprise, à moins d'ouvrir un bordel ? Pourquoi prenait-elle si rarement le temps de penser à la vie extraordinaire qu'elle menait ? se demanda Justine.

Sur un petit nuage, elle se renversa dans son siège, se tassant jusqu'à s'allonger quasiment. Rien de spécial ne justifiait son humeur. A moins qu'un steak saignant n'eût des pouvoirs inconnus. Étonnants les talents d'Aiden en cuisine, et quel doigté il avait pour préparer les Gibson. Ça avait été assez agréable de laisser un homme s'occuper des cocktails et du dîner. Le genre de charmante soirée qu'une personne sensée devrait s'offrir de temps en temps : une bonne dose de gin, un bon repas tout simple, une conversation à bâtons rompus devant le feu et un petit baiser... ou peut-être deux ? Un assez lent et l'autre très rapide. Elle ne savait plus dans quel ordre.

Elle était contente d'avoir écouté Aiden quand, après un tour au sous-sol, il lui avait conseillé de remplacer la chaudière de toute urgence. Il avait appelé sa secrétaire ce matin pour annoncer que son fournisseur avait le modèle en stock. A cette heure, la nouvelle chaudière devait être installée. Apparemment, cela ne posait aucun problème. Elle n'avait pas pensé se décider aussi précipitamment, mais la météo était si inquiétante qu'Aiden l'avait convaincue d'agir au plus vite.

Quel temps pouvait-il faire à Paris ? Frankie était-elle emmitouflée dans l'un de ses manteaux neufs ?

Frankie !!!

Mon Dieu ! Elle avait oublié d'envoyer le fax à Gabrielle !

Justine faillit tomber de son fauteuil sous le choc. Elle se redressa, se leva d'un bond et se mit à arpenter la pièce. La sueur lui perlait au front. Jamais elle ne s'était montrée d'une telle inconséquence ! Jamais au grand jamais ! Qu'est-ce qui lui avait pris ? C'était impardonnable. Elle avait jeté sa meilleure amie dans la gueule du lion sans la moindre défense.

Paniquée, Justine fit ses calculs : quelle heure il pouvait bien être à Paris. Il était un peu plus de cinq heures de l'après-midi à New York. Il fallait ajouter six heures, ce qui faisait dix heures passées. Mais quel jour était-on ? Demain ? Non, aujourd'hui, ce soir, ce soir même. Non, elle se trompait. Ce n'était pas une simple question de fuseau horaire. Ne devait-elle pas aussi ajouter le temps de vol pour trouver l'heure exacte ? Son cerveau ne fonctionnait plus. Elle allait envoyer ce fax immédiatement. Il était sûrement trop tard. Peut-être pas, après tout. Peut-être que personne n'était au courant au bureau de Necker. Tu parles ! Comme s'il ne le savait pas. Il était sans doute allé à l'aéroport.

Ne voulant pas y croire, Justine s'efforça de récapituler les événements de la veille. Elle avait été de très mauvaise humeur toute la journée puis, oubliant d'envoyer le fax, elle était rentrée chez elle où elle s'était préparé une tasse de thé en attendant un entrepreneur avec qui elle avait passé la soirée pour enfin aller se coucher. Aujourd'hui, elle avait travaillé toute la journée avec un télécopieur juste à côté d'elle et ce n'était que maintenant, à cette heure-ci, qu'elle y pensait ! De plus, elle pouvait très bien se passer d'un télécopieur pour prévenir Gabrielle d'Angelle. Elle aurait pu l'appeler la veille, juste à l'heure où l'avion de Frankie avait atterri. Le fax était préférable, car il est plus facile de mentir par écrit que de vive voix.

La raison de son oubli se cachait dans tout cet embrouillamini, se dit Justine en réfléchissant. Elle était une femme de tête qui se refusait à agir de façon irrationnelle. Ce devait être lié à son humeur de la veille, à cette peur paranoïaque de voir soudain apparaître Necker dans l'embrasure, peur qui l'obsédait depuis le moment où on avait lancé le concours Lombardi. Si elle avait appelé, elle se serait sentie piégée et dans l'impossibilité de priver les filles de cette chance.

Non, pas tant que ça, comprit Justine. Pas piégée au point de se laisser manipuler ! Elle l'avait bel et bien prouvé à Necker !

Justine finit par deviner qu'elle l'avait fait exprès. Elle savait qu'elle pouvait compter sur Frankie pour se débrouiller et Necker verrait bien que sa machination avait échoué. Une fois de plus, elle l'avait repoussé, sans avoir à écrire un seul mot. Quel subconscient prodigieux elle avait ! Il avait senti qu'envoyer Frankie à sa place ne suffisait pas, il avait donc fait en sorte qu'elle « oubliât » le fax.

— Bien joué, ma vieille, se félicita Justine dans le bureau vide.

Après avoir savouré sa victoire quelques instants, elle s'aperçut que, l'émotion retombant, il commençait à faire froid dans la vaste pièce. Elle se retira dans son bureau, où il y avait moins de courants d'air, et s'assit à sa table où une lampe était restée allumée. Son regard se posa sur une photo de sa mère qui la tenait dans ses bras, une photo si familière qu'elle ne la voyait plus. Justine eut soudain la curiosité de l'observer avec attention. Elle se sentait très proche de sa mère depuis qu'elle se battait contre Necker.

Justine prit une loupe qu'elle approcha du portrait. Helena Loring était ravissante, estima-t-elle d'un œil de professionnel. Elle avait à peine plus de vingt ans sur ce cliché. Elle aurait pu être mannequin si elle l'avait voulu.

Mais cela aurait été trop risqué avec un enfant à élever. Non, sa mère avait choisi une voie qui, avant tout, éviterait à sa fille les revers de fortune. Elle s'était donnée à son travail au magasin. En y pensant, Justine se dit qu'elle n'avait jamais mesuré les sacrifices qu'avait dû faire sa mère pour lui donner la meilleure éducation possible.

Justine évalua toutes les chances qu'elle avait eues. Elle était allée dans l'école privée la plus réputée de la ville, on l'avait poussée à recevoir ses amies, elle avait eu droit à des cours de danse et de patin à glace. Tous les étés, on l'envoyait dans une excellente colonie de vacances au nord du Michigan et, du plus loin qu'elle se souvînt, elle avait toujours eu les jolies robes dont rêvent toutes les petites filles. Les larmes lui montèrent aux yeux tandis qu'elle pensait à cette femme qui l'avait tant aimée, une mère qui n'avait jamais fait peser sur elle aucun sentiment de culpabilité pour la payer de son dévouement. Combien de filles pouvaient-elles en dire autant ? Quoi qu'elle fît subir à Necker, cela ne compenserait jamais ce qu'il avait fait à sa mère.

Du moins, songea Justine en reposant la photo, sa mère avait-elle eu le temps de la voir réussir à la tête de son entreprise, sécurité qu'elle n'avait pas connue dans la mesure où, même si on la tenait en grande estime, elle était employée. Elle avait toujours encouragé sa fille à penser à l'avenir, une fois sa carrière de mannequin terminée. Justine avait à peine plus de vingt ans qu'elle faisait déjà des économies et guettait les occasions d'assurer ses arrières sur le plan professionnel.

Oui, elle avait eu un avantage que la plupart des filles n'ont pas : une mère prévoyante et le talent de reconnaître l'exceptionnel. Durant toutes ces années, bien placée pour juger l'abîme qui sépare le bon mannequin de la vedette potentielle, elle avait observé les top models.

Quand elle avait découvert Lulu, qui débutait comme styliste chez un photographe, elle avait misé sur le génie à l'état brut. En une journée, elle avait convaincu l'adolescente timide d'aller voir trois photographes, devenant agent du jour au lendemain. Bien que Lulu ait eu un succès immédiat, faisant dès le premier mois la couverture de *Bazaar's*, les choses étaient très difficiles. Ses économies amassées avec frénésie pendant huit ans de travail l'avaient aidée à tenir le coup jusqu'à ce qu'elle obtînt un crédit pour assurer les salaires hebdomadaires de ses employés. La tâche était ardue mais, au cours de ces premières années, Lulu lui avait permis de se lancer dans le métier. Puis Hollywood avait fini par récupérer la jeune mannequin fascinée par les paillettes. Entre-temps, Loring Model Management était devenue une affaire florissante.

Justine s'approcha de la fenêtre et contempla la ville qu'elle avait aimée tout de suite. Le soir, en hiver, les lumières étincelaient encore plus. Sous le froid, cette ville du Nord lessivée par le vent glacial devenait plus éclatante. Quand son agent l'avait envoyée parfaire son apprentissage à Paris, la forçant à quitter New York après quatre mois de formation, elle l'avait beaucoup regretté. Les gens se rendaient-ils compte de ce qu'ils provoquaient ? Savaient-ils qu'ils bouleversaient la vie de ces filles pour qui ils organisaient ces indispensables séjours en Europe ? Maintenant qu'elle le faisait à son tour, Justine comprenait qu'un directeur d'agence devait se séparer de ses filles comme les parents sont obligés de réprimer leurs craintes quand ils expédient leurs enfants au collège.

Personne n'aurait pu supposer, qu'envoyer la jeune Justine Loring à Paris pour six mois, c'était la livrer au pire des hommes qu'elle rencontrerait. Son agent ne l'avait pas deviné, Frankie n'en savait rien, elle n'avait jamais parlé à personne de Marco Lombardi.

Marco était deuxième assistant chez Lanvin à l'époque. Bien qu'il n'eût que quelques années de plus qu'elle, il maniait l'art de la séduction avec un talent diabolique. Si leur histoire s'était limitée à une brève passion suivie d'un déclin inévitable, elle ne l'aurait jamais oublié car il était le premier homme de sa vie. Mais posséder son corps et son cœur ne lui suffisait pas, il lui fallait aussi son âme. Marco l'avait soumise à son emprise jusqu'à devenir sa raison de vivre, son Dieu. Dès qu'il fut persuadé qu'elle n'oserait rien lui refuser, il se désintéressa d'elle. Avec la froideur d'un scientifique entreprenant une expérience, il lui avait dit que, pour lui prouver son amour, elle devait s'offrir à son meilleur ami. Dieu merci, le peu qui restait des leçons de sa mère lui avait donné la force de quitter aussitôt Paris. Mais il lui avait fallu des années pour se remettre de la cruauté avec laquelle il avait tenté de corrompre son innocence et de trahir sa confiance. Peut-être ne s'était-elle jamais vraiment remise. Toujours est-il que sa première expérience amoureuse l'avait marquée à jamais.

Dix-sept plus tard, Justine avait assez de recul pour comprendre qu'elle n'avait été qu'une victime parmi tant d'autres. Elle avait croisé son chemin alors que Marco se trouvait entre deux femmes et il avait suivi son penchant naturel, son irrésistible besoin de destruction. Il agissait ainsi avec toutes les femmes.

Aurait-elle dû en parler à Frankie ? Justine s'était posé la question jusqu'à son départ pour en arriver à la conclusion que tout ce qu'elle aurait pu dire aux filles sur Lombardi n'aurait fait que les fasciner, les attirer. Les mettre en garde risquait d'être fatal. Quelle était la femme qui pouvait résister à l'idée d'être le centre de ses attentions, l'heureuse élue ? L'arrogance de la jeunesse pouvait les encourager à lui prouver qu'elle avait tort. Justine avait néanmoins décidé de raconter toute l'histoire à celle qui deviendrait l'image Lombardi.

Elle poussa un profond soupir. Elle ne serait pas tranquille tant que les filles ne seraient pas revenues. Ce qu'il lui fallait, c'était un bain chaud, une tasse de thé, une douillette soirée dans sa maison désormais bien confortable et un bon livre dont l'action se situe dans un presbytère de campagne au siècle dernier. Et qui finisse bien !

Quand le taxi s'arrêta devant chez elle, Justine fut surprise d'y voir des signes d'activité. Les lumières des deux premiers étages étaient allumées et des ombres bougeaient derrière les rideaux.

Elle entra en trombe et brailla :

— Qu'est-ce qui se passe ici ?

— On vidange les tuyaux, répondit un ouvrier. Ça devrait être bientôt fait.

— Comment ? Vous vidangez quoi ? Qui vous a permis de toucher à mes tuyaux ?

— Aiden, répondit-il.

Sur ce, il reprit son travail pour en finir.

— Où est-il ? s'enquit Justine avec véhémence.

— Au sous-sol.

Reconnaissant la folle de service qu'on trouve sur chaque chantier, il déguerpit aussitôt.

Si les hommes venaient de Mars et les femmes de Vénus, les entrepreneurs venaient d'un trou noir perdu dans l'espace, songea Justine avec ce qui lui restait de lucidité. Écumant de rage elle descendit au sous-sol comme une furie.

— Mais qu'est-ce que vous foutez, nom de Dieu ? hurla-t-elle.

Torse nu, le visage marqué par l'effort, Aiden se redressa.

— Justine ! Je me demandais ce qui vous était arrivé. On est obligés de vidanger les tuyaux pour qu'ils n'éclatent pas avec le gel. Le thermomètre va descendre bien au-dessous de zéro pendant au moins trois jours, du froid qui nous vient de l'Arctique. Le maire a fermé tous les services en dehors des urgences.

— Où est cette nouvelle chaudière que vous m'avez promise ? Cette chaudière qui devait être installée avant ce soir ? glapit-elle. Jamais je vous aurais laissé faire sans cela !

— Mon fournisseur m'a livré le mauvais modèle, expliqua Aiden. Il était trop gros pour ici. Quand j'ai appelé cet imbécile, j'ai découvert qu'il s'était trompé en reportant le numéro de série sur son inventaire, ajouta-t-il d'un air indigné.

L'énormité de l'erreur détourna un instant la colère de Justine. Incrédule, elle contemplait le vide à la place de l'ancienne chaudière.

— Et qu'est devenue l'autre ? demanda-t-elle.

— Elle s'est cassée quand on l'a démontée, répondit Aiden d'un ton neutre. Quand on s'est aperçu que le modèle n'était pas le bon, les gars avaient déjà démonté l'ancienne. Il était impossible de la remettre en marche, elle est foutue.

Il avait annulé trois rendez-vous aujourd'hui, des rendez-vous en vue de gros chantiers pour faire la surprise d'un chauffage tout neuf à cette femme exquise et fascinante. Au lieu de cela, il s'était retrouvé face à un cauchemar. S'il n'avait été apprenti chez un plombier dans sa jeunesse, il n'aurait su comment s'y prendre avec les tuyaux. Il avait envie de se donner des coups sur la tête ! Mais il était entrepreneur, un meneur d'hommes, l'équivalent dans le bâtiment du commandant des chefs d'état-major, et il devait faire preuve de fermeté.

Justine s'assit sur les marches et éclata en larmes.

— Je vous ai fait confiance, je vous ai fait confiance et voilà ce qui s'est passé. Ma maison va geler, ma pauvre maison... oh, ma pauvre petite maison chérie.

Des sanglots la secouaient. Effondrée, elle s'enveloppa dans son manteau bien qu'il fît chaud en bas.

Aiden dont l'honneur était en jeu était désarmé.

— Justine, je vous en prie, ne pleurez pas comme ça, je vous en supplie. Ça me tue de vous voir pleurer. Je vous jure que la maison ne gèlera pas. Il fera froid, mais elle ne subira aucun dommage. Les tuyaux auraient pu geler, mais c'est réglé, Justine, je vous le promets. Rien ne gèlera, rien, j'ai vérifié moi-même quatre fois tous les tuyaux un par un.

Impuissant, Aiden resta aux côtés de Justine, qui tremblait toute recroquevillée, et se força à poursuivre.

— Le problème, c'est que vous ne pouvez pas rester ici tant que je n'ai pas installé la nouvelle chaudière. Il n'y a ni chauffage, ni eau chaude. Et personne ne pourra en dénicher une pendant le week-end. J'ai appelé tous les fournisseurs de la ville. Ils m'ont dit lundi au plus tôt... et encore.

— Ah là, là !

Ses larmes redoublèrent. Aiden s'accroupit pour se mettre à son niveau et tenta de lui caresser les cheveux pour la réconforter. Justine, qui se dégagea brutalement, l'envoya dinguer.

— Ne me touchez pas, abruti, sale type, espèce de... d'entrepreneur ! parvint-elle à articuler entre deux sanglots. Vous débarquez ici et voilà où on en est ! Ma douillette, ma merveilleuse, ma sublime maison est en morceaux. Tout allait bien avant que vous ne vous en mêliez. Maintenant tout est fichu, ce n'est plus qu'une carcasse, une carcasse gelée. Comment ai-je pu être aussi bête ? Je n'ai plus de maison, je n'ai plus nulle part où vivre.

— La vache, c'est vrai ! Bon sang, j'aurais dû vérifier la nouvelle chaudière avant de les laisser démonter l'ancienne... c'était d'une bêtise criminelle... mais j'étais si impatient de vous l'installer avant la tempête que j'ai transgressé tous mes principes... j'ai précipité les ouvriers et j'ai tout bousillé.

Justine, qui réussit enfin à se calmer, put parler sans pleurer.

— Et vous croyez que c'est une excuse ? lança-t-elle en séchant ses larmes. Vous vouliez me rendre service, c'est ça ? Vous faisiez du zèle ?

— Exactement!... Je veux dire... oh, qu'est ce que ça change, de toute façon? Je me suis planté, un point c'est tout, peu importe la raison. Je vous ai déçue et je ne me le pardonnerai jamais, jamais!

— Vous pouvez vous les garder, vos remords! C'est moi qui ne vous le pardonnerai jamais, oui!

— C'est sûr, acquiesça-t-il humblement. Pourquoi me le pardonneriez-vous? A moins que...

— A moins que? répéta-t-elle d'un air dédaigneux. Il pourrait y avoir une solution?

— Eh bien, imaginons par exemple que sans logique aucune, par pure folie, vous décidiez de vous montrer magnanime et que vous me concédiez un droit à l'erreur à condition que ce soit le dernier, le tout dernier. Vous passeriez le week-end à mes frais dans une suite de l'hôtel de votre choix et peut-être, un jour, pourrais-je de nouveau vous convaincre de m'accorder votre confiance.

— Mais pourquoi... pourquoi diable ferais-je une chose pareille?

— Je n'ai aucune raison valable à vous donner. J'espérais que... par miracle... ce soit du domaine du possible.

Les cils encore mouillés, Justine leva les yeux vers Aiden. Il était toujours l'homme qui lui avait inspiré confiance la veille, confiance comme personne depuis des années, sauf qu'à le voir torse nu elle avait encore plus... oui... nettement plus envie de lui. En attendant, il avait cassé sa chaudière et rendu sa chère maison inhabitable pour trois ou quatre jours. Il ne l'avait sûrement pas fait exprès. Ça arrive, les accidents. Tout le monde peut se tromper. Si elle lui pardonnait, la chose fort agréable commencée hier soir... chose ô combien indéfinissable... continuerait. Sinon, ça n'arrangerait rien de toute façon. Et elle ne supportait pas d'avoir l'air mesquin.

— Et ce serait « le dernier, le tout dernier » droit à l'erreur? Sans appel? murmura-t-elle d'un ton interrogateur comme pour elle-même.

— Le tout tout dernier! Et je vous serais toujours redevable!

— Hummm.

— Justine, je vous en prie, implora-t-il. Je vous en prie!

— Mais je déteste l'hôtel, dit-elle d'un air sombre. Ça me déprime.

— Vous pouvez venir chez moi! J'ai un immense loft dans les bas quartiers. Je pourrais même passer inaperçu, si vous le voulez.

— Hummm.

Visiblement, elle n'était pas convaincue.

— Et j'ai de super places pour le match des Knicks demain soir. On ne va quand même pas l'annuler.

— Hummm.

Elle semblait un tant soit peu moins dubitative.

— J'ai plein de choses à manger, je ferai la cuisine, je ferai la vaisselle, je serai aux petits soins, je vous donnerai du thé, des Gibson, des Tequila Sunrise, des milk-shakes, tout ce que vous voulez. On pourrait partir à la découverte de mon quartier, considérer ça comme des mini-vacances. Et s'il y a assez de neige, j'ai des skis pour nous deux...

Posant les mains sur ses épaules nues, Justine l'observa d'un regard interrogateur comme si l'idée de skier avait pesé en sa faveur dans la décision. Elle avait une tête à skier, d'après lui ? En déséquilibre sur ses talons, Aiden faillit tomber sur les genoux de Justine. Il se redressa tant bien que mal et l'attira vers lui en la prenant par les coudes.

S'écartant pour le regarder, Justine lui demanda d'un ton impérieux :

— Et vous feriez mon lit ? Je déteste faire les lits.

— Je le ferai au cordeau. Je fais très bien les lits. Je vous changerai les draps tous les jours.

— Quoi encore ?

— Je vous promets de ne pas poser la main sur vous, ajouta Aiden. Je le jure sur la tête de ma mère.

— Je préfère ça, approuva Justine à mi-voix. Et si jamais ?...

— Si jamais quoi ?... souffla-t-il avec espoir.

— Non, ce n'est rien. Je pensais à haute voix, c'est tout.

Elle réussit à réprimer son sourire devant son air perplexe. Il n'y avait vraiment rien à tirer des hommes, strictement rien. Avait-elle une tête à boire des Tequila Sunrise ? Ou des milk-shakes ? Il avait beaucoup à apprendre sur elle. Elle avait retrouvé sa bonne humeur néanmoins.

— Il faut que je mette deux, trois choses dans une valise, annonça Justine en se libérant.

Quand elle arriva dans sa chambre glaciale, elle s'était remise à fredonner. Des mini-vacances lui feraient peut-être le plus grand bien, elle avait trop travaillé ces derniers temps. De toute façon, avec ce froid, le week-end aurait été mortel, même avec la maison chaude. Même avec un bon livre !

8

Mais qu'est-ce qui lui avait pris ? se demanda Justine bourrée de remords tandis que le taxi, peut-être le dernier à circuler dans toute la ville, poursuivait cahin-caha sa route en sautant sur tous les nids de poule. Le Westside Highway était déjà fermé et ils passaient par des petites rues connues uniquement des habitants de Tribeca. Il s'était mis à neiger avant même le départ des ouvriers. Aiden avait vérifié une dernière fois les tuyaux avant qu'elle ne fermât la porte et ne jetât un triste regard d'adieu sur sa maison.

A cette heure, elle aurait pu être bien au chaud dans un somptueux hôtel, servie avec discrétion et prévenance par un escadron de serveurs, d'opérateurs et de directeurs adjoints, elle aurait commandé un bouquet chez le fleuriste dans le hall, acheté tous les magazines qui venaient de sortir et se serait préparée à affronter confortablement les cataclysmes qui menaçaient la ville. Alors qu'elle avait cédé à un caprice, une impulsion. Et voilà qu'elle était prisonnière d'un homme qu'elle connaissait à peine, beaucoup trop proche d'un quasi étranger qui s'était déjà avéré être un fouteur de merde de premier ordre.

Un loft à Tribeca, non mais je vous demande un peu! Quelle idée d'accepter une invitation pareille ? Elle qui détestait les lofts, même si c'était la grande mode quand elle était arrivée à New York. Elle voyait très bien le tableau : du high tech d'une laideur provocante, de l'acier industriel à revendre et des tuyaux en décoration. Le concept dans son entier était dingue, sauf pour en faire un studio de photo ou de cinéma. Les gens étaient faits pour vivre dans des pièces accueillantes à échelle humaine, pas dans d'anciennes usines avec de minces cloisons entre les différents espaces. Cet Aiden Henderson avait sûrement aménagé une douche dans sa cuisine, histoire de prouver que c'était possible. Elle avait dîné une fois avec lui, lui avait accordé un baiser, ou un et demi sur la joue, et voilà qu'elle se retrouvait coincée dans la neige avec lui, le type qui avait bousillé sa maison. Était-elle victime du syndrome de Stockholm ?

Elle ne reconnaissait pas le quartier dénigré qu'ils traversaient, mais le chauffeur avait tant de problèmes qu'il était manifestement trop tard pour changer d'avis. Ils allaient finir dans l'Hudson si ça continuait. Merde ! Elle détestait la vie merdique de ces quartiers, elle détestait la prétention à les trouver beaucoup plus intéressants et « authentiques » que les quartiers chics, elle détestait ces minables restaurants chinois au service exécrable et à la bouffe encore plus dégueulasse, ce culte des producteurs de cinéma et des restaurateurs qui coiffaient souvent les deux casquettes sans plus de talent d'un côté que de l'autre, le fiasco idéalisé de ces petits loubards asexués dont la vie de drogué consistait à faire du skateboard le jour et à délirer la nuit, des tribus entières de morts vivants qui prenaient tous les gens au-dessus de vingt ans pour des débiles.

Pourquoi avait-elle cédé si facilement ? Aiden avait dû être pour le moins surpris qu'elle le prît au mot. Pourquoi ne lui avait-elle pas dit qu'elle ne pouvait absolument pas se libérer tout le week-end avec ses engagements ? Mon Dieu, elle avait perdu la tête ! La destruction de sa chaudière l'avait traumatisée au point d'en oublier les règles les plus élémentaires des convenances.

Justine jeta un coup d'œil furtif sur Aiden qui semblait morose et distant. Il concentrait toute son attention sur le chauffeur à qui il donnait des instructions, alors que manifestement le pauvre homme ne savait pas du tout comment aller à Tribeca, encore moins à Laight Street. Qu'était devenu son agréable sourire ? Elle aurait parié à dix contre un que ce voyou n'était jamais allé à l'université du Colorado, à dix contre un qu'il ne s'était pas présenté chez elle uniquement pour faire plaisir aux amis qui l'avaient recommandé.

Quel était entrepreneur qui commençait un chantier sitôt après l'avoir décroché ? Un entrepreneur qui n'avait pas de boulot ! Un entrepreneur clandestin, un entrepreneur à qui on avait retiré sa licence, un entrepreneur tombé en disgrâce ! Pourquoi Justine n'avait-elle pas demandé des preuves de sa bonne foi, pourquoi n'avait-elle pas appelé la mairie pour vérifier ses coordonnées et ses références ? Pourquoi s'était-elle laissé influencer par la bonne impression que lui avait faite la veille ce superbe cow-boy au nez cassé dans le genre de celui qui donnait au jeune Brando un charme tout particulier ? Pourquoi elle, Justine Loring, experte à détecter tout ce que pouvait cacher une physionomie, s'était-elle laissé intriguer et, disons-le... un peu séduire — que Dieu lui vienne en aide ! — par cet arnaqueur ? Avec sa belle assurance d'homme bien bâti, et son air compétent, il l'avait bouffée. C'était une technique classique, non ? Tous les artistes bidon ne s'y prenaient-ils pas ainsi ?

Non seulement la neige tombait plus drue mais elle était lourde, collante. On n'y voyait plus rien. Les essuie-glaces ne marchaient pour ainsi dire plus. Justine frissonna dans son manteau de gros lainage blanc, garni sur toute la longueur de somptueuses franges en agneau bouclé de Mongolie. Elle s'enfonça, presque jusqu'aux yeux, son vieux bonnet de laine et, de plus en plus affolée, serra ses gants doublés de fourrure. Malgré ses bottes en peau de porc doublée et ses épaisses chaussettes, elle avait aussi les pieds gelés. Blizzard ou pas, si jamais Aiden Henderson faisait un geste déplacé, le moindre petit geste, même un geste à la con, elle s'enfuirait de ce loft et retournerait à la civilisation, quitte à prendre le métro ! Oui, elle irait jusque-là !

Pourquoi Justine était-elle aussi silencieuse ? se demandait Aiden Henderson qui aidait le chauffeur à trouver le chemin pour cacher son embarras. Pourquoi se recroquevillait-elle dans son coin, emmitouflée sous un tas de machins blancs frisottés, comme si elle avait peur de lui ? Deux petits baisers sur la joue signifiaient-ils qu'il allait attenter à sa pudeur ? Jamais il n'avait espéré qu'elle prît au mot sa folle invitation à passer le week-end chez lui. Il l'avait lancée parce qu'elle avait l'air bouleversé. Il ne savait même pas s'il y avait des draps propres ! Pourvu que Mrs. Brady ait pu venir faire le ménage et apporter le linge aujourd'hui. Et quelle que fût la recette du Tequila Sunrise, il n'en avait jamais préparé de sa vie. Enfin, Justine Loring devait avoir bien autre chose à faire : des rendez-vous galants, des réceptions. Une vie trépidante, tout aussi brillante que son boulot dont il ne savait rien. Sauf que selon certains imbéciles, le fait que des femmes deviennent tous les ans plus grandes et plus minces constitue un apport à la civilisation.

Avait-il rêvé ou Justine l'avait-elle fait marcher tout à l'heure ? Était-il pour elle une espèce d'expérience nouvelle, dans le genre exotisme de bas étage ? Un week-end avec un entrepreneur, ou comment je me suis vautrée au fin fond de la dépravation avec un homme qui travaille de ses mains ? Eh bien, il lui réservait une surprise. Il lui avait proposé l'hospitalité parce que son éthique le lui imposait et que ça la déprimait d'aller à l'hôtel. Un point, c'est tout !

Lui, ce qui le déprimait, c'était les invités. Pourquoi avait-il oublié que la vue d'une femme en pleurs le privait de tous ses moyens ? Il attendait avec impatience ces deux jours de tranquillité pour étudier quelques offres sur l'installation électrique de la nouvelle usine qu'il construisait à Long Island City. Sans parler des quatre grands matchs de foot qu'il ne voulait pas manquer. Et voilà qu'il était coincé avec une Anna Karénine version 90, enterrée sous un amas de mouton mort avec la tête de quelqu'un qu'on allait jeter à bas d'un traîneau au beau milieu de l'hiver russe. Avait-il vraiment promis de lui faire son lit ? Alors là, pas question ! Si elle en parlait, si elle émettait un mot sur le sujet, il l'accompagnerait au métro, il lui donnerait un jeton et qu'elle aille flipper à l'hôtel !

Le taxi s'arrêta en dérapant. Aiden aida Justine à sortir de la voiture et prit sa valise. Tandis qu'il réglait la course, elle regarda alentour, ne voyant rien de bon augure dans cette rue mal éclairée et cette grosse carcasse qui ressemblait à un entrepôt désaffecté. Ils prirent en silence un monte-charge grinçant jusqu'au dernier étage apparemment, puis débouchèrent sur un palier anonyme. Comme Aiden ouvrait la porte, Justine renifla d'un air soupçonneux. Bizarre, on aurait dit une odeur de feu de bois et... d'huile de lin ? Henderson la prit délicatement par le coude pour qu'elle ne trébuchât pas sur le seuil et alluma la lumière. Justine avança d'un pas et s'arrêta net.

— Oh, s'exclama-t-elle. Je n'en crois pas mes yeux.

Il sourit en entendant sa petite voix perplexe.

— Ouais. Il m'a fallu sept granges abandonnées, trois grandes et quatre petites, dont la plupart remontaient au siècle dernier. Je les ai récupérées en Indiana pour une bouchée de pain. Je ne me lasse jamais du bois, j'en suis fou, j'en ai dix-sept variétés ici.

— Mais vous avez dit un loft, s'écria-t-elle, fort soulagée.

— Techniquement parlant, c'en est un.

— Ça l'était. Maintenant c'est une... une immense... une immense quoi ? Une grange ? Une cabane en rondins ? Un ranch ? Une écurie ? Un mélange de tout, insista Justine.

Elle parcourut la pièce avec enchantement, jetant par les portes entrouvertes un coup d'œil sur d'autres pièces plus petites au plafond bas.

— Dans la mesure où je l'ai construit de mes mains, vous pouvez l'appeler comme vous le voulez, déclara Aiden, ravi de sa réaction.

Si tout le monde était surpris par son aménagement, tout le monde ne l'aimait pas autant qu'elle apparemment. Peut-être irait-elle jusqu'à enlever son étrange manteau avec un peu de patience. Il se dirigea vers une énorme cheminée en vieilles pierres plates où un gros tas de bûches était prêt à flamber.

Justine, qui vint se mettre devant le feu, retira ses gants.

— Vous l'avez construit vous-même ? Ça vous a pris combien de temps ?

— Près de sept ans, répondit Aiden avec fierté. Je travaillais à plein temps et je vivais dans le quartier. Alors, je le faisais le soir et le week-end. Une fois que j'ai eu trouvé le bois, le peuplier scié grossièrement, le revêtement extérieur, les grosses poutres en chêne et le noyer noir, je me suis laissé guider. On ne peut guère se tromper avec le vieux bois, il sait ce qu'il veut. Je ne voulais pas confier l'électricité ni la plomberie à un tiers. J'y tenais tant que j'avais peur qu'on me l'abîme. Quand j'en suis arrivé aux derniers travaux de menuiserie, les meubles de rangement et les bibliothèques, ça a été terrible. Après ça, c'est fini, il n'y a plus que la peinture. C'est un peu triste, d'une douce tristesse.

Justine ôta son bonnet et fit le tour de la pièce. Elle s'arrêta sur chaque meuble de campagne peint au charme vieillot, remarqua les tableaux de primitifs américains aux murs ainsi que les courtepointes encadrées et, disposés ici et là sur le plancher en peuplier, des tapis aux teintes fanées.

— Mais qui s'est occupé de la décoration ? demanda-t-elle.

— Ce n'est pas de la décoration. J'ai juste chiné jusqu'à découvrir ce qui convenait. J'ai eu pas mal de chance, surtout avec les courtepointes. Celle qui est au-dessus de la cheminée a été faite par ma grand-mère. Les autres, je les ai trouvées en pays amish, certaines dans le nord de l'État et quelques modèles superbes en Nova Scotia. Voilà un endroit où vivre quand on ne craint pas le froid ! Il n'y a rien de plus beau en été.

— Là d'où vient le saumon ?

— Exactement. Si c'était une invite, je vais aller voir à la cuisine ce que je peux dénicher pour le dîner.

— Je vous accompagne, annonça Justine, impatiente de voir à quoi elle ressemblait.

— Non, ce n'est pas ce qui était entendu. J'avais dit que je vous ferais à manger. Si je vous laisse entrer dans la cuisine, vos instincts féminins risquent de l'emporter et vous allez vous mettre à préparer Dieu sait quoi. De toute façon, vous seriez dans mes jambes. Je vais vous montrer la chambre d'amis pour que vous vous installiez.

Seule dans la petite pièce au confort raffiné qui semblait donner sur les Alpes comme la ravissante salle de bains, Justine déballa rapidement ses affaires. Cela ne se présentait pas si mal finalement. Du moins avait-il des meubles intéressants, se dit-elle en frissonnant d'émotion. En fait, si on pouvait juger un homme à son intérieur plus qu'à sa figure, peut-être fallait-il se fier à ses premières impressions. Peut-être n'avait-elle pas perdu la tête. En soi, c'était plutôt rassurant. Autant que de l'imaginer un marteau et des clous en main à travailler avec patience pendant sept ans. La patience était une bonne chose. Le bois aussi. La patience à travailler le bois encore plus. Du moins, le croyait-elle.

A la cuisine, Aiden découvrit que Mrs. Brady avait préparé une grosse marmite de ragoût de mouton qu'il fallait juste réchauffer. Il la glissa dans le grand four pour ne pas risquer de le brûler et se mit à explorer ses réserves d'alcool. Justine semblait s'être remise de la crise qu'elle avait eue dans le taxi. Le remords du client sans doute, il connaissait ça. Quand elle avait enfin enlevé son fichu bonnet et s'était ébouriffé les cheveux à la lueur des flammes, il avait failli tomber à la renverse devant une telle beauté naturelle. Une femme un tant soit peu vaniteuse ne se serait jamais mis un machin pareil sur la tête, même si elle mourait de froid. La vanité n'était-elle pas l'un des principes souverains chez les femmes? Peut-être finit-on par s'ennuyer quand on s'est regardé toute sa vie dans la glace, si belle soit-on. Difficile à concevoir.

Aiden trouva un plateau, des verres de la bonne taille, un seau à glace, une bouteille pleine de tequila qu'on lui avait offerte à Noël deux ans plus tôt et un pot de jus d'orange frais. Il réfléchit un instant et ajouta un flacon de cerises au marasquin, puis apporta le tout au salon où il le déposa sur la table basse devant le feu et s'installa dans le grand canapé en cuir.

— Qu'est-ce que c'est que ça? s'exclama Justine.

Vêtue d'un caleçon rose vif avec de grosses chaussettes blanches par-dessus et d'un immense pull à col roulé à l'effigie des « New York Giants », elle se glissa à côté de lui.

— Rien pour l'instant, mais ça va devenir ce que je vous ai promis : un Tequila Sunrise.

— Hummm, murmura-t-elle, réservant son jugement.

— Ouais, regardez-moi ça. D'abord, je mets des glaçons, ensuite j'ouvre la tequila que je verse généreusement, puis j'ajoute un doigt de jus d'orange jusqu'à obtenir la couleur du soleil et enfin je dispose avec soin une cerise qui représente le soleil levant. Tenez, c'est pour vous.

— Mais le soleil n'est rouge qu'au couchant, protesta-t-elle en prenant le verre.

— Pas à Hawaï.

— Je vois, dit-elle d'un air songeur. Alors, c'est ça, un Tequila Sunrise. Ça ressemble à une vodka orange. Il n'y a pas de quoi en faire tout un plat!

Soudain, Justine murmura :

— J'ai une drôle d'impression, une mauvaise impression.

— Comment ça?

— On n'est pas seuls ici, souffla-t-elle d'une voix effrayée. Quelqu'un nous observe. Ne bougez pas, faites comme si de rien n'était.

— Rufus, sors de là, dit Aiden. Ne crains rien.

Un énorme chat persan caché derrière un gros tas de bûches surgit avec majesté et, la queue en l'air, se dirigea vers eux à pas lents d'un air offensé. Il était d'une beauté extraordinaire, même si cette race n'engendre jamais la laideur. Il avait une présence imposante.

— Mon Dieu! s'écria Justine.

— Il a peur de vous. Rufus est timide avec les dames. C'est un chat d'homme. En fait, il se prend pour un chien. Peut-être parce que je l'ai châtré, on ne peut pas avoir un matou cavaleur en ville. Viens dire bonjour à Justine, petit. Vous ne détestez pas les chats? Vous n'êtes pas allergique?

— Pas du tout, répondit Justine.

Elle adorait les chats et savait très bien comment s'y prendre avec eux. Elle resta parfaitement immobile, comme d'une totale indifférence, ignorant l'existence de Rufus, allant jusqu'à refuser de croiser son regard. Elles supportaient tout sauf le manque d'attention, ces mystérieuses créatures paradoxales.

Installé sur les genoux d'Aiden, Rufus se souleva et se retourna, les quatre fers en l'air. Aiden lui caressa le ventre.

— Vous avez déjà vu un chat faire ça?

— Étonnant, acquiesça Justine. Vous en avez d'autres? Saviez-vous qu'Hemingway en avait trente? Picasso aussi les aimait apparemment. Il a dit que Dieu avait inventé la girafe, l'éléphant et le chat... il n'a pas parlé des hommes.

— Rufus ne voudrait pas que je prenne un autre chat, il est jaloux de nature. C'est pour ça qu'il fait semblant de ne pas vous remarquer. En réalité, il vous voit à travers ses paupières closes. Il vous considère comme une menace à notre vie commune.

— Pauvre petite bête. Dites-lui de ne pas s'inquiéter, assura Justine en souriant.

Rufus avait déjà jeté un coup d'œil curieux vers elle. Ce n'était qu'une question de temps. Elle aussi aurait bien pris un chat. Mais une femme seule avec un chat relève du cliché, alors qu'un homme paraît sensible tout simplement.

— Ce pull-over se veut juste joli ou êtes-vous une fan des Giants ? s'enquit Aiden avec précaution.

— Une fan, bien sûr. Comme tout le monde, non ? Franchement, les Jets sont plutôt minables, mais un New-Yorkais qui respecte doit suivre les deux équipes. Le problème, c'est qu'ils jouent à la même heure ce week-end, les Jets à Buffalo et les Giants à Houston.

Elle le regarda. Un tel sacrilège, ils n'en revenaient pas.

— Je n'ai pas décoléré de la semaine, poursuivit Justine. Je n'arrive toujours pas à croire qu'on programme des matchs comme ça ! Quelle bande de crétins ! Je voudrais prendre l'un pour taper sur l'autre. J'adore voir jouer les types dans le blizzard. Quelle souffrance ! Les glissades, les dérapages ! Buffalo sous la tempête ! Le mieux serait d'avoir deux postes de télévision l'un à côté de l'autre pour les regarder en même temps.

— Ça peut se faire.

— Oh, Aiden, vraiment ?

— C'est déjà tout prêt, annonça-t-il d'un air suffisant. Vous n'êtes pas le seul fanatique de sport ici.

— Peut-être vont-ils gagner tous les deux ! Pourquoi ne pourrait-on croire aux miracles ?

— Buvons à cela.

— Oh, oui ! Hummm... c'est vraiment... quelque chose. Doux, sensuel et incroyablement... raffiné.

— Je crois que c'est assez fort.

— Pas si on mange la cerise.

— Oh, Justine...

Il regarda la cerise disparaître dans sa bouche avec convoitise.

— Oui ?...

Elle fit un sourire innocent. Ses yeux étaient d'un bleu si profond, presque secret, si sombres qu'on aurait pu les croire d'une autre couleur jusqu'à ce qu'ils se posent sur vous. Il y avait une douceur farouche dans son regard, une exubérance, comme le vent du large.

— Tenez, ajouta-t-il aussitôt, prenez-en une autre, elles sont petites.

— Vous savez parler aux femmes.

Il avait promis de ne pas la toucher. Et il respecterait sa parole. C'était le problème avec certains hommes. A choisir, trop de scrupules valaient mieux que pas assez. Il fallait trouver une juste moyenne. Justine se détendit, sûre de trouver une solution à ce dilemme d'ordre éthique. Elle ferma à demi les yeux, puis regarda Aiden en se demandant comment ce serait de l'embrasser, de l'embrasser pour de vrai, pas le petit baiser d'hier soir sur la joue.

Ce serait comme d'ouvrir une boîte de caviar Beluga et d'y plonger gentiment une petite cuillère en nacre. Juste un peu pour y goûter, mais quelle saveur ! Ensuite on regarde autour de soi et on s'aperçoit qu'on est seul face à la boîte entière, seul devant quatre cents grammes de caviar russe juste devant soi, ce qui, en théorie, est plus qu'on ne peut manger en une fois. On enfonce alors sa cuillère au beau milieu des grains brillants pour y goûter une deuxième fois, un peu plus que la première. C'est encore meilleur... puis vient la soif, la soif galopante du caviar qui ne ressemble à aucune autre, tandis qu'on enfourne honteusement la troisième énorme cuillerée. Les papilles embrasées, car on en a plus qu'assez et personne avec qui le partager, on continue à manger, une grosse cuillère après l'autre, à déguster aussi vite ou aussi lentement qu'on le veut en fonction de son humeur jusqu'à être repu, ce qui est presque impossible avec le caviar mais qui finit par arriver. Ensuite, on s'arrête après une dernière cuillère, non pas par devoir mais par désir. On est totalement satisfait et on sait que la boîte sera encore là, toujours aussi pleine, à attendre au frais le moment où on en aura forcément de nouveau envie. Et si on ne se brosse pas les dents tout de suite, on aura droit à l'arrière-goût, presque aussi exquis, des sublimes œufs de poisson qui reste au moins une demi-heure dans la bouche.

Mon Dieu ! Justine ouvrit les yeux. Cette boisson était comme des champignons hallucinogènes ! Elle n'avait jamais eu ce genre de vision. Elle n'avait jamais absorbé non plus de champignons hallucinogènes, ce n'était pas son genre de se laisser aller. Elle resta assise en silence, prenant prudemment de petites gorgées de la dangereuse potion.

Ravi d'avoir Rufus pour chaperon, Aiden, qui contemplait le feu, servait de coussin au chat. Entre ses chaussettes au charme satanique et son pull qui était à la fois un camouflage et un appel, ça en était trop pour un homme seul. Était-elle une diablesse ou un ange ? Il était fort troublé. Mais une promesse était une promesse.

Il se leva et se secoua. Il fallait qu'il se remuât.

— Vous avez faim ? s'enquit-il.

— Je meurs de faim.

Presque sans parler, ils dévorèrent le ragoût de mouton avec du pain chaud. Après avoir eu son comptant de lait et de thon, Rufus avait l'air de dormir sous la table. Pourtant, Justine sentait de temps en temps sa tête hautaine lui donner un petit coup sur la cheville. Il aurait été très facile de lui glisser un morceau de viande sans se faire remarquer, mais elle ne voulait pas s'abaisser à le soudoyer. Ce chat était un sacré phénomène. Si elle gagnait ses faveurs, ce serait à la loyale. Sinon, tant pis.

Quoi qu'il en fût, l'heure n'était pas aux numéros de charme. Entre sa journée éprouvante au bureau, le désastre de la chaudière et la course épouvantable sous la neige, Justine était soudain si épuisée qu'elle se leva de table sans laisser à Aiden le temps de faire du café. Elle se traîna jusqu'à sa chambre, tout juste capable d'enfiler le caleçon de soie qui lui servait de pyjama quand il faisait froid, et sombra dans un profond sommeil.

Sortant de sa léthargie à un moment, Justine s'aperçut que quelque chose la tripotait. L'esprit engourdi, elle avait la cauchemardesque impression qu'un gros serpent s'enroulait autour de sa poitrine. Retenant son souffle de peur, elle resta figée et tenta de se repérer. Elle se trouvait dans un endroit affreusement calme, un endroit sans aucun bruit familier, pas la moindre circulation, pas la moindre lumière, pas le moindre indice pour identifier la nature de la force surnaturelle qui l'attaquait.

— Au secours, à l'aide ! glapit-elle d'une petite voix, craignant d'effrayer le serpent.

Se glissant d'une façon atroce, le reptile s'insinua implacablement sur sa poitrine presque jusqu'au cou. Elle allait se faire étrangler sans tenter de se défendre, se dit-elle, paralysée. Elle se força à ouvrir la bouche pour hurler quand un petit museau froid la chatouilla, un gentil miaulement cherchant à la conquérir.

— Salaud ! explosa-t-elle.

Elle attrapa Rufus qu'elle brandit au-dessus de sa tête.

— Comment te permets-tu ? Alors comme ça, tu veux dormir avec moi ? Tu veux qu'on soit amis ? Maintenant qu'Aiden ne peut voir quel aguicheur tu es, hein ? Tu as choisi le mauvais moment, espèce d'hypocrite. Retourne là d'où tu viens, petit diable.

Elle reposa sur le lit le chat qu'elle poussa brutalement par terre.

— Dehors et que je ne te revoie pas ! ordonna-t-elle.

Rufus bondit sur le lit et se mit à marcher sur elle. Il remonta des pieds à la poitrine où il s'assit de tout son poids, bien décidé à y rester. Ce n'était pas de sa faute, se défendit Justine, elle n'avait pas tenté de l'appâter en lui donnant à manger.

— Va-t'en ! Allez, ouste ! siffla-t-elle d'un ton féroce.

Elle aurait voulu savoir à quel ordre il obéissait. Elle essaya tout :

— Descends ! Dégage ! Par terre ! Dehors ! Vilain !

Il finit par bouger. Il sauta sur l'oreiller et enfouit son museau au creux de son cou. Elle s'était trompée de mot. Hélas, elle ne connaissait pas le bon, se lamenta Justine en le repoussant. Avec familiarité, il lui donna des petits coups de dent sur les doigts. Ça pouvait durer toute la nuit ! Bien que châtré, Rufus n'avait pas tout oublié.

Il n'y avait qu'une solution, mais c'était impensable. Comme Rufus la poursuivait de ses avances, l'impensable devint obligatoire. Justine chercha la lampe de poche qu'elle se rappelait avoir vue sur la table de chevet. Elle l'alluma, sortit du lit et enfila ses petits chaussons doublés de mouton. Ne trouvant pas son peignoir, elle prit la couverture qu'elle jeta sur ses épaules et se dirigea d'un pas vacillant vers la fenêtre. Elle tira les doubles rideaux : on ne voyait rien derrière le voile de neige qui tombait, pas même les réverbères. Elle aurait aussi bien pu être dans un chalet au fin fond des bois ! Tu parles de vacances ! S'enroulant autour de ses jambes et l'attirant vers la porte à coup de museau, Rufus la suivit.

— D'accord, d'accord, j'ai compris, grommela Justine qui éclaira le chemin vers la cuisine.

Elle prit dans le réfrigérateur le lait qu'elle versa dans le bol posé à côté. Rufus l'avala goulûment.

— Dis merci Justine, lança-t-elle au chat glouton.

Tout absorbé, il ne l'entendit pas. C'était le moment de

battre en retraite. A pas de loup, Justine s'éloigna du chat qui lapait à grand bruit. Elle venait d'arriver à la porte et s'apprêtait à regagner précipitamment sa chambre quand Rufus, qui la rejoignit tout à coup, se mit à ronronner et à se lover de plus belle contre ses jambes. Il avait établi les règles du jeu, comprit Justine. Elle avait eu tort d'agir ainsi. Maintenant qu'il l'avait à sa merci, il voulait jouer avec sa nouvelle souris blonde.

Prenant le chat par la peau du cou, Justine le serra contre elle pour qu'il ne s'échappât pas et lui annonça :

— Tu vas retrouver ton patron.

A la lueur des braises, Justine traversa la superbe grange à pas feutrés. Elle ouvrit la porte de la chambre d'Aiden sans faire de bruit et tenta de prendre Rufus pour le jeter dans la pièce. Mais on ne jetait pas ce chat quand il ne le voulait pas, apprit-elle à ses dépens. Ses griffes coupées s'étaient emmêlées dans les fines mailles de soie de son polo à manches longues et à peine en arrachait-elle une que d'autres s'agrippaient à elle comme si la bête montait une échelle de corde. Il ne faut jamais prendre un chat dans ses bras quand on n'a pas l'intention de le garder !

Plantée dans l'embrasure, Justine se demanda que faire. Elle entendait Aiden respirer tranquillement. A la lumière du réveil électrique, elle l'aperçut sous la couette. Il dormait profondément, sans bouger. Elle avait perdu sa couverture dans la bagarre. De deux choses l'une : ou elle remmenait Rufus dans sa chambre et ne fermait pas l'œil de la nuit, ou elle le rendait à Aiden. Si elle s'approchait, peut-être le chat sentirait-il son maître et seigneur et l'abandonnerait-il pour son compagnon de lit habituel. Il se montrerait un fidèle chat d'homme.

Justine approcha à pas de loup, tournant d'une main ferme la tête de Rufus vers Aiden tout en le soutenant de l'autre, car elle craignait qu'il ne s'accrochât à elle de toutes ses forces si elle le lâchait. La situation n'avança pas d'un pouce. Elle poursuivit son chemin en faisant encore plus attention, attendit un peu, puis s'accroupit à côté du lit. Qu'est-ce qu'il avait ce chat ? Elle aussi sentait Aiden d'ici. Il sentait divinement bon, on aurait dit un petit pain chaud avec du beurre fondu et du miel. Quand un homme dormait, ou il sentait meilleur, ou c'était franchement insupportable. D'expérience, elle savait qu'il n'y avait pas de juste milieu, ni de spécimen inodore. Malheureusement, on ne pouvait le deviner à l'avance.

Le temps passait. Justine commençait à avoir froid, bien que la fourrure du chat blotti contre elle comme un bienheureux la réchauffât. Peut être pouvait-elle le ramener devant la cheminée, mettre quelques bûches dans l'âtre et dormir sur le canapé. Peut-être pouvait-elle chercher dans le placard d'Aiden un peignoir ou un manteau pour s'en envelopper. Rufus allait bien finir par s'endormir. Les chats ne dormaient-ils pas quinze heures par jour ? Peut-être devait-elle réveiller Aiden pour lui demander instamment de récupérer son chat. C'était le plus simple. Mais elle avait déjà commis une terrible erreur ce soir avec un animal de sexe masculin. Elle ne voulait pas risquer d'en faire une autre.

Quel risque y avait-il au juste ? Aiden s'était montré un parfait gentleman toute la soirée. Il n'allait pas devenir un mufle sous prétexte que son fauve s'était entiché d'elle. Que pouvait-on savoir d'un homme à travers son chat ? Oh, là là, elle était si troublée dans ce lieu étrange ! Et voilà que Rufus cherchait à lui lécher l'oreille maintenant. Ça, c'était insupportable ! Justine se redressa, puis se pencha vers Aiden et dit à voix haute :

— Réveillez-vous.

Rufus sauta aussitôt de l'autre côté du lit où il se roula en boule à côté de son propriétaire et sombra dans le sommeil. Aiden ouvrit brusquement les yeux, tendit la main vers elle et, la serrant dans ses bras, l'attira vers lui.

— Je rêvais de vous et vous voilà, murmura-t-il, puis il l'embrassa sur les lèvres.

— Je vous en prie, protesta Justine. Il fallait juste que je me débarrasse de votre fichu chat.

— Inutile de vous justifier, Justine ! s'exclama-t-il en riant et il l'embrassa de nouveau. Mon Dieu, vous tremblez. Où est votre peignoir ? Tenez, glissez-vous sous les couvertures. Alors, ça va mieux ? Oh, ma douce petite chérie, vous avez si froid. Je vais vous réchauffer.

— C'est à cause du chat ! Il est venu dans ma chambre, il a essayé de m'étouffer, il m'a forcée à lui donner du lait, il ne voulait pas que je le laisse, il m'aime plus que vous, il m'a obligée à vous réveiller.

— Bien sûr, acquiesça Aiden avec indulgence.

— Je vous assure !

— C'est mieux que n'importe quel matin de Noël. Comme vous sentez bon.

— Vous aussi. Mais c'est à cause du chat.

— Chut... oui, c'est à cause du chat.

— Alors, vous le reconnaissez, dit Justine entre deux baisers.

Il était encore plus exquis que du caviar, et on n'avait pas besoin de cuillère !

— Tout ce que vous voulez, vous êtes si jolie. Je vous adore. Vous avez plus chaud ?

— Un peu, répondit-elle d'un ton plaintif.

— Ça ne suffit pas, hein ?

— Non.

— Vous voudriez avoir très chaud partout.

— Oui, je crois. Ce serait plus raisonnable, affirma-t-elle d'une voix de petite fille modèle.

— J'en suis convaincu. Le problème, c'est que vous ne pouvez pas vous réchauffer avec cet affreux truc fluide que vous avez sur vous. Il garde l'air froid. Vous feriez mieux de l'enlever.

— Enlevez-le, vous.

— Je ne peux pas.

— Pourquoi ? demanda-t-elle, haletante.

— J'ai promis de ne pas poser la main sur vous.

— Vous l'avez promis hier.

— Ça... change quelque chose ?

— Bien sûr, murmura-t-elle avec impatience.

Il la torturait et il le savait. Le chat et la souris. Le chat et l'homme. Oh, mon Dieu !

— Ça ne serait pas bien si je disais d'abord que je vous aime ?

— Ce serait très gentil, chuchota Justine d'un petit air sage en enlevant son caleçon.

Il y avait des limites à ce que ce type et son chat pouvaient lui faire endurer. Et les bornes étaient dépassées !

9

Je dansais encore quand je me réveillai. J'avais l'impression de ne jamais m'être arrêtée, bien que je sois couchée. Avais-je dansé toute la journée ? Je me sentais bien ! Super bien ! Je bondis hors du lit, ouvris les rideaux et m'aperçus qu'il faisait grand jour. Je regardai ma montre. Il était une heure et demie passées... Sept heures et demie de sommeil en dansant précédées d'un bon exercice, il n'y avait rien de tel : je m'étais remise du décalage horaire. Tout ce que je voulais pour le petit déjeuner, c'était un demi-pamplemousse et un café. J'avais découvert le régime Bains Douches ! Dans la glace, j'avais visiblement l'air d'avoir perdu un kilo. Pas étonnant que cet endroit fût assiégé !

Je pris une douche, me lavai les cheveux que je séchai avec une serviette, puis me remis au lit pour savourer ce sentiment de paresse exquise qu'on ne peut avoir qu'à l'hôtel quand on n'a rien d'urgent à faire et nulle part où aller. Paris m'attendrait et j'étais sûre que les filles dormaient encore. Elles n'avaient pas ma souplesse, sans parler de mon style. Alors que je m'apprêtais à revoir pas à pas le déroulement de mon étourdissant numéro de la veille, le téléphone sonna.

— Frankie ?

C'était Gabrielle. Je fis semblant d'avoir été réveillée par son coup de fil. Au lieu de se confondre en excuses, elle enchaîna aussitôt.

— Marco Lombardi voudrait que vous ameniez les filles à son atelier cet après-midi.

— Comment ! m'exclamai-je.

En un quart de seconde, d'endormie je fus enragée.

— Les filles ont près de deux semaines pour travailler avec lui et elles sont à peine arrivées.

Elle répliqua d'un ton cassant, et elle avait un de ces tons cassants :

— Ne dites pas de bêtises. J'avais pris des accords avec Justine, mais le contrat stipulait qu'elle devait accompagner les filles durant l'ensemble du séjour. Il y a donc rupture de contrat.

— C'est Necker qui vous a demandé de m'appeler ? C'est lui ? insistai-je, de plus en plus outrée.

L'expression « rupture de contrat » me faisait toujours cet effet-là.

— C'était inutile. Nous ne nous sommes pas entretenus aujourd'hui. Mais vous savez pertinemment que vous avez l'obligation morale d'accéder à cette requête, Frankie. Il ne s'agit pas de travail, Lombardi veut juste avoir une idée de leurs compétences. En d'autres termes, Marco tient à savoir ce qu'il peut espérer d'elles. Le succès de la collection repose en grande partie sur elles.

— Trois filles sur trente ? Il repose sur Lombardi, oui, pas sur elles !

— Malgré tout, s'obstina Gabrielle, elles sont débutantes, ça le rend nerveux. Et n'oubliez pas que l'une d'elles va travailler avec lui pendant des années. Pour l'instant, ils ne se connaissent absolument pas.

— Écoutez, Gabrielle, il faudrait savoir ! Ou c'est une rupture de contrat, ou c'est un service qu'on lui rend. Justine n'est pas là parce qu'elle est à l'article de la mort. Traînez-moi en justice, si vous le voulez !

— Moralement...

— Épargnez-moi ce genre de discours, Gabrielle. Ça ne marche pas avec moi. Je vais essayer de m'arranger parce que je suis gentille. De toute façon, les filles sont sans doute trop crevées pour faire autre chose que de se reposer aujourd'hui. On subit encore l'effet du décalage horaire.

— Elles n'étaient pas trop fatiguées pour aller danser hier soir.

J'en restai sans voix. Je ne m'attendais pas à ce que Philippe, notre chevalier servant qui avait dansé lui aussi, nous dénonçât. Manifestement, il avait fait son rapport aux autorités supérieures.

— Tout le monde sait qu'il est fortement recommandé de faire de l'exercice pour surmonter le décalage horaire, affirmai-je avec un sang-froid retrouvé. Je vais aller voir où en sont les filles et je vous rappelle dans une heure.

Bigre, je détestais le chantage ! Gabrielle n'avait pas tort, cependant. A la place de Marco Lombardi, je brûlerais d'impatience de les voir. En théorie, il avait vingt-sept autres mannequins à sa disposition. En réalité, les seuls sur lesquels il pouvait compter devaient être les trois miens.

Si Lombardi était connu, à cette heure il aurait su qui il allait employer, surtout si les filles l'aimaient bien. S'il était l'un des couturiers en vue, elles se seraient battues pour présenter sa collection. Étant un illustre inconnu, on avait dû le mettre en deuxième option sur les noms les plus demandés pour le faire poireauter. Pourquoi un top model se serait-il engagé envers lui ? Une fois arrivés, les mannequins adorent accorder le strict minimum aux couturiers, disons une vague deuxième option. Montrez-moi un seul top model — mot que j'abhorre, mais je n'en trouve pas d'autre — qui n'ait pas la grosse tête ! D'accord, ce sont des professionnels qui travaillent dur, mais on les a mis sur un piédestal à force de les prendre trop au sérieux, ces Michael Jordan et autre Charles Barkley du monde de la mode.

Quand on réserve nos vedettes pour les défilés, le truc c'est de les amener à transformer une vague deuxième option en une première. Puis, si elles sont de bon poil ce jour-là, de les convaincre d'accepter une confirmation. Quand elles décident enfin de la transformer en engagement définitif, parfois à trois jours du défilé, c'est l'équivalent d'un mariage forcé pour un mannequin.

Si j'étais couturier, je présenterais mes modèles sur des mannequins de cire, ou des portemanteaux, plutôt que de supporter tout ce cirque. J'ai suffisamment servi de tampon entre les deux ! Rien que de penser au climat d'hystérie de dernière minute provoqué par des andouilles pourries gâtées, des divas adorées des médias, sans parler des efforts pour obtenir les bonnes grâces de leurs atroces petits amis, tout ça me dégoûtait assez pour me décider à traîner mes filles chez Lombardi.

Un jour, bien assez tôt, elles seraient incontrôlables. Pour l'instant, Dieu merci, j'arrivais encore à en faire ce que je voulais. Comme on dit souvent, Justine et moi, ce n'est pas étonnant, quand on enquête sur la question, de découvrir que les esprits frappeurs sont engendrés inconsciemment par des adolescentes.

J'appelai leurs chambres et leur dis de se préparer. Puis demandai au concierge où se trouvaient Mike Aaron et Maude Callender qui se devaient d'être présents. Ils déjeunaient au Relais Plaza, l'équivalent à Paris du Harry's Bar à Venise. Je leur annonçai les dernières nouvelles. Je tentai ensuite de joindre Justine à New York pour la tenir au courant. Elle ne répondait pas, alors qu'elle aurait dû être chez elle un samedi matin.

En fait, quand j'eus expliqué aux filles pourquoi je les avais réveillées, je ne fus plus en mesure de les tenir. Elles mouraient d'envie de voir les modèles. Plus important encore, bien qu'elles n'en aient rien dit, elles voulaient impressionner Lombardi. Plutôt que Necker, c'était peut-être lui, le couturier, qui choisirait le visage qui représenterait sa ligne.

Une fois de plus, j'aurais aimé que Justine eût découvert les règles du jeu, mais Gabrielle s'était refusée à nous donner des détails. On savait juste qu'une des filles remporterait le gros lot. Quant à savoir qui en déciderait, mystère ! Alors que j'enfilais un sublime tailleur en laine vert foncé qui me donnait presque l'air mince et résolument tout-puissant, je songeai que cela ne m'aurait servi à rien si j'avais eu la réponse à cette question puisque toutes les trois me tenaient autant à cœur.

Deux limousines nous attendaient, mais il n'y avait pas trace de ce mouchard de Philippe qui avait sans doute eu droit à un jour de congé après ses efforts de la veille. L'atelier de Lombardi était à deux pas. Néanmoins, nos contrats précisaient « transport en limousine », donc limousine il y avait, bien que c'eût été plus rapide d'y aller à pied.

Gabrielle nous accueillit dans le petit hall. Suivie de Mike et Maude puis des filles, Jordan étant à la traîne, je l'accompagnai au premier. Elle nous refait un superbe numéro comme hier soir ? me dis-je. Qui lui avait appris qu'une vedette arrivait toujours la dernière ? « Appris » façon de parler, elle le savait sûrement en naissant ! Tandis qu'on montait, je me demandais quelle allure aurait Lombardi. J'avais vu une photo de lui parmi d'autres gens dans un magazine de mode, mais elle datait de plusieurs années. Dans la mesure où les grands couturiers ne cherchent jamais qu'à se mettre en avant voire, très souvent, à nier l'existence de leurs assistants, on ne connaît pour ainsi dire jamais la tête de ces derniers.

Marco Lombardi avait-il adopté la sévère blouse blanche si prisée par les couturiers qui leur donnait un curieux air de Dr. Frankestein déguisé en pharmacien d'une petite ville de province ? Nous ferait-il un numéro à la Calvin Klein ou à la Georgio Armani dans un simple T-shirt blanc sous une veste sombre ? Ou donnerait-il dans le genre grand seigneur à l'élégance raffinée d'Oscar de la Renta ? Je ne m'attendais pas du tout au type qui déboula l'escalier pour venir à notre rencontre.

Tout d'abord, il était sublime. Même si on n'a pas la chance d'être originaire de la péninsule, on connaît tous les Italiens, non ? Quand ils sont d'une sombre beauté genre Renaissance florentine comme Marco Lombardi, c'est le summum. En dehors de Robert Redford dans son uniforme d'officier de la Marine bien entendu, Redford ivre au Stork Club sur ce tabouret de bar dans *Nos plus belles années*, ce qui, fans de cinoche, relève d'un tout autre style sans parler des caractères ethniques. Apparemment plus jeune que je ne l'imaginais, Lombardi, qui se mouvait avec l'aisance et la précision d'un danseur, était d'une beauté injuste. Un vrai gâchis chez un homme ce type de beauté, aux yeux des femmes sérieuses et honnêtes comme moi ! Il portait un bête jean délavé, une chemise vieux rose de chez Brooks Brothers dont les trois boutons du haut étaient ouverts, des chaussettes rouge vif et la plus élégante paire de mocassins au lustre irréprochable que j'aie jamais vue. L'ensemble tenait du bon chic bon genre, mâtiné d'un jeune Gene Kelly et d'un Fred Astaire des meilleures années. C'était un dandy, un homme qui jouait avec sa mise. Quel étrange costume choisissait-il quand il n'attendait pas des Américains ? me demandai-je. Il est pédé, évidemment. Quelle autre hypothèse pourrais-je imaginer ?

Entre Gabrielle qui tentait de nous présenter selon les usages vieille France et Marco Lombardi qui le faisait à l'italienne avec force enthousiasme, l'atmosphère était suffisamment confuse pour que tout se passât sans problème, alors que ça aurait pu être intimidant. Les filles se détendirent à son contact. Il m'apparut soudain avec évidence qu'il était tout le contraire d'un pédé.

Les filles étaient éblouies par son charme et sa cordialité. Il les trouvait ravissantes, exquises. Cela se sentait à son regard, sa poignée de main, son sourire. Il en était fou. Il n'avait rien de vu de tel depuis des années.

Avec cet accent italien capiteux que je n'avais entendu que dans la bouche d'un très vieux marchand de fruits chez qui ma mère se servait, il fredonna :

— Quelles beautés, des perfections.

Bien qu'ils se connaissent à peine, Marco s'adressait à elles comme un petit garçon inoffensif et taquin. Puis il se tourna vers moi et, prenant mes mains dans les siennes, me dit d'un ton beaucoup plus sérieux :

— Et vous ? Vous êtes une surprise, un cadeau. Je m'attendais à quelqu'un de moins jeune, de moins...

Il dessina dans l'air une poitrine voluptueuse et une taille de guêpe.

— On ne peut confier le rôle de duègne à quelqu'un comme vous ! Quelle folie, quelle erreur ! Avec moi, vous êtes beaucoup plus en danger que les petites maigrichonnes.

Je rosis de plaisir. C'était agréable de se sentir appréciée par un homme qui savait reconnaître une vraie femme lorsqu'il en voyait une. J'espérais que Mike Aaron immortalisait cet instant. Gros pif, ah vraiment !

— Marco, interrompit Gabrielle, on peut terminer cette avalanche de compliments ailleurs que dans l'escalier ?

— Bien sûr, répondit-il avec une lueur d'irritation.

Il n'aimait pas plus que moi ses façons autoritaires.

On finit par passer dans la grande pièce où il travaillait sur ses modèles. Quelques formes traînaient dans un coin, mais il n'y avait pas trace de vêtements. Les filles se débarrassèrent de leur parka. Je fus fascinée de voir qu'elles avaient eu la même idée quant au choix de leur tenue : ces fuseaux de ski très moulants qui avaient fait sensation dans le hall du Plaza avec des pull-overs en maille fine tout aussi moulants sous lesquels on pouvait leur compter les côtes et évaluer à coup sûr leur taille de soutien-gorge, bien qu'elles n'en portent pas. Au cas où cela n'aurait pas suffi à éveiller l'attention, elles avaient mis des bottes à hauts talons, dans le genre : « Saute-moi ou je te fous une raclée. » Selon moi, aucune d'entre elles ne portait de slip. Elles me faisaient vraiment honneur.

La seule variante de cet exhibitionnisme déguisé tenait à la couleur des pulls. Celui d'April d'un doux bleu rendait son regard plus intense, ce qui ne devait pas relever du hasard. Pas plus que le blanc qu'arborait Jordan. Quand elle était en blanc, le contraste avec sa couleur de peau la rendait plus irrésistible que jamais. Tinker portait un tricot noir assez usé, comme pris à l'aveuglette, qui soulignait l'extraordinaire éclat de ses yeux turquoise et mettait en valeur la cascade naturelle de ses cheveux ramassés qui semblaient à tout prix vouloir être lâchés. Entre nous soit dit, même dans mes meilleurs jours, je n'ai jamais eu ce genre de naturel !

— Quand pourra-t-on voir les modèles ? s'enquit Maude avec empressement.

Marco parut mi-surpris, mi-indigné.

— Les modèles ? Pas encore, *signora*, pas encore. On est à deux semaines de la collection, ils ne sont pas prêts. D'ailleurs, même s'ils l'étaient, ce n'est pas le moment.

Enfin, Maude, ce type ne passe pas une audition! Comme gaffe, elle était de taille. Les filles émirent des petits oh et ah de déception malgré le regard noir que je leur lançai. Sincèrement, dans ces cas-là j'ai l'impression d'être le garde-chasse d'un troupeau de bêtes sauvages. Timbrées, agaçantes, mais sans défense. Un croisement de l'antilope et de la girafe. Quand elles bondissent, dérivent ou tanguent parmi des gens normaux, dépassant sur leurs hauts talons tous les hommes hormis les géants, elles rejoignent une espèce différente du genre humain. Extra-terrestres parmi nous, elles s'asseyent différemment, comme si elles ne savaient au juste que faire de leurs jambes immenses. Ectomorphes extrêmes, elles se nourrissent de feuilles qu'elles grignotent et communiquent entre elles, comme en ce moment, dans une tendre langue animale.

— Qu'attendez-vous d'elles, alors? insista Maude. J'avais compris que vous vouliez voir leur allure dans vos modèles.

— Non, *signora*, je voudrais voir leur allure dans n'importe quoi, répondit Marco. La question n'est pas de savoir ce qu'elles portent, mais comment elles le portent.

— Ah? s'exclama-t-elle d'un ton provocateur.

— Je vais leur donner mes affaires, par exemple. Rien n'est plus intéressant que des vêtements d'homme sur une femme. Et si elles veulent bien me faire ce plaisir, je vais leur demander de les mettre pour me rendre compte de l'effet.

Il prit une veste en tweed et une longue écharpe de laine grise qu'il avait jetées sur une chaise et les tendit à April. Puis, comme s'il y pensait soudain, il lui donna aussi le gilet rouge qu'il devait porter sous la veste.

— Il y a une pièce là-bas où vous pouvez vous changer, dit-il.

— Vous voulez que je mette tout? demanda calmement April.

— Comme tu veux, *bella*, répondit-il en lui souriant comme un vieux copain. Tu ne peux pas te tromper, ce n'est pas un examen.

April disparut derrière la porte. Marco se lança alors avec Mike dans une conversation technique sur ses appareils. En attendant, je réfléchissais à toute vitesse. En réalité, Marco voulait tester la façon dont mes filles marchaient sur un podium.

Quelle que soit leur beauté, rares sont les mannequins qui subjuguent une salle. Les défilés de mode sont devenus de véritables spectacles qui tiennent du théâtre et du cirque, et dominer un public rien qu'en descendant un podium requiert un talent très particulier. Les filles doivent être aussi renversantes qu'Ethel Merman sans chanter, aussi électrisantes que Joséphine Baker sans danser et aussi fatales que Dietrich. Or elle était unique en son genre ! Pour être un grand mannequin de collection, il faut être exhibitionniste de nature, ne pas avoir le moindre trac et savoir bouger de façon sexy, épaules dégagées, en remuant les fesses et en pointant le bassin, juchée sur des talons qui tueraient n'importe qui, moi comprise. Les filles doivent jouer pour les trois cents photographes qui les mitraillent de leurs flashs comme des fous en les aveuglant et pour les deux mille professionnels qui jugent en grande partie les modèles à la conviction avec laquelle ils sont présentés.

Je restai à ma place, impuissante. J'aurais aimé être dans l'autre pièce pour expliquer aux filles ce qui se passait et mettre chacune le plus en valeur. J'avais l'impression d'être trois metteurs en scène en un. Pourtant, les filles n'avaient-elles pas prouvé à Necker qu'elles savaient se montrer sous leur meilleur jour ? D'ordinaire, mon boulot se limite au booking, il ne va pas plus loin. C'était la première fois que je voyais des mannequins dans une situation aussi compétitive, beaucoup plus ouvertement qu'au dîner de la veille.

April fit son entrée. Elle avait pris le gilet qu'elle avait noué autour du cou pour qu'il retombât sur l'épaule gauche comme une petite cape. Elle avait tiré sa somptueuse chevelure, et caché volontairement sous le cardigan pour qu'on ne la vît pratiquement pas. Les pouces glissés dans la ceinture de son fuseau, elle se tenait le bassin en avant et les poings sur les hanches. Sans sourir ni regarder personne, elle avança prestement vers nous, le menton en l'air et le buste figé. Les genoux se croisaient à chaque pas pour que les hanches se balancent le plus possible. Tout son côté polisson, généralement gommé par son aspect princier, était magnifié. Elle paraissait dure et arrogante. April s'arrêta soudain à quelques pas de nous, pivota sur ses talons et, pendant une longue minute, marqua une pause du style : « T'avise pas de me toucher. »

En une formule neutre, sans doute approuvée par le syndicat des photographes de mode, mais d'un ton qui à mes oreilles sonnait comme une avance non déguisée, Mike dit :

— Hé !

Son appareil aussi semblait émoustillé. April s'en retourna comme elle était venue, son joli cul ondulant comme celui d'une pute. Une seconde plus tard, elle était de retour, les cheveux lâchés, plus royale que jamais.

— J'ai laissé le gilet là-bas, annonça-t-elle à Marco d'une petite voix sage.

— *Brava*, April! Tu as une démarche de fille de mauvaise vie.

— Pas toujours, seulement quand je trouve ça justifié. L'idée de porter un pull d'homme... ça m'a excitée. C'est bizarre, non? lança-t-elle gentiment.

— Non, c'est normal, assura-t-il en lui tapotant la main d'un air paternaliste. Jordan, si tu veux bien?

Marco désigna le salon d'essayage improvisé à Jordan qui s'y rendit un peu de mauvaise grâce. On voyait à son port qu'elle n'avait pas l'habitude de jouer les cadettes. Une fois de plus, je me demandai si la place au sein de la famille jouait un rôle dans le succès d'un mannequin.

Jordan nous fit attendre deux fois plus qu'April. Quand elle apparut, elle portait la veste en tweed qu'elle avait ceinturée de la longue écharpe en un obi à la japonaise. Le col relevé, le menton coincé dessous, elle arborait des lunettes de soleil. Elle marchait les yeux rivés au sol, les pieds parallèles et les mains, dont on ne voyait que les pouces, dans les poches. Elle était manifestement une vedette de cinéma plongée dans ses pensées qui cherchait à passer incognito dans une foule qui n'avait d'yeux que pour elle. Arrivée à un mètre de Marco, Jordan s'arrêta et sortit une main de sa poche pour baisser ses lunettes noires et le regarder par-dessus. Elle lui fit un sourire renversant du genre: « Fais gaffe, chéri, je vais revenir pour toi », puis se retira du même pas traînant.

— *Dio*, murmura-t-il.

— Ouais! acquiesça Mike d'un ton odieux en changeant d'appareil.

— C'est à toi, Tinker, annonça Marco.

Celle-ci se tourna vers moi. Je vis une lueur d'appréhension dans son regard. Si seulement elle avait pu passer la première, ça n'aurait pas été si difficile. Que pouvait-elle faire de plus, la pauvre fille, après April et Jordan?

J'eus l'impression que Tinker mettait une éternité à se préparer. Je dus me retenir pour ne pas aller voir ce qui se passait. Enfin, elle ouvrit la porte et sortit de la pièce. Je compris ce qui lui avait pris tant de temps. Elle s'était escrimée sur ses fichus cheveux jusqu'à ce qu'ils tombent sur ses épaules avec une désinvolture qui requiert les talents d'un artiste. Torse nu, elle ne portait que l'écharpe de Marco, enroulée deux fois autour du cou, qui arrivait presque à mi-hauteur de ses seins haut perchés.

Parfait ! Sauf que Tinker restait plantée là, les bras ballants, la poitrine à moitié découverte. Marche, je t'en supplie, marche donc ! Qu'est-ce que t'attends ? A quoi ça sert ce cirque ? On n'est pas là pour faire un strip-tease ! Les cheveux, c'est pas tout, espèce d'imbécile ! Elle finit par saisir les deux bouts de l'écharpe qu'elle se mit sur les seins. Je poussai un soupir de soulagement. Du moins faisait-elle quelque chose au lieu d'essayer de choquer tout simplement.

Tinker approcha. Elle n'avait aucune tenue, ne dégageait rien, hormis la panique la plus totale. Elle n'était plus qu'une jolie fille qui a oublié son pull. Je ne pouvais le croire. Cette fille qui était plus fascinante que quatre-vingt-dix-neuf pour cent des mannequins qu'on représentait, cette fille dont le potentiel nous avait accrochées au premier regard, cette fille à qui on avait appris pendant des mois à bouger devant un objectif, voilà qu'elle n'était pas foutue de marcher !

En cet instant, et à Paris s'il vous plaît, devant un petit groupe amical de six personnes, elle était paralysée, tout juste capable de mettre un pied devant l'autre sans trébucher. Quand elle s'arrêta, l'œil vide, Tinker avait tout du zombie : arrivée au bout du podium, le moment le plus crucial, elle ne chercha pas à croiser un regard ni à se donner une contenance. On n'entendait que l'appareil de Mike qui la mitraillait impitoyablement. Tinker parvint enfin à se retourner et à regagner le salon d'essayage en trébuchant une fois.

Le pire, c'est qu'on souffrait tous pour elle. Elle nous avait entraînées dans son problème et, si elle le faisait avec nous, elle le ferait devant un public plus nombreux. Ce qu'elle porterait, fût-ce le plus beau modèle de la collection, serait un fiasco.

— Je vais m'occuper d'elle, Frankie, me dit tranquillement Marco. Elle a besoin de travailler. Ne vous inquiétez pas, je crois pouvoir lui montrer ce qu'il faut faire.

— Vous avez le temps ? demandai-je, abasourdie.

Je pensais qu'il allait tout bonnement refuser de l'employer.

— Personne n'a plus une minute à soi, mais je me débrouillerai, je le trouverai. En dehors de cela, elle est superbe. Il lui faut juste prendre confiance en soi.

— Merci, Marco, soufflai-je, étonnée.

Je n'avais pas été aussi reconnaissante envers un homme depuis bien longtemps. C'était quelqu'un de spécial.

Le plus rapidement possible, j'embarquai les filles, saluai Marco et Gabrielle, puis emmenai tout le monde. Il faisait froid et sombre dans la rue. Je fus heureuse de voir les limousines devant la porte.

— April ! *Chérie**, tu n'as pas oublié ? lança une voix d'homme.

— Tinker, par ici ! hurla une autre.

— Frankie, on t'attendait. Allez, viens, on se gèle !

— Jordan, tu en as mis un temps ! brailla un autre larron à pleins poumons.

Qui étaient ces types en voiture et sur une moto qui nous interpellaient avec une telle privauté ? Je pilai net et leur jetai un regard noir. L'une des portières s'ouvrit à la volée. Trois jeunes gens se ruèrent vers nous et posèrent la main sur moi. Une main amicale, familière, la main de mes cavaliers des Bains Douches. Je me débattis pour les empêcher de me balancer en l'air.

— Qu'est-ce que vous faites ici ? demandai-je le plus dignement possible.

Mike Aaron, qui observait la scène, secouait la tête et souriait d'un air hautain comme devant des chatons qui se tortillent.

— Frankie, *mon adorable** Frankie, on avait décidé qu'on remettrait ça ce soir.

— Tu l'as promis ! J'ai pensé à toi toute la journée !

— Allez, chérie, le concierge nous a dit où vous étiez, mais il n'a pas précisé que vous nous feriez attendre dans le froid pendant trois heures ! Allons-y, *mon amour**.

— Non ! hurlai-je aux trois types. Pas question ! C'est impossible.

Je ne me rappelai pas avoir donné rendez-vous à ces trois charmants balourds. Enfin, peut-être avais-je lancé quelque chose en l'air. Je dansais, je m'étais laissé entraîner. Ça peut arriver. Malgré tout... ça pouvait être sympa. Et c'était un excellent moyen de perdre un kilo de plus. Un et demi même.

Mike approcha et, me prenant par les épaules d'un air possessif, s'interposa :

— Dégagez, les mecs. C'est à ma femme que vous parlez. On va rentrer s'expliquer sur ce qui s'est passé hier soir et vaudrait mieux que l'explication tienne debout, sinon ça va barder. *Vous me suivez* ?* Dites donc, comment vous appelez-vous, les mecs ? Montrez-moi vos papiers.

Déçus mais pas vraiment surpris, mes admirateurs se volatilisèrent. Ça devait arriver souvent.

— Allez, mon chou, je t'écoute. Donne-moi ta version. Je réserve mon jugement sur la question.

Mike était mort de rire.

— Merci, merci beaucoup, maître. Je vous suis redevable à tout jamais, jamais je n'aurais pu me débrouiller toute seule. Quel grand homme vous êtes ! Comment pourrai-je jamais vous remercier ? lançai-je d'un ton hargneux.

— Il n'y a pas de quoi jouer les morveuses. Je croyais te rendre service.

— Je m'en doutais ! Merci, Aaron, c'était charmant de ta part de me gâcher la soirée.

— Qui étaient ces rustres au juste ? s'enquit Maude avec curiosité.

— Des vieux copains de lycée, répondis-je. Ils se sont trompés de jour.

— Quels que soient ces types, j'espère qu'ils ramèneront les filles saines et sauves, ajouta Maude d'un air songeur.

Je me ruai vers les limousines et regardai dedans. Personne. Profitant de mes démêlés avec mes admirateurs, mes ouailles s'étaient évanouies dans la nature avec des inconnus des Bains Douches dont l'un était à moto. Quelle horreur ! Mike et Maude m'observaient avec attention. Je souris et haussai les épaules.

— On ne peut pas les garder enfermées à double tour ! lançai-je de mon air le plus philosophe.

— Qu'est-ce qu'elles vont fabriquer, d'après toi ? se demanda Maude.

— Elles vont dîner dans un ravissant petit bistrot, peut-être feront-elles un tour dans un vieux café de la Rive gauche où traînent des étudiants, bavarder pendant des heures... passer une bonne soirée. Ce que des filles de leur âge devraient faire à Paris, quoi !

— Ouais, exactement, acquiesça Mike. Ou peut-être trouveront-elles une librairie où on lit de la poésie, ou iront-elles écouter de la musique classique... voir un opéra ou un ballet ? Paris offre tant de ressources sur le plan culturel.

— Qui sait ? dis-je.

J'étais trop inquiète pour réagir. Tout ce que je voulais, c'était rentrer à l'hôtel me plonger dans l'une de mes baignoires.

En revanche, il n'était pas question que j'appelle Justine. Je ne voulais pas l'inquiéter en lui parlant de Tinker. Il était inutile qu'elle soit au courant, que je lui en touche un traître mot tant que Marco pouvait encore la préparer et l'aider à résoudre son problème. Elle n'avait pas non plus à savoir que les filles étaient sorties toutes seules. Tout ça, c'était de sa faute ! J'éprouvais une colère parfaitement justifiée.

C'était sa responsabilité, nom d'un chien, pas la mienne ! C'était à elle d'être là, pas à moi ! Qui avait eu la folle idée d'envoyer les filles si longtemps à l'avance ? Elle, pas moi. Seulement voilà, j'étais là moi, avec tout le monde qui me tombait dessus, à jouer les chiens de garde, à tenir trois filles à moi toute seule, tirée à hue et à dia, chargée d'une mission impossible, obligée de mentir, de jongler et de m'inquiéter de tout, à me battre contre la curiosité professionnelle de Maude et l'art de Mike de foutre la merde. Tout ça parce que Justine crevait de trouille à l'idée de rencontrer son père. C'était pas juste, tout ce bordel !

Et en plus, j'avais encore envie de danser, merde !

10

— *J*'ai dû t'éloigner des autres, dit Tom Strauss.

Tinker et lui s'étaient installés premier étage du Café de Flore. Il n'y avait presque personne. Tout le monde était en bas, entassé dans la terrasse vitrée et la salle du rez-de-chaussée où il n'avait pas cherché de place tant c'était bruyant et enfumé. Il avait aussitôt entraîné Tinker vers l'escalier en bois qui craquait sous les pas jusqu'à une banquette de cuir élimé et une table bistrot.

— Pourquoi ? demanda Tinker qui le regarda avec circonspection.

Tom, qui était américain, faisait partie de la bande des Bains Douches qui s'était pointée devant l'atelier de Lombardi en début de soirée. Elle avait beaucoup dansé avec lui, mais ils n'avaient guère eu le temps de parler.

— Parce que tu as l'air si triste.

— Arrête, murmura Tinker.

— Tu n'es pas la même qu'hier. Pendant le dîner, April et Jordan étaient toutes surexcitées... alors que toi, tu flippais, même si j'ai été le seul à le remarquer. Je t'en prie, dis-moi ce qui ne va pas.

— Ça ne te regarde pas, répliqua-t-elle d'une voix tremblotante.

— Si, ça m'intéresse.

Tinker tourna vers lui son visage angélique.

— Va te faire foutre ! riposta-t-elle et elle éclata en larmes.

Secouée par les sanglots, elle se blottit contre Tom. Malgré son silence, il sentait à ses pleurs amers qu'elle avait de la peine. Il la prit par l'épaule et la tint serrée en la réconfortant. Elle finit par se dégager et se reprit un peu.

— Ces salopes... quelles frimeuses... Moi, je ne peux pas faire ça, je ne le voulais pas, elles m'ont obligée à...

— A quoi ?

— Tout le monde m'a obligée !

Un autre sanglot la terrassa.

— Tout le monde t'a obligée à faire quoi ?

— A marcher, réussit enfin à susurrer Tinker.

— « A marcher » ? Je ne comprends pas, avoua Tom, déconcerté.

— Bien sûr. Qu'est-ce que tu en sais, toi ?

— Explique-moi, implora-t-il.

— Je te connais même pas, gémit Tinker.

— Tu as quelqu'un d'autre à qui parler ? insista-t-il.

Tinker renifla tristement et réfléchit à ses mots. Tous les gens qu'elle connaissait à Paris avaient été témoins de son humiliation. Tous hormis ce type indiscret, entêté, qui s'intéressait à elle au point de lui passer son Kleenex, qui l'avait observée d'assez près pour remarquer qu'elle était déprimée, qui avait senti ce qu'elle croyait cacher si bien et compris qu'April et Jordan la rendaient folle en affichant leur victoire.

— Bon, d'accord, puisque tu tiens tellement à le savoir, accepta-t-elle de mauvaise grâce entre deux hoquets. Aujourd'hui, j'ai dû défiler chez Lombardi devant tout le monde. Et j'ai été en dessous de tout.

— Qu'est-ce que ça veut dire, défiler ?

— C'est la façon dont on porte les vêtements... disons... ton style, l'image que tu donnes... Avoir une démarche, c'est comme de chanter juste. On peut ou on ne peut pas. Et moi, je ne peux pas. Oh, merde, je n'y arrive pas !

— C'est un talent particulier ?

— Non, pas exactement, c'est autre chose. Il ne s'agit pas d'avoir du talent, mais d'être. Être quelqu'un de spécial, en soi, être capable de s'en amuser, jouer avec... enfin, tu vois, ajouta-t-elle avec impatience... te mettre en avant, te rendre intéressante jusqu'à forcer tous les gens qui te regardent à garder les yeux rivés sur toi. Il y a des filles qui ont ce truc, d'autres pas. Et moi, je ne l'ai pas.

— Je croyais qu'il suffisait d'être belle.

— Ça prouve que tu n'y connais rien, observa Tinker d'un air morose. Toutes les filles sont belles, c'est la moindre des choses, le B-A Ba. Mais celles qui deviennent des vedettes savent mettre en valeur leur personnalité. Elles jouent avec ce qu'elles sont, ce sont des personnages célèbres dans le spectacle de la mode. Les gens croient savoir des choses intimes sur Naomi ou Claudia. Ils imaginent que Naomi est malicieuse, vilaine, moqueuse, sophistiquée, qu'elle s'amuse comme une folle, mais de façon rigolote, jamais vulgaire. Selon eux, Claudia doit être d'une pureté absolue, un ange, une princesse. Ils la voient douce, si bonne, tellement au-dessus des autres qu'elle parvient à rester virginale dans le plus petit bikini...

— Et qu'est-ce qu'ils penseraient de toi, que tu es du foie haché ?

Tom Strauss perdait patience. Il n'avait jamais vu une fille si éclatante, jamais espéré que ça lui arriverait, et elle se rabaissait sans arrêt, bien qu'elle lui ouvrît en même temps les yeux sur un monde inconnu.

Tinker poussa un profond soupir et secoua la tête pour montrer que la conversation était close. Elle porta les mains à ses cheveux puis, rentrant la tête dans les épaules, se cacha dans ses boucles. Elle disparut presque dans l'auréole blond vénitien. Mais Tom voulait qu'elle lui parlât. Il n'avait pas l'intention de la laisser ruminer en silence dans cette salle imprégnée de l'aura des gens célèbres qui fréquentaient ce lieu depuis tant d'années.

Tom n'avait pas peur des mots peut-être parce qu'il était peintre. Il avait dix-neuf ans quand le chasseur de têtes d'une agence de publicité l'avait arraché à son école d'arts graphiques. Devenu directeur artistique, il avait travaillé pendant huit ans avec un certain nombre de rédacteurs qui maniaient le verbe avec brio, échangeant beaucoup plus de concepts que d'images. Durant tout ce temps, il avait vécu chichement. Il gagnait de plus en plus d'argent, mais économisait la majeure partie de son salaire car il voulait s'offrir deux années sabbatiques à Paris avant d'atteindre la trentaine pour savoir s'il pourrait réaliser le rêve de sa vie : devenir un artiste doté d'autre chose qu'un simple talent commercial.

Tinker gardait la tête et les yeux baissés. Il la contempla, puis reprit son interrogatoire.

— Autrement dit, défiler c'est une façon d'exprimer son identité, c'est ça ?

— Sans doute, marmonna Tinker en avalant la fin de son cognac. Laisse tomber, tu veux bien ?

— Et quelle est ton identité ?

— Et la tienne ?

— C'est moi qui ai posé la question le premier.

— Je n'ai pas envie de jouer à ce jeu idiot.

— Bon, d'accord, c'est moi qui commence. Je suis un homme, je suis américain, de Chicago, j'ai été un brillant directeur artistique dans une agence de New York, j'essaie de devenir peintre et je vais peut-être y arriver. Je suis juif mais non croyant, célibataire mais je n'ai pas l'intention de le rester, j'ai deux sœurs cadettes qui sont encore au lycée, ma mère est professeur d'histoire de l'art et mon père médecin...

— Arrête ! Je vois le tableau, le coupa Tinker. Je suis une fille et je suis jolie.

— C'est tout ? Ça s'arrête là ?

— Et je viens du Tennessee, ajouta-t-elle.

Puis, avec un petit sourire, elle se tourna vers lui et risqua :

— Peut-être que ça t'impressionnerait plus si j'étais née à Chicago. Et ma mère est méthodiste non pratiquante, si tant est que ça ait de l'intérêt.

Tom s'efforça de ne pas lui montrer qu'il avait reçu un coup à l'estomac quand elle avait souri. Il avait l'impression qu'un canon l'avait projeté dans un ciel d'un bleu incroyable sans la moindre terre à l'horizon.

— Tu n'as pas parlé de ton métier, observa-t-il. Être mannequin ne fait-il pas partie de ton identité ?

— Uniquement si on est plus que ça, si on a ce truc qui te rend spécial, la chose que j'ai expliquée. Et moi, je ne l'ai pas.

Tom Strauss commanda deux autres cognacs au serveur.

— Je te propose qu'on prenne un verre en attendant de se remettre de ta crise d'identité passagère. On croirait le titre d'un grand classique de musique country : « J'ai rencontré une jolie fille dans le Tennessee ». Il doit y avoir un couplet, toute une chanson pour aller avec.

Tinker pouffa de rire. Pour la première fois, elle l'examina. En dansant avec lui la veille, elle avait noté qu'il était plus grand qu'elle, ce qui était rare, mais elle n'avait guère prêté attention à lui dans la foule. De près, il ne manquait pas de charme. Loin de là. Pourquoi ne l'avait-elle pas remarqué plus tôt ? Il semblait si bien dans sa peau. Avec ses cheveux bruns ébouriffés qui vous donnaient envie de les coiffer, sa bouche étrange, son sourire nonchalant, ses belles dents, les rides d'expression au coin de ses grands yeux bruns et la courbe magnifique de ses sourcils, ce Tom Strauss avait l'air... intelligent. Comme s'il pensait à des choses intéressantes ou amusantes quand il était seul, des choses qu'il gardait pour lui. Elle en fut soudain contrariée. S'il avait des choses intéressantes à dire, elle voulait les partager.

— Commençons par ton enfance, proposa-t-il.

— Je n'aime pas y penser, répondit-elle pour éluder le sujet.

— Mais c'est là que réside ton identité, répliqua-t-il aussitôt. Une enfance malheureuse te forge une certaine personnalité, c'est presque inévitable. Pourquoi étais-tu si malheureuse ?

— Je n'ai pas dit ça, j'ai dit que je ne voulais pas y penser. Bon, d'accord, tu as gagné. Tu as devant toi une ex-reine des concours de beauté, confia Tinker avec une ironie désabusée. J'étais une vedette. J'ai atteint le sommet de ma carrière avant la puberté. C'est ridicule, non ? Pathétique même. Quand j'ai été couronnée Little Miss Tennessee dans la catégorie des moins de trois ans, j'en étais déjà à mon septième concours et je les avais tous remportés. Dix ans plus tard, j'avais cent soixante trophées et couronnes à mon actif. Avec ça, j'étais bien avancée !

— C'est terrible ! Tu as dû subir une pression, développer un sens de la compétition avant d'être en mesure de les affronter. Tu n'étais encore qu'une enfant... c'est monstrueux.

— Je ne vois pas forcément les choses ainsi, répliqua Tinker en se renfrognant. C'était le seul monde que je connaissais. Tu n'imagines pas à quel point c'était important, à quel point je me sentais importante ! Je n'avais aucun élément de comparaison en dehors de l'école. Bien entendu, les autres gosses ne m'aimaient pas, ce qui n'a rien de surprenant. Je croyais que ça m'était égal à cause de ma réussite... j'avais un tel succès, j'étais si enviée, si admirée, si chouchoutée... tu n'as pas idée de ce que c'était.

— Malgré tout, avança Tom, tu étais apparemment trop jeune pour porter un jugement là-dessus.

— Ma mère pensait que c'était bien pour moi, dit Tinker d'une petite voix rêveuse. Elle prétendait que ça me donnerait confiance en moi. Presque tous les week-ends, on faisait le tour des manifestations ensemble. Elle était divorcée et ne fréquentait pas grand monde. Elle avait beaucoup de temps à me consacrer.

D'un ton neutre, Tom l'encouragea d'un :

— Hummm.

— Avant de participer à un concours, on doit passer des dizaines et des dizaines d'éliminatoires régionaux, poursuivit Tinker. Et il y a des tas de catégories : La Plus Belle, La Plus Adorable, La Mieux Habillée, La Plus Photogénique, Miss Memphis en Mai, La Reine Incontestée du Charme... c'est sans fin. Bien sûr, tout est toujours lié au physique, pas à la personnalité, mais il faut se comporter avec superbe. Toutes les concurrentes portent des robes sur mesure qui coûtent des centaines de dollars et qui ne se différencient que par leur luxe. Ma mère me bouclait les cheveux, elle me mettait du rouge à lèvres, du fard à joues, des ombres à paupières, elle me préparait, me pomponnait... J'avais toujours des robes pastel gansées de dentelles, de fanfreluches, des robes aux manches bouffantes avec tant de jupons qu'ils étaient parfois plus grands que moi, et des nœuds dans les cheveux assortis à chaque tenue. Toutes les semaines, j'avais une nouvelle paire de chaussures garnies d'un nœud de satin que je portais avec des socquettes ourlées de dentelle, l'ensemble d'un blanc immaculé... je gagnais tous les concours... j'ai régné sur ce monde pendant dix ans... j'étais imbattable... une vedette, une véritable vedette.

Tom demanda d'une voix aussi douce que s'il s'adressait à un somnambule :

— Et que s'est-il passé ensuite ?

— L'adolescence m'est tombée dessus. J'ai tout perdu en moins de six mois. Je t'épargne les détails, mais je suis devenue tarte comme c'est pas possible. Je n'en revenais pas. Et... je me suis enfuie. Je ne pouvais affronter la déception de ma mère. Je ne suis pas allée bien loin naturellement, je me suis réfugiée chez ma tante Annie et mon oncle Charles. C'est la sœur de ma mère et ils n'ont pas d'enfants. Ils étaient contents de m'avoir malgré mon caractère difficile. Entre-temps, ma mère avait un nouvel homme dans sa vie, alors ça lui était égal. Elle était même soulagée. Tante Annie m'a sans doute sauvé la vie. Elle était professeur d'anglais et m'a initiée à la lecture... pendant six ans, je n'ai fait pour ainsi dire que cela. J'ai dévoré tous les romans de la bibliothèque. Je lisais et j'allais au lycée.

— Puis tu as retrouvé ton physique...

— Mon physique, oui, mais je ne sais toujours pas défiler.

— Pourtant, tu devais défiler dans les concours, protesta-t-il.

— C'est bien ça le problème, répondit Tinker avec une soudaine vivacité. La présentation d'un concours de beauté pour enfants est exactement le contraire d'un défilé de mode. Je marchais comme un automate, un jouet remonté, une bonne petite fille au maintien impeccable, une princesse passant ses troupes en revue. Je me tenais raide comme la justice : la tête bien droite, le menton levé, le regard fixe, droit devant soi. J'ai appris à ne pas bouger un cil, sans une seule mèche de travers.

Les juges ne supportent pas la moindre touche de sexualité, jamais Lolita ne pourrait remporter le titre de *Little Miss Most Adorable Nashville*. J'étais comme une poupée, les bras le long du corps, les mains effleurant les volants de ma robe pour les empêcher de voleter, les pieds bien en place, raide comme un I, un sourire figé sur mon visage. Une poupée, Tom, une vraie poupée, pas un enfant, encore moins une personnalité. Il n'existe pas de concours de la plus forte personnalité... pas même un titre de Miss Sympathique. Tout tourne autour du physique. J'ai ça dans le sang, comme si on m'avait formée pendant des années dans un centre de futurs gymnastes olympiques en Russie ou comme si on m'avait élevée pour devenir reine d'Angleterre. Tu as déjà vu une photo de la reine avachie, quelle que soit la situation dans laquelle elle se trouve ? Dès que la princesse Diana a montré son côté espiègle en public, j'ai su qu'elle allait avoir des ennuis. J'essaie de changer, mais mon corps s'y refuse. On appelle ça la mémoire musculaire.

— Tu as été dressée comme un chien de cirque !

Il tremblait d'indignation.

— Tu crois que je ne le sais pas ? Je comprends parfaitement quel est le problème, mais il ne suffit pas d'en être consciente pour le résoudre.

— Alors pourquoi te taper la tête contre les murs si tu penses que tu ne peux rien y changer ?

Tom frappa du poing sur la table d'un air exaspéré.

— C'est la seule chose que je sache faire. Je dois essayer maintenant que cette chance se présente. Je veux gagner de nouveau, avoua simplement Tinker.

— C'est complètement dingue !

— A tes yeux, peut-être. Moi, je vois les choses autrement, affirma-t-elle d'un ton sans appel.

Voyant son air décidé, Tom se tut. Bien que Tinker pensât être dépourvue de personnalité, elle en avait une, forte de surcroît. Et elle ne le savait pas. S'il le lui avait dit, elle ne l'aurait pas cru. Cette fille lui racontait une histoire monstrueuse de façon analytique, sans fioriture, sans s'apitoyer sur son sort, sans cacher ses peurs, ses blessures, mais sans y céder non plus et sans demander d'aide ni de conseil. Elle était forte, même si elle se trompait sur toute la ligne. Même si elle n'avait rien d'une aguicheuse. Pourquoi l'aurait-elle été d'ailleurs ? Quand on a cette tête-là, on n'a pas besoin de badiner.

— Je n'en ai jamais parlé à personne depuis que je suis à New York, s'étonna Tinker. Sauf un peu avec Frankie. En fait, je n'ai jamais tant parlé de moi à qui que ce soit. Voilà, tu sais tout de moi... Tu dois me trouver égocentrique, une égocentrique sans rien dans la tête hormis cette stupide histoire de défilé. Comme si ça pouvait t'intéresser, toi ou n'importe quel type qui ait quelque chose dans le crâne...

— Je t'ai poussée à parler, tu n'as pas remarqué? Tu ne vois pas que ça m'intéresse beaucoup?

— Je croyais que tu savais écouter, c'est tout. Bonne tactique pour apaiser mes soupçons, répliqua Tinker.

Elle se tourna vers lui et lui décocha un regard lumineux avec l'ombre d'un vague sourire aux coins des lèvres.

— Quel genre de soupçons? demanda-t-il en trébuchant sur les mots.

Il se trompait! Elle savait bel et bien badiner, se dit Tom, soudain malade de jalousie à l'égard de toutes ces pauvres poires qui s'étaient fait avoir. Il devait y en avoir des centaines de ces misérables, bien qu'elle prétendît avoir passé sa vie dans les bouquins. Sans doute ne connaissait-elle même pas ses tables de multiplication. Peut-être avait-elle tout inventé, peut-être était-elle mythomane. Il devenait fou! Pourquoi lui aurait-elle menti alors que tout ce qu'elle racontait était fascinant? Jusqu'à ses histoires de socquettes!

— Les soupçons que tu vas éveiller quand tu me proposeras d'aller voir ton travail à ton atelier, expliqua Tinker. Tous les artistes font ça, non? J'ai lu plein de choses là-dessus.

— Tu as lu plein de choses, répéta-t-il.

Il se sentait idiot.

— Je n'ai jamais rencontré un vrai artiste.

Cette fois, son sourire était un vrai sourire. Tinker pencha la tête et prit sa main qu'elle observa avec attention.

— Pas de peinture sous les ongles, remarqua-t-elle enfin comme à regret.

Il mit deux de ses doigts sur son poignet et dit :

— Tâte mon pouls.

— C'est comment quand c'est normal? s'enquit Tinker avec sérieux. J'ai manqué les cours de secourisme et je n'ai jamais eu le temps d'être scout.

Bien qu'il sentît son pouls battre la chamade sous ses doigts et qu'il eût le souffle court, il lança en s'efforçant de paraître indifférent :

— Tu ne sers strictement à rien!

— A rien du tout, acquiesça Tinker. C'est ce que je t'ai expliqué. Dans un monde qui va en enfer, je n'ai pas ma place, pas même dans un défilé.

— Et si je te trouvais une utilité ? Ça t'aiderait ?

Il fut stupéfait de s'entendre dire cela. C'était lui qui badinait cette fois, ce n'était pourtant pas son style. D'habitude, c'étaient les autres qui jouaient avec lui, il en avait toujours été ainsi.

— C'est le genre de question qui risquerait d'éveiller mes soupçons si c'était dans ma nature. Mais ce n'est pas le cas. Je suis crédule, une cible facile, une innocente petite fille du fin fond de son Tennessee qui n'est bonne à rien, déclara Tinker de plus en plus ravie.

Elle sentit quelque chose bouger dans son monde, éclairer les ombres, chasser les fantômes.

— Bon, d'accord, tu as gagné, mais continue à prendre mon pouls.

— J'ai gagné quoi ?

— Moi. Si tu me veux.

— Je n'en sais encore rien ! répliqua-t-elle à juste titre.

— Tu veux venir voir mes tableaux ?

— Quand ?

— Maintenant ?

— Le moment semble aussi bien choisi qu'un autre, répondit Tinker avec une fausse désinvolture.

Avant d'ouvrir la porte de son atelier, au dernier étage d'un vieil immeuble dans une rue sans cachet du sixième arrondissement, Tom s'arrêta un instant et la mit en garde :

— Promets-moi une chose, pas un mot sur mes tableaux. Tu n'as pas l'habitude de ces remarques polies qu'on fait quand on vient dans un atelier, mais quand même.

— Et les remarques impolies ?

— Je n'y avais pas pensé. Non que les tableaux soient bons, ajouta-t-il aussitôt, mais les gens se croient obligés de faire des compliments quoi qu'ils pensent.

— Bon, tu l'ouvres cette porte. Je n'y connais rien en peinture, je ne sais même pas ce qui me plaît. Tu n'as rien à craindre.

Comment Tom pouvait-il être si intimidé tout à coup ? Tout à l'heure, il tenait à lui montrer ses tableaux. Maintenant, il ne voulait pas savoir ce qu'elle en pensait. Les artistes se dérobaient-ils toujours quand il était question de montrer leur travail ? Tous les gens se dérobaient-ils, y compris ceux qui semblaient avoir totalement confiance en eux, quand il fallait montrer leur travail personnel ?

Elle méditait sur la question quand Tom alluma la lumière. Les murs de plâtre couleur craie étaient écaillés, le sol blanc plein de taches de peinture et un grillage de métal blanc en forme de pyramide soutenait une lucarne. De vieux paravents vaguement art déco divisaient la grande pièce en plusieurs zones. Un énorme canapé défoncé drapé d'un tissu blanc et garni de vieux coussins, autour duquel se trouvaient trois radiateurs, trônait sur un tapis élimé de style persan. Faute de cheminée, quelques bougies étaient posées par terre.

— Pas très intime comme décor, observa Tinker en frissonnant devant tout ce blanc.

Il devait y avoir un chevalet caché derrière l'un de ces paravents, une cuisine, une espèce de salle de bains, un placard aussi. Ou les artistes ne s'embarrassaient-ils pas de placard ?

— C'est l'idéal, protesta-t-il, l'idéal ! J'ai toujours rêvé d'un endroit pareil. Jamais je n'aurais imaginé avoir la chance de le trouver. On y a le maximum de lumière dans cette ville sombre... j'ai eu une veine incroyable de tomber dessus. Sans doute te demandes-tu : Pourquoi Paris ? Pourquoi ai-je cédé à ce cliché démodé, rebattu, de venir peindre à Paris, alors que j'aurais été mieux à New York qui est le centre du monde de l'art ? Là-bas, ma vie est liée à la pub. J'y ai travaillé, je m'y suis fait des amis, j'ai réussi dans ce domaine. Il fallait que je m'en aille, que je coupe les ponts, que je me lance dans un autre univers. Pour une raison obscure — sans doute un bouquin que j'avais lu, peut-être tout ce que j'avais lu —, il me fallait vivre ce rêve banal, aller jusqu'au bout, ne pas y échapper, jouer à fond la carte du rêve romantique et éculé de devenir peintre à Paris. Ainsi, quand je rentrerai, je saurai que je n'ai pas fait les choses à moitié si ça ne marche pas...

Elle rit en le voyant posté au seuil de l'atelier comme s'il était trop risqué d'y entrer.

— Si tu as l'intention de rester planté là à papoter pour repousser le moment fatal, autant retourner au Flore. Il y fait plus chaud, remarqua Tinker.

— Mince, tu dois crever de froid ! Je vais allumer les radiateurs, dit Tom qui s'approcha enfin du canapé.

— Je veux juste regarder les tableaux et tu m'en empêches, ajouta Tinker en ouvrant son parka.

Il ne faisait pas si froid, c'était l'effet réfrigérant de tout ce blanc. Elle traversa la pièce et commença à observer les toiles posées contre les murs.

— Tu vois, le problème, c'est que l'espace contenu entre la

représentation pure et l'abstraction pure est très restreint selon moi, commenta Tom d'un ton nerveux. La plupart des peintres déconstruisent, démontent et tentent de trouver une autre voie à explorer que la simple peinture sur chevalet. Moi, je me contrefous de la mode. J'essaie de retrouver... je dis bien « j'essaie » de retrouver des souvenirs... comme la poésie est censée recréer une émotion dans le calme... j'essaie de retrouver des souvenirs importants, certains moments décisifs de ma vie, évoqués en couleur, pas sur toile mais sur bois, comme tu le vois. En fait...

— Tais-toi, tu m'embrouilles les idées, le coupa Tinker.

Elle alla d'un tableau à l'autre, s'arrêtant un instant devant chacun, sans porter de jugement ni faire de comparaison car elle n'avait aucune référence. Elle s'abandonna simplement et plongea les yeux dedans, se délectant de la luxuriance, du faste impudent des couleurs qui jaillissaient du panneau mais aussi des grands cadres en bois traités comme une part essentielle de l'œuvre. Curieusement, les formes créées par Tom étaient à la fois familières et inconnues. Il émanait de chaque tableau une vibration, un charme presque irrésistible, une sensualité intense qui lui donna une folle envie de les toucher, de s'y noyer, de passer la main sur la peinture épaisse, attrayante, pour voir si ces merveilleux coloris pétulants déteindraient sur elle.

— Je pourrais les manger, murmura Tinker en aparté.

Du seuil où il semblait ancré au sol, Tom lança :

— Comment ?

— Une remarque inopportune, répondit Tinker.

— Qu'est-ce que tu as dit, nom d'un chien ?

— J'ai dit que je pourrais les manger, nom d'un chien ! Et la liberté de parole, alors ?

Tom rougit de plaisir.

— Ce n'est pas la chose à dire...

— C'est formidable !

Il s'approcha par-derrière, dégagea ses cheveux du col de son parka et l'embrassa délicatement là où naissaient ses bouclettes au creux de sa nuque.

— Absolument formidable... sauf qu'il y a un problème ! s'exclama-t-il en tirant sur l'une de ses boucles. Comment vais-je pouvoir rendre le souvenir de ce moment sans te peindre ?

— Qu'est-ce qui t'en empêche ? rétorqua Tinker en se tournant vers lui. Ai-je refusé de poser pour toi ?

— Je ne fais pas de portraits. Je n'ai jamais peint d'après modèle.

— Pourquoi ? riposta-t-elle d'un air provocant.

— Peindre un être de chair implique, ou du moins suppose, une certaine « ressemblance » et ce mot m'a toujours ennuyé, expliqua Tom qui défendait ses positions. Cela t'impose des limites, des conventions. C'est lié à des siècles d'histoire, c'est l'une des formes les plus anciennes de l'art, cela remonte aux animaux et aux chasseurs dessinés sur les murs des grottes et aux déesses de la fertilité sculptées dans la pierre.

— Si chercher la ressemblance n'est pas à la mode parce qu'on le pratique depuis toujours, rien ne t'empêche de le faire à ta façon ! Je veux que tu me mettes sur le mur de ta grotte, déclara Tinker sur le ton de la plaisanterie mais non sans une pointe de défi. Il n'est pas question que tu attendes de te souvenir de moi, que ce soit dans le calme ou en te tapant sur la tête comme un imbécile en te demandant pourquoi tu m'as laissée partir alors que j'étais là à te proposer de me peindre. Je ne veux pas être un « moment décisif » de ta vie déterré dans des années et transformé en un amas de couleurs.

— Ah.

— Comment ça « ah » ? C'est tout ce que tu as à dire ? riposta-t-elle. Lorsqu'il s'agit de parler de ton travail, on ne peut plus t'arrêter. Pourquoi ne pas te fendre d'un « oui, merci » ou d'un « non, merci » quand je te fais une offre que je ne refuserais pas à ta place ?

— Tu n'es qu'une salope provocante ! s'exclama-t-il sans pouvoir réprimer son rire. Tu débarques ici en annonçant que tu ne connais rien à la peinture, tu juges mon travail d'un coup d'œil et maintenant tu veux que je change de style à ton gré.

— Et alors ? On est dans un pays libre. Que comptes-tu faire ?

— Selon toi ?

Il la prit par les épaules et la secoua gentiment.

— Tu crois que j'ai le choix ? Que je le souhaite ? Je vais obtempérer.

Il prit Tinker dans ses bras et l'embrassa sur la bouche.

— C'était la première chose que tu voulais que je fasse, non ?

— Exactement, répondit-elle d'une petite voix.

— Et la deuxième, et la troisième...

Il l'embrassa partout, un baiser après l'autre, jusqu'à ce qu'ils en tremblent, presque accrochés l'un à l'autre au milieu de la pièce.

— Quoi d'autre? Que veux-tu que je fasse d'autre? murmura Tom entre deux baisers.

Muette, Tinker fit un signe de tête, s'efforçant de lui transmettre le message à travers son regard.

— C'est à moi de décider?

Elle acquiesça, ferma les yeux et lui offrit ses lèvres.

— Je suis timide, susurra-t-elle.

— On va tomber si je t'embrasse encore une fois, murmura Tom.

Il porta Tinker sur l'énorme canapé où régnait une douce chaleur entretenue par le ronronnement des radiateurs. Laissant ses pieds par terre, il la déposa gentiment et s'assit à ses côtés. Tinker garda les yeux clos.

— Ce parka... il faut enlever ce parka..., dit-il à haute voix.

Au prix de grands efforts, lui soulevant les bras et tirant sur les manches, il réussit à ôter l'encombrant anorak bien qu'elle ne l'aidât en rien. Elle gisait, drapée d'un pull-over, d'un fuseau et de bottes, chaque centimètre de son corps gracieux moulé de laine noire, de stretch et de cuir. Elle semblait aussi détendue que si elle dormait.

Prenant l'une de ses chevilles dans sa main, Tom dégagea le talon de la botte qu'il retira peu à peu. Il fit de même avec l'autre, puis ôta les sous-pieds du pantalon.

— Je crois que je ne peux pas faire plus, confia Tom à Tinker, toujours immobile.

Il se pencha alors vers elle pour l'allonger de tout son long sur le divan. Puis il enleva ses chaussures, s'étendit auprès d'elle et la prit au creux de son bras. Il la tenait bien à l'abri, l'apaisant pour qu'elle se détendît complètement au contact de la chaleur de son grand corps. Sans bouger, il écouta sa respiration tout en humant le parfum délicat de ses cheveux. Un changement de rythme lui fit comprendre que Tinker s'était bel et bien endormie à force de faire semblant.

Au bout de quelques minutes, Tom se dégagea lentement. Il ne s'était jamais senti l'esprit si vif et le poids, bien que léger, lui engourdissait le bras. Marchant à pas de loup, il éteignit les plafonniers à l'éclairage violent, recouvrit Tinker du parka et disposa l'un de ses vieux pulls sur ses pieds pour qu'elle n'eût pas froid. Puis il prit une chaise, alluma tout un tas de bougies posées par terre sur des soucoupes et observa la jeune fille endormie.

Le temps s'écoula. Il la regarda comme il n'avait pu le faire lorsqu'elle était éveillée, distrait par le jeu de son regard et les différentes expressions de son visage alors qu'elle lui racontait sa vie. Le peintre pouvait maintenant s'intéresser à Tinker autant que l'homme.

Il observa la couleur soudain extraordinaire de ses cheveux qui, presque crépitants de vie, partaient de la douce courbe de son précieux front d'un corail clair qu'il n'avait vu que sur certains coquillages, un rouge mystérieux, délicat, changeant, un rouge dû à la lueur des bougies. Ses cils et ses sourcils étaient l'œuvre d'un calligraphe de génie et, même dans son sommeil, la ligne de sa bouche charnue était arrogante, victorieuse. Il y avait dans son profil une économie fascinante. Chaque trait, de son menton rond à son nez droit jusqu'au bombé de sa joue, semblait sculpté avec les os et la chair strictement nécessaires, sans un dixième de millimètre en trop ou en moins.

Tom sombra dans une rêverie. Cette heure qu'il passait auprès de Tinker pendant qu'elle dormait, il savait qu'il la peindrait un jour. Qu'il la peindrait encore et encore. Comment la recréerait-il, comment trouverait-il le moyen de saisir l'étonnante émotion qu'il éprouvait, assis à la lueur des bougies dans son atelier tout blanc, gardien de cette précieuse, de cette majestueuse jeune fille endormie, à moitié dévoilée par la lumière ? L'avenir le dirait. Pour l'instant, il savait juste que chaque seconde, chaque détail avait son importance, du ronronnement des radiateurs aux ombres des cils sur les joues. Une ressemblance... non, sa peinture ne jouerait pas la carte de la ressemblance, elle irait beaucoup plus loin, du moins à ses yeux.

Dans l'enchantement qui le transportait, la beauté de Tinker n'était qu'un des éléments. Il voulait lui donner quelque chose, il le voulait de plus en plus au fil du temps. Il se sentait très fortement lié à elle d'une façon qu'il ne pouvait justifier, ni exprimer par des mots. Elle avait une telle spontanéité, comme une bouteille de champagne à peine ouverte, elle lui imposait d'y répondre avec autant de naturel. Peut-être était-ce l'image qu'il avait imaginée avec une telle clarté de la délicieuse petite fille menant une vie monstrueuse qu'elle ne comprenait pas et risquait de ne jamais comprendre. Peut-être était-ce la franchise avec laquelle elle lui avait parlé, son caractère insolent, sans artifice, son charme dont elle était inconsciente, le prodige de ses baisers presque enfantins, le parfum de ses cheveux, jusqu'à ses épaules carrées qu'il avait senties sous sa main.

Tom se leva soudain. Sans faire de bruit, il s'approcha du

placard où il rangeait son matériel. Il trouva un bloc de papier blanc et un gros crayon tendre qu'il emporta à sa place. Ce n'était qu'un jeu de société, un truc qu'il avait commencé très jeune, un talent facile qu'il n'avait jamais cultivé. Puisqu'elle avait envie de ressemblance, il allait lui en donner. D'une main sûre, rapide, il ébaucha la tête de Tinker et le bout de ses épaules qui dépassait du parka. Quand il eut fini, il regarda l'esquisse et secoua la tête. Oui, c'était très ressemblant, l'essence de Tinker, ça n'aurait pu représenter personne d'autre. Mais combien d'artistes étaient-ils capables de faire la même chose ? Ou peut-être mieux avec un appareil photo ? En revanche, il y avait une chose qu'il pouvait faire, comprit Tom qui dessina un grand cœur autour du croquis. Il était en avance de cinq ou six semaines. Qu'importait ? Sous le cœur, il écrivit : « A ma Valentine ». Il s'apprêtait à signer quand il s'aperçut qu'il avait une folle envie d'ajouter d'autres mots : « Je t'aime ».

— C'est trop fort ! s'exclama-t-il, stupéfait. D'où ça sort, ça ?

Tom Strauss se leva et se mit à arpenter son atelier. Dans ce lieu familier qu'il aimait tant, il se sentait en perdition comme un bateau dans la tempête, un bateau soudain à la dérive.

— D'où ça sort, ça ? répéta-t-il en faisant les cent pas.

Il finit par s'arrêter. S'agrippant au montant d'une fenêtre, il regarda les cheminées de Paris qu'on distinguait confusément sous la lune. Son cœur se calma. Bien qu'il ne sût pas d'où ça sortait, il le pensait sincèrement. Il était prêt à aller là où cela le mènerait. Trop bouleversé pour songer à dormir, mais si détendu qu'il ne savait que faire d'autre, il s'approcha du canapé où reposait Tinker et s'allongea le plus près possible sur le tapis, contemplant le nouvel horizon qui s'ouvrait à lui par le grillage de la lucarne.

— Pourquoi souris-tu ? demanda Tinker.

— Je... je ne t'ai pas entendue te réveiller.

— Combien de temps ai-je dormi ?

— Je ne sais pas, une heure, peut-être plus, répondit-il en se redressant.

— Merci de m'avoir couverte.

Tinker émergea du parka et s'étira paresseusement.

— Ce doit être le décalage horaire.

— Comment te sens-tu ? s'enquit-il anxieusement.

— J'ai l'impression d'avoir dormi une éternité. Je suis aussi fraîche qu'un poussin à peine sorti de l'œuf.

— Tu veux dire que tu n'as aucun souvenir?

— Hummm... non, avoua-t-elle avec surprise. Mon Dieu, c'est pas possible... je me rappelle juste que je regardais tes tableaux, ensuite... c'est le blanc total. Dis donc, qui m'a enlevé mes bottes?

— La petite souris, répondit Tom.

Il s'assit sur le canapé, la prit dans ses bras et l'embrassa.

— Ça te rappelle quelque chose?

— Peut-être... vaguement... très vaguement.

Elle semblait peu convaincue.

— Ça te plaît? lança-t-il.

L'embrassant de nouveau, il se mit à trembler. Il n'aurait jamais dû la laisser s'endormir, se dégager de son étreinte. Elle ne s'était pas abandonnée à ses émotions comme lui. Pourtant, si elle n'avait pas dormi, aurait-il compris si vite ses sentiments à son égard?

— « Si ça me plaît »? Oh, oui, répondit Tinker. Ça me plaît beaucoup.

— Tu es toujours timide?

— Hummm, grogna Tinker, incrédule. J'ai dit ça?

— Tu ne te rappelles vraiment rien?

— A la vérité... peut-être... je ne peux pas l'affirmer.

Elle lui fit un petit sourire provocant, montrant qu'elle était prête à jouer avec lui jusqu'au moment où elle s'en lasserait. Elle retombait dans le badinage, usant d'une tactique qui avait déjà fait ses preuves. Il n'avait pas l'intention de la laisser faire. Il croyait à sa timidité et savait que seule une thérapie de choc pourrait en venir à bout.

— J'ai fait quelque chose pour toi, annonça Tom.

Il s'éloigna à dessein et s'empara du bloc resté sur le tapis.

— C'est une esquisse ressemblante.

Il la lui donna et brandit une bougie pour qu'elle la vît.

— Oh! s'exclama Tinker.

Elle pencha alors la tête pour lire les mots à la lueur de la flamme.

— Oh! s'exclama-t-elle de nouveau.

D'une voix différente cette fois, une toute petite voix, une voix incandescente.

— Tu le penses sincèrement, Tom?

— Oui, aussi fou que ça paraisse.

La tête toujours penchée, Tinker resta un moment silencieuse tandis qu'il retenait son souffle. Enfin, il reposa le bloc et la bougie par terre. Puis, d'un doigt, lui redressa le menton et tourna son visage vers lui. Il fut bouleversé en voyant les larmes lui monter aux yeux.

— Je sais que tu es timide, mais tu dois m'aider, dit Tom. C'est bon signe ?

Tinker acquiesça, ses larmes jaillirent et coulèrent sur ses joues.

— Tu m'aimes bien ? demanda-t-il.

Après avoir fait non de la tête, elle la hocha vigoureusement.

— Pas seulement bien, beaucoup ? interpréta-t-il.

Elle hocha la tête encore plus violemment.

— Peut-être... m'aimes-tu ?

Il dit cela si doucement qu'elle aurait pu faire semblant de n'avoir rien entendu si elle l'avait voulu. Tinker se força à le regarder dans les yeux et pencha imperceptiblement la tête, aveu muet mais évident. Galvanisée, elle se jeta alors à son cou de toutes ses forces et l'entraîna à terre pour qu'ils se retrouvent enchevêtrés. Puis elle grimpa sur lui tant bien que mal et le dévora de baisers fougueux.

— Là, et là, et là, dit-elle avec voracité.

Poussée par le besoin de marquer chaque centimètre de peau de ses lèvres, elle se déchaîna jusqu'à ce qu'il se mît à rire car elle lui chatouillait les oreilles et ses coudes lui rentraient dans la poitrine.

— Attends, souffla-t-il en prenant ses mains dans les siennes. Où cela nous mène-t-il ? Je t'en prie, Tinker, Tinker chérie, parle-moi. Je sais que tu le peux quand l'envie t'en prend. Tu as parlé tout à l'heure.

— Où cela devrait-il te mener normalement ? s'enquit-elle.

— Il n'y a rien de normal là-dedans. Je viens de tomber amoureux pour la première fois de ma vie.

— Moi aussi.

— Tu l'as enfin dit, s'écria-t-il, fou de joie.

— Non.

— Tu viens de dire que tu étais amoureuse de moi, insista Tom.

— Non. Tu en arrives directement à la conclusion. Moi, Tinker Osborn, je suis amoureuse de toi, Tom Strauss. Voilà, je l'ai dit. Ouf... je me sens mieux.

— Répète-le !

— Prends-moi, le défia-t-elle.

— C'est toi qui le demandes, tu en es consciente ?

— C'est une menace ou une promesse ? fredonna-t-elle.

— Oh, Tinker, tu vas me rendre fou !

— L'avenir le dira, répondit-elle en enlevant son pull. L'avenir le dira bientôt.

Elle retira son fuseau puis, souriante, s'offrit dans toute sa tendre beauté sur le canapé blanc.

Retenant son souffle, Tom effleura le bout de son sein qui se dressa aussitôt. Fou, complètement fou, songea-t-il en se déshabillant à la hâte. Elle allait le rendre fou, elle allait lui donner l'impression d'être entier et elle serait tout au monde pour lui.

11

Quand elles se rencontrèrent au kiosque à journaux de l'hôtel, April confia à Maude Callender :

— Frankie est folle de rage. Tout ça parce que Tinker n'a pas dormi ici cette nuit. Comme si c'était de ma faute... depuis quand je suis censée jouer les gardes-chiourmes ?

— Quand as-tu vu Tinker pour la dernière fois ? s'enquit Maude avec curiosité.

— Hier soir au dîner. Ensuite, elle est partie avec l'un des types. Jordan et moi, on est allées dans une autre boîte où on a dansé pendant un bon moment. Jordan a fichu le camp aussi et je me retrouve toute seule. Frankie va me traîner au Louvre après le déjeuner, elle prétend qu'on ne s'est pas encore plongées dans la culture française. Plongées ! On croirait entendre ma grand-mère me parlant de Beethoven quand j'avais douze ans. Quand je lui ai dit qu'il devait y avoir des choses plus amusantes à faire à Paris que de voir un tas de tableaux, elle n'a rien voulu entendre. Frankie est devenue un vrai tyran et elle n'a que moi comme victime.

— Viens plutôt déjeuner avec moi, proposa Maude. Je te montrerai le vrai Paris, un aperçu du moins. J'ai vécu entre Paris et New York pendant des années et il m'a fallu tout ce temps pour aller au-delà des apparences. Tu serais surprise d'apprendre le peu de temps que j'ai consacré au Louvre.

— Merci, Maude, tu me sauves la vie. Je vais laisser un message à Frankie. On se retrouve ici dans cinq minutes, d'accord ?

— Très bien.

Oui, c'était une excellente chose. Maude désespérait presque de se retrouver en tête-à-tête avec l'une des filles sans leur ange gardien omniprésent, Miss Severino. Pour tout journaliste, la première règle est de « se débarrasser de l'ange gardien ». Peu importe qu'il s'agisse d'un représentant du service de relations publiques, un chaperon officiel, un ami, une mère, une sœur ou même un enfant. La présence d'une tierce personne modifie la dynamique de l'interview. Le journaliste ne peut poser les questions avec la même liberté et l'interviewée ne répond jamais avec la même franchise. Le cadre de l'interview officielle ne débouche jamais sur une conversation à bâtons rompus. Consciemment ou inconsciemment, les deux parties se censurent même si l'ange gardien se contente de s'asseoir dans un coin, les yeux baissés, en faisant semblant de lire un magazine.

C'était l'idéal qu'April fût la première à échapper à la surveillance de Frankie. Dès le début, Maude avait misé sur elle, sûre qu'elle décrocherait le contrat Lombardi. Elle l'avait encouragée dès l'instant où ils s'étaient tous retrouvés à l'aéroport. April surpassait les autres tout bonnement. Elle avait une classe incroyable, elle incarnait le genre de beauté reconnu internationalement comme la preuve de la bonne éducation, de la classe.

Maude Callender venait d'une vieille famille de Rhode Island, riche d'une tradition de civisme et de philanthropie autant que de biens de ce monde. Ses revenus personnels lui auraient largement suffi à fort bien vivre. Son travail lui donnait cette position indispensable à la notoriété, chose essentielle pour une femme célibataire qui prétend faire partie du tout New York. Maude avait toujours défendu l'importance de la classe, concept politiquement incorrect qu'elle soutenait de façon subversive dans le monde d'aujourd'hui. Ce serait un défi intéressant d'en apprendre plus sur April. Elle devait à son physique son air princier devenu une seconde nature, mais cela ne lui apprenait rien de plus sur sa vie que ce qu'on devinait de Garbo en voyant ses films.

Elle allait lui donner un aperçu de la Rive gauche. Jusqu'à présent, les filles n'avaient vu que quelques boutiques de luxe, cet hôtel prétentieux et ces boîtes où elles étaient allées. Non, Frankie n'aurait rien à y redire, encore qu'elle essaierait sûrement.

Moins d'une demi-heure plus tard, Maude et April étaient bien installées à la Chaïka, un tout petit restaurant russe niché dans la rue de l'Abbé-de-l'Épée, une ruelle sinueuse de la Rive gauche. Maude jeta sur une chaise libre sa redingote évasée vert foncé à col haut et à double boutonnage. Elle portait la veste ajustée de son tailleur de drap noir sur un gilet de brocart vert qui mettait en valeur le jabot empesé de sa chemise de coton blanc nouée d'une lavallière. Avec ses courts cheveux blonds coiffés en mèches hirsutes qui lui arrivaient aux sourcils, elle avait l'air d'un professeur d'Oxford fortuné et érudit du début du siècle dernier. Seuls la façon dont la chaîne en or de sa montre gousset bombait sur sa belle poitrine et le fard à paupières qu'elle employait avec un tel doigté montraient qu'elle était une femme, fort séduisante de surcroît. Sérieuse dans son pull-over de cachemire rose pâle, ses cheveux tombant sur sa poitrine tels deux foulards de soie dorée, April arborait un rang de perles pour tout bijou. Impeccable et d'une correction exquise, elle semblait bouillir de rage.

— Qu'est-ce qui se passe ? demanda Maude avec douceur.

— C'est injuste ! explosa April. Je ne t'ai pas dit où était Jordan... elle est avec Necker, tu te rends compte ? Il l'a appelée ce matin pour lui proposer d'aller à Versailles. Elle toute seule ! Sous prétexte qu'elle s'y connaît en meubles français, elle va pouvoir s'insinuer dans ses bonnes grâces... si c'est pas du favoritisme, je ne sais pas ce que c'est !

Dire ce qu'elle avait sur le cœur apaisa un peu sa fureur.

— Cela ne devrait pas entamer tes chances, à moins que toute cette histoire de concours ne soit que du cinéma. Ce qui m'étonnerait, vu l'énergie déployée et l'argent dépensé, lui assura Maude.

— Comment peux-tu affirmer une chose pareille ? Necker est propriétaire de la maison Lombardi. Il suffit qu'il soutienne Jordan.

— Il n'y a aucun risque car tu es la meilleure, April, déclara Maude avec calme et sincérité. Tu surpasses les autres de très loin. J'ai dit à Mike que je me concentrais sur toi dans mon article... tu seras la vedette de mon papier... et je lui ai conseillé de me faire de superbes gros plans de toi à publier avec le reportage. C'est l'un des avantages dans mon travail. J'oriente les choses selon mon point de vue... Prétendre qu'une photo vaut des pages entières, c'est faux. Pas quand c'est l'auteur qui décide.

— « La meilleure » ! Oh, Maude, merci ! J'aimerais croire que tu as raison.

Comme sa voix était naïve, une voix douce et haut perchée de petite fille, presque comme celle d'un enfant de chœur.

— Je sais que j'ai raison, dit-elle à April. J'étais là hier, tu te souviens ? J'ai vu ta façon de présenter ce gilet. Jordan ne t'arrivait pas à la cheville, sa démarche n'avait rien de sexy. Quant à la pauvre Tinker, elle n'a aucune chance. Quelle veine d'être tombée sur toi aujourd'hui... tu vas pouvoir me parler de toi tout en déjeunant. Ce genre de plat te convient?

— Oh, c'est génial, si... bohème? Je ne savais pas qu'il y avait des restaurants russes à Paris. Jamais on ne m'a servi deux genres de harengs à l'aneth. Je vais essayer de garder de la place pour la tourte au poulet que j'ai commandée.

— Je ne manquerai pas de souligner ton bel appétit! s'exclama Maude.

L'enthousiasme avec lequel April dévorait l'enchantait. La Chaïka était un bon choix. On aurait dit un petit nid bien douillet. Maude avait toujours trouvé l'endroit idéal pour bavarder, sans avoir à supporter un ballet de serveurs autour de soi.

— Je n'ai pas de problème de poids, je peux manger presque tout ce que je veux. Mais ça, c'est une aventure à côté des trucs mortels que je mangeais à la maison.

— Parle-moi un peu de ta famille, April. Que fait ton père?

— Mon père? C'est un ange. Il est banquier, mais son travail aussi est mortel dans l'ensemble. Ma mère est championne de golf du club local depuis une éternité, elle s'occupe du Planning familial et de différentes œuvres de charité. On fait tous du ski, du bateau et du tennis, bien entendu... le tableau classique, quoi. Ils sont formidables, mes parents, ajouta April pour clore le sujet.

— Tu as des frères et sœurs?

— Un de chaque, tous les deux merveilleux. C'est d'un ennui tout ça, non? J'aimerais être plus originale. Hélas, selon mon manuel de sociologie, on représente la famille type de la haute bourgeoisie. Une race en voie d'extinction, paraît-il, ce qui ne la rend pas plus excitante pour autant. Ça ne va sûrement pas te donner de la matière pour ton article.

— Pourtant, tes parents t'ont laissée aller à New York pour devenir mannequin? C'est peu courant, non?

— Il n'était pas question qu'ils tentent de m'en empêcher! Ils auraient préféré que j'aille à l'université, naturellement, mais j'ai posé dans ma région pendant des années en gagnant pas mal d'argent. Ils étaient bien obligés d'accepter l'idée que j'essaierais pour de bon quand j'aurais eu dix-huit ans.

Maude était fascinée de voir le visage d'April changer en pensant à la résistance de ses parents. Il y avait chez elle une passion, une puissance, une férocité qui transformaient son côté généralement impassible en un potentiel digne d'une tragédienne.

— A l'école, tu as toujours été la plus jolie fille? demanda Maude à brûle-pourpoint.

— Euh...

— April, ce n'est pas un test de modestie. Ce qui m'intéresse, ce sont les forces qui t'ont formée.

— J'ai sans doute toujours su que j'étais... oh, je déteste le mot « belle », mais j'ai envie de réussir et je ne peux ignorer mon physique. Maude, je suis terriblement ambitieuse, bien que je m'efforce de le cacher. Je veux arriver! Je veux devenir quelqu'un!

— Comme nous tous, non? Je te comprends très bien.

— Ce qui me tue, c'est que je ne travaille pas autant qu'un tas de filles moins jolies que moi, ressassa April. D'après des critères objectifs, en tout cas. C'est un problème de registre. Je ne suis pas du genre caméléon, comme Tinker qui peut avoir l'air de ce qu'elle veut rien qu'en levant le sourcil. Du moins, c'est ainsi que Justine et Frankie ont analysé la chose. Que peut-on faire si on garde toujours son style, un point c'est tout?

— Peut-être devrais-tu considérer cela comme un défi plutôt que sous un angle négatif. Sincèrement, je me demande pourquoi tu n'as pas essayé de modifier ton style, de l'orienter différemment... après tout, on peut faire tout ce qu'on veut en jouant sur le maquillage et les tenues. On ne peut pas changer son corps, ni ses formes, mais pour le reste... Je ne sais pas si Loring Model Management est vraiment la meilleure agence pour toi. Non que je sois une spécialiste de ce métier. Mais peut-être — ce n'est qu'une hypothèse, bien sûr — peut-être n'ont-elles pas fait assez d'efforts, peut-être ont-elles misé sur ton physique superbe sans développer tes autres possibilités. Tu n'y as jamais pensé?

— Elles ont été si merveilleuses avec moi! protesta April, choquée. J'étais folle de joie quand Justine m'a engagée.

— Ce n'est pas toujours la meilleure des choses pour une carrière. Enfin, je peux me tromper, ajouta Maude en haussant les épaules. Selon toi, pourquoi Gabrielle d'Angelle t'a-t-elle choisie si tu es si limitée?

— C'est évident! A cause de ma démarche, mon arme secrète. Mon physique d'une pureté insipide et ma façon d'onduler les hanches forment un joli contraste... Heureusement que j'ai cette carte!

— April, qu'est-ce qui t'a poussée à cacher tes cheveux hier?

— J'avais l'impression qu'il me fallait tenter quelque chose d'un peu différent. Parfois, je ne supporte pas d'avoir l'air si conventionnel. D'habitude, je joue à fond sur mon côté nordique dans la mesure où c'est mon point fort. Mais de temps en temps, je deviens diabolique. Tu connais un mannequin qui s'appelle Kristen McMenamy ? Non ? C'est cette fille curieuse aux traits puissants, presque comme un beau garçon. Ça ne marchait pas jusqu'au moment où elle s'est rasé les sourcils, maquillée en blanc et a adopté un air très dur. Du jour au lendemain, elle a fait un tabac. Personne ne l'a jamais vue sourire. Elle est devenue une vedette, elle a inventé un nouveau genre de beauté et tout le monde se l'arrache pour les défilés. Tu parles, elle est androgyne ! En plus, elle est mariée et elle a un gosse. Comment veux-tu que je me batte contre ça ?

— Pourquoi voudrais-tu avoir l'air si étrange ?

Maude était fascinée par l'auto-analyse d'April qui devait se fonder sur des années passées à regarder les magazines de mode en se comparant aux filles sur les photos.

— Parce que j'ai le malheur d'avoir un style convenu, le genre de style typiquement américain à la Ralph Lauren, ce qui est parfait si le rêve de ta vie se limite à poser pour Polo. C'est d'un ennui atroce ! J'ai l'air froid, un vrai glaçon. Pire encore, Maude, je ne suis pas branchée. Tu comprends ce que ça veut dire ? Aujourd'hui, il faut être un extraterrestre. Et moi, je n'ai rien de funky ! Regarde Kate Moss dans les pubs pour « Obsession ». Elle, elle est funky. Elle sort à poil de son lit, sûrement avec une terrible gueule de bois et une mauvaise haleine, elle bâille, le côté : « C'est dégueulasse ! » Son mec la prend en photo et elle devient aussitôt la reine du funk. Pire, elle se métamorphose si bien qu'elle défile divinement, pose pour des couvertures prestigieuses et joue aussi les Mademoiselle Tout le Monde à la Calvin Klein. Elle te convainc presque qu'elle est une Américaine pure souche, alors qu'en réalité c'est une Anglaise métissée avec des cheveux passés au lave-vaisselle.

La jalousie transparaissait dans la voix d'April.

— Il ne s'agit pas seulement d'être anticonventionnelle ou funky, protesta Maude. Ça tourne à l'obsession chez toi. Tu analyses ton physique d'un regard critique et tu finis par te sous-estimer en te posant des questions comme seule une professionnelle de la beauté peut le faire. Je n'en ai jamais connu une qui ne se minimise pas, qui ne relève son unique défaut pour l'amplifier. Tu as pris l'habitude de te voir en termes de compétition au lieu de t'accorder le bénéfice d'être unique. Tu es rare, spéciale, et tu l'es pour toujours. Tu as la chance d'avoir une vraie beauté classique, tu l'auras encore quand Kristen McMenamy sera tombée dans les oubliettes et que Kate Moss sera passée de mode. Enfin, tu te rends compte, tu es une Catherine Deneuve américaine !

April s'éclaira en entendant le jugement de Maude. Ce n'était pas comme les compliments d'un amateur.

— Je ne sais même pas qui c'est.

— C'est la plus grande vedette de cinéma en France, et ce pratiquement depuis toujours. Une véritable idole. C'est l'amie d'Yves Saint Laurent dont elle était autrefois la « muse », comme on dit. Tu connais sûrement sa tête.

— Oui, bien sûr, acquiesça April. J'ai raté *Indochine*, mais j'ai vu la publicité... je t'en prie, Maude, ne parlons plus de mon physique. Je me suis assez étendue sur la question.

— Très bien.

Maude jeta un regard alentour. Manifestement, April ne sentait pas que tout le monde la dévorait des yeux depuis l'instant où elle était entrée. Elle était si habituée à être admirée qu'elle ne le remarquait plus, comme l'air qu'on respire.

— Parle-moi de tes petits amis, proposa-t-elle, sujet le plus simple pour passer à autre chose.

— Ça non plus, je n'aime pas en parler.

April fit une grimace d'excuse, puis ajouta :

— Je me doutais bien que tu me poserais la question.

— Pourquoi ? Tu dois avoir une cour à tes pieds.

April la gratifia de son grand sourire un peu de travers. Maude était tellement plus amusante qu'elle ne l'imaginait. Elle n'avait rien d'intimidant en tête-à-tête. De plus, l'idée d'avoir la vedette dans l'article de *Zing* la grisait tant qu'elle ne devait pas y penser pour l'instant.

Elle prenait trop de plaisir à cette conversation entre amies qu'elle ne pouvait avoir avec Jordan ou Tinker car elle tenait à garder ses distances avec elles. Toutes trois, qui s'étaient retrouvées ensemble par hasard, avaient compris qu'il valait mieux entretenir cette impression de franche rigolade entre copines. Mais au fond, elles ne pouvaient se faire confiance, car chacune voulait le contrat Lombardi qu'une seule décrocherait.

— Si je te dis une chose « à titre confidentiel », ça restera entre nous ? demanda April avec circonspection. Ou n'est-ce qu'une expression qu'on emploie au cinéma mais qui n'a pas de sens dans la vie ?

— Tout ce qui est dit à titre confidentiel reste strictement sous le sceau du secret, affirma Maude avec honnêteté.

Elle n'en était pas arrivée là dans le monde de la presse féminine en dénigrant ni en trahissant ses sujets. Des gens, refusant d'être interviewés par ces échotiers qui donnaient dans les ragots que tant de journaux lui réclamaient depuis des années, acceptaient de lui parler.

— Tu te rappelles l'autre jour quand tu nous as demandé si on étaient vierges et que Frankie, qui est venue s'immiscer dans la conversation, nous a coupées ? Eh bien... jamais je ne l'aurais admis devant les autres car elles se seraient moquées de moi. Déjà que je n'ai pas l'air branché, je tiens à ce qu'elles pensent que j'ai des hommes dans ma vie. En réalité... autant te l'avouer, puisque je suis allée jusque-là et qu'on est entre nous. A la vérité, non.

— Tu veux dire que tu n'as personne en ce moment ? demanda prudemment Maude.

— Non, ça n'aurait rien d'extraordinaire. Des tas de filles du métier sont dans ce cas. J'ai toujours cherché le bon. Enfin... je n'en ai jamais eu un seul, confessa April.

Voyant la peine et le trouble se peindre sur le visage d'April, Maude risqua :

— Tu es si jeune...

— Ça n'a aucun rapport avec l'âge. J'ai près de vingt ans, plus qu'il n'en faut. Non, c'est lié à autre chose, une chose qui m'échappe. J'apprécie les hommes en tant que personne, mais ils ne m'attirent pas... j'entends, physiquement. Peut-être ne suis-je pas tombée sur le bon. Il suffit que j'en embrasse un au moment de le quitter pour qu'ils me tombent tous dessus si je n'ai pas de porte de sortie ! C'est répugnant. A en croire mes amies, les garçons... les hommes... enfin, appelle-les comme tu le veux... sont les créatures les plus excitantes qui soient. Moi, je ne comprends pas ! Je n'ai jamais compris !

— As-tu jamais donné sa chance à l'un d'eux ?

— Si, deux fois, reconnut April qui secoua la tête à ce souvenir. Je me suis forcée. Je les ai laissés... autant te le dire... je les ai presque laissés me faire l'amour, mais je n'ai pas pu aller jusqu'au bout. Ils m'ont promis de mettre des préservatifs, comme si je me refusais uniquement par peur de tomber enceinte ou d'attraper le sida... Je ne pouvais pas leur expliquer qu'en réalité je les avais arrêtés à mi-chemin parce que je ne supportais pas l'idée de tout ce... sale... truc. Je n'aurais jamais dû essayer ! Ils ont été d'une telle méchanceté ensuite. Je ne peux sans doute pas le leur reprocher. Ils me traitaient d'allumeuse, et ce n'était pas le pire. Je ne voulais pas jouer les allumeuses, moi ! Je pensais juste que je devais essayer, que ça m'exciterait peut-être comme tout le monde... mais ça n'a pas marché.

— Donc, tu n'as jamais...

— Non. Et je n'en ai pas envie ! Tant pis si ce n'est pas normal, je suis ainsi. Les gens supposent qu'un jour je me marierai, comme tout un chacun. Ma mère a sans doute déjà tout organisé pour la cérémonie qui ne se fera probablement jamais. Dieu merci, je suis encore jeune, on ne me force pas encore dans mes retranchements. Et toi, Maude, tu ne t'es jamais mariée ? Comment t'en es-tu sortie ?

— J'ai laissé la nature suivre son cours. Si tu leur laisses le temps, les gens finissent par accepter l'idée que tu sois célibataire. Naturellement, c'est plus facile si tu n'es pas une beauté ravageuse.

— C'est toi qui fais de la fausse modestie cette fois, la taquina April.

Maintenant qu'elle lui avait confié son secret et que Maude n'avait paru ni étonnée, ni choquée, April se sentait très à l'aise.

— Tu as une allure folle ! Différente, renversante, si seyante et très personnelle. J'aimerais avoir le cran de m'habiller comme toi.

— On ne sait jamais. Peut-être te surprendras-tu.

Oui, songea Maude, peut-être nous surprendras-tu toutes les deux. Elle avait cherché à en savoir plus sur April. C'était un succès complet, se félicita-t-elle tout en essayant vainement de repousser dans un petit coin de sa tête l'idée grisante que toutes les femmes qu'elle avait aimées s'approchaient d'April. Mais aucune n'incarnait ce type dans toute sa pureté. Aucune n'était April.

12

Jacques Necker et Jordan Dancer se promenaient dans les jardins du petit Trianon d'où on ne voit pas le château de Versailles. Haut dans un ciel sans nuage, le soleil hivernal était assez chaud pour que Jordan enlevât la capuche de son long manteau rouge.

— C'est l'endroit que je préfère à cause de sa simplicité, dit Necker. C'est dans le Belvédère, ce ravissant pavillon là-bas, que se trouvait Marie-Antoinette quand un page est arrivé en courant pour la prévenir que les Parisiens marchaient sur le palais. Ce fut le dernier instant de bonheur de sa vie. Elle ne revit plus ces jardins. Aujourd'hui, cela semble impossible de penser que ces événements ont eu lieu voilà plus de deux siècles.

Jordan s'arrêta au milieu de l'allée et écouta les oiseaux dans les arbres dépouillés. Au loin, des jardiniers préparaient la terre pour les plantations de printemps.

— C'est si calme, presque surnaturel, surtout après le chaos de Paris... j'ai l'impression d'entrer dans le monde de Marie-Antoinette. J'en ai le frisson... sans doute parce qu'on sait comment ça s'est terminé. Mais dites-moi, pourquoi ne visite-t-on pas le château ? Je croyais qu'on allait le voir quand vous m'avez appelée ce matin.

La perplexité de Jordan dépassait largement cette simple question. Elle ne pouvait avouer à cet homme d'affaires tout-puissant qu'elle avait passé une heure à s'interroger après avoir reçu son invitation et qu'elle se demandait encore si elle avait bien fait de l'accepter. Dès le début, elle avait tenté de faire forte impression sur Jacques Necker, mais elle ne voulait qu'une chose : décrocher le contrat. Bien qu'il fût terriblement séduisant, il était hors de question qu'elle eût une histoire avec lui. Ce serait d'un anti-professionnalisme ! Si cette occasion l'amenait à lui faire des avances, ce serait très gênant pour l'un comme pour l'autre. D'un autre côté, comment aurait-elle pu décliner sa proposition ?

— A mes yeux, les jardins ont un charme particulier, expliqua Necker. Le château est si monumental avec ses immenses pièces vides. Après la Révolution, on a dispersé les meubles confisqués, les tapisseries et les tableaux ont fini dans un musée et le peu qui reste n'est qu'une tentative de restauration. S'il y a des fantômes, ce dont je suis convaincu, ils sont dans les jardins, affirma Necker. Pas dans ces immenses couloirs ni dans ces escaliers où résonne l'écho.

— Est-on à la recherche de fantômes ou êtes-vous un nostalgique de la royauté ? s'enquit Jordan. Vous aimeriez voir la monarchie restaurée ? Êtes-vous de ceux qui soutiennent le prétendant au trône de France qui, avec tous ces enfants heureux en ménage, éclipserait les autres familles royales ?

— D'où tenez-vous cette information top secret ? lança Necker d'un air amusé.

La brise ébouriffait ses bouclettes et le doux soleil de janvier éclairait son visage éclatant. Dans ce décor de branches dénudées, il lui semblait que Jordan aurait pu embraser l'atmosphère rien que par sa présence.

— De *Hello* principalement, un magazine anglais qui se consacre avec le plus grand sérieux aux familles royales de la vieille Europe, répondit-elle. C'est amusant de regarder les photos en se disant qu'on devrait fusiller le coiffeur de la reine d'Angleterre à l'aube ou que la nouvelle reine de Belgique devrait brûler toute sa garde-robe. Mais je ne suis pas seulement critique, je suis aussi une groupie. Ma préférée est lady Sarah Armstrong-Jones, la fille de la princesse Margaret, qui a ravi la vedette à un mariage royal en arborant une culotte bouffante. On dirait un conte de fées !

— Vous aimez les contes de fées ? demanda Necker.

Cette excursion lui était presque aussi déchirante qu'agréable. Il aurait dû être ici avec Justine, la regarder marcher dans cet endroit qu'il aimait tant, lui poser ces questions, apprendre à connaître sa fille et non cette ravissante créature dont le contexte lui était aussi mystérieux que le sien devait l'être à ses yeux. Malgré tout, triste comme il était, une fille de remplacement valait mieux que rien. Et c'était la seule qui s'intéressait à l'Histoire de France.

— Neuf fois sur dix, ils dépassent la réalité.

— Asseyons-nous sur ce banc, proposa Necker. Vous n'aurez pas froid? C'est assez bien abrité ici.

— De toute façon, je serai ravie de m'asseoir, répondit Jordan.

Elle était contente de s'arrêter un moment. Sans s'en rendre compte, Necker lui imposait un pas très soutenu.

— Rien qu'en allant d'un endroit à l'autre, les dames de la cour devaient avoir leur dose d'exercices... où trouvaient-elles la force de se changer cinq ou six fois par jour? Sans parler de la danse, du badinage, des parties de cartes et de l'escalade sociale.

— Il devait y avoir une telle concurrence entre elles qu'elles n'osaient pas ralentir le rythme.

— Ça ressemble un peu à mon travail! s'exclama Jordan. En dehors du badinage, des parties de cartes et de l'escalade sociale.

Incapable de se retenir un instant de plus, Necker lança à brûle-pourpoint :

— Parlez-moi de Justine Loring. C'est bien de travailler avec elle?

— On ne peut rêver mieux, répliqua Jordan. Quel dommage qu'elle soit tombée malade et qu'elle n'ait pu venir. Je suis sûre qu'elle vous aurait plu. Quoi qu'il en soit, on est en de bonnes mains avec Frankie.

— Pourquoi dites-vous qu'on ne peut rêver mieux? A cause de quoi? insista-t-il.

— J'ai totalement confiance en Justine, elle ne s'énerve jamais, les clients ne l'intimident pas et elle ne favorise personne. Elle défend ses filles avec conviction.

— Jordan, croyez-vous qu'elle soit heureuse? Avez-vous l'impression qu'elle s'est réalisée ou qu'il lui manque quelque chose? J'entends, dans sa vie personnelle.

— Je ne peux vous répondre, observa Jordan, surprise de ses questions. Justine ne se confie pas à nous, *Monsieur** Necker, elle garde ses secrets pour elle, c'est une femme très réservée. Elle s'intéresse beaucoup à nous, mais ne nous donne jamais l'occasion de cancaner sur son compte.

— Pourquoi disiez-vous que vous avez confiance en elle? demanda-t-il avec intérêt. Qu'a-t-elle fait pour cela?

— La confiance est une chose étrange, certaines personnes vous l'inspirent, d'autres pas. Je ne prétends pas être un juge infaillible. Justine a une excellente réputation dans le métier, je ne peux rien vous dire de plus. Frankie est sa meilleure amie. Vous devriez vous adresser à elle, si vous voulez en savoir plus.

— J'aime en savoir le plus possible sur les gens avec qui je travaille, expliqua Necker pour répondre à la question sous-entendue dans son ton. Cela peut s'avérer très utile.

— Une autre chose a beaucoup d'importance à mes yeux. Justine propose aux clients de me voir, même quand ils n'ont pas précisé qu'ils cherchaient une « femme de couleur ». C'est l'expression consacrée à l'heure actuelle. La plupart des agents diraient qu'avant de vous envoyer à un rendez-vous, il faut que les clients vous demandent. Alors que Justine essaie de me mettre sur tous les coups.

— Une « femme de couleur » ? Je croyais qu'on en était resté aux « Afro-Américains », que c'était le terme officiel.

— On ne se mettra jamais d'accord sur ce point ! Les gens se disputeront toujours pour savoir quel terme employer sans offenser personne.

— Excusez-moi, ajouta aussitôt Necker, je ne voulais pas me montrer indiscret. Simplement, pour un Suisse... bien sûr, on a les Italiens, les Allemands et les Français, mais...

— Mais vous êtes tous blancs. Bienheureux petit pays !

— Je suis désolé, je vous ai froissée.

— Pas du tout ! protesta Jordan qui sourit de sa réaction si typique. Il se trouve que j'ai beaucoup à dire sur le sujet et je n'ai jamais rencontré de Blanc qui ait envie d'en parler avec moi. Ils se sentent toujours gênés.

— Moi, je ne me sens pas gêné et ça m'intéresse.

Observant Necker, Jordan découvrit dans son regard une vraie curiosité, le genre de curiosité qu'on se croit généralement obligé de cacher. Maintenant, elle se sentait bien avec lui. Rien dans ses propos n'indiquait qu'il comptait lui faire la cour. Son air autoritaire ne la déconcertait pas, pas plus que son habitude de poser des questions et d'en attendre des réponses. Elle respectait cet homme et lui faisait suffisamment confiance pour le prendre au mot et lui dire ce qu'elle pensait.

— Prenez le mot « Noir » par exemple, qu'on emploie parfois sans y mettre de majuscule, commença Jordan. Des tas de gens continuent à soutenir, comme moi, qu'ils sont des Noirs américains, pas des Afro-Américains, car ils sont très loin de l'Afrique sur le plan culturel. Leur famille vit aux États-Unis depuis beaucoup trop longtemps, souvent bien plus que la plupart des Américains, pour qu'ils se sentent Africains. D'un autre côté, aux yeux de nombre de mes compatriotes noirs américains, je ne suis pas assez noire.

— Je suis complètement perdu.

— Pas plus que moi. L'autre jour, je lisais un magazine anglais qui s'adresse aux femmes noires et qui disait, je cite : « On compte environ trente-trois tons de noir différent, du plus pâle ivoire au bleu noir. » On croit rêver ! A qui a-t-on confié la tâche de compter ces trente-trois tons de noir et comment s'y est-il pris ? Dans le même journal, il y avait un article sur Roshumba, un top model noir présentée comme une « Vraie Sœur » parce qu'elle arbore une coupe Afro très courte et qu'elle dénigre certains mannequins noirs disant qu'ils seraient prêts à se faire refaire le nez ou à avoir de longs cheveux raides pour décrocher la couverture de *Vogue*. Comme si un mannequin blanc ne serait pas disposé à en faire autant sans avoir l'impression de trahir son côté écossais ni ses origines italiennes. Je crois que Roshumba — qui signifie « belle » en swahili, rien que ça ! — s'érige sans le vouloir comme la grande prêtresse du « Noir juste ». Elle n'a pas été obligée de céder aux compromis. Elle est superbe telle qu'elle est, avec à l'appui trois numéros de *Sports Illustrated* où elle pose en maillot de bain. Comme si ce n'était déjà pas assez compliqué comme ça ! En plus, il faut que je me batte contre le risque d'être considérée comme une Noire moins « juste », comme un faux frère !

— Ne pourriez-vous être... disons, sirop d'érable, cidre, cappuccino très crémeux, thé au lait, cerise sèche ou...

— C'est de l'humour suisse, je suppose, *Monsieur** Necker ? Du moins, m'avez-vous épargné le chocolat au lait.

Jordan le regarda d'un air espiègle.

— C'est vous qui m'y forcez ! Vous ne trouvez pas qu'un bon scotch pur malt avec beaucoup de crème s'en rapprocherait ? Sauf qu'un buveur de scotch pur malt ne mettrait jamais rien dedans, pas même un glaçon.

— Je parlais sérieusement, protesta Necker. N'éludez pas ma question.

— S'inquiéter de savoir où on se situe sur la charte des couleurs est une perte de temps, car on ne peut rien y faire. Ce qui n'empêche que j'en suis parfaitement consciente. On pourrait croire qu'être noir pose assez de problèmes comme ça. Eh bien non ! La couleur de votre peau a une importance considérable.

Sachant que Necker ne se contenterait pas d'une approximation, Jordan s'efforçait d'être aussi précise qu'elle l'aurait été avec son père.

— Comment cela ? Vaut-il toujours mieux avoir la peau plus claire ?

— Ce n'est pas si simple, bien qu'on y pense toujours et qu'un teint clair soit généralement plus enviable. Surtout chez une femme, ajouta Jordan qui choisissait ses mots avec soin. Ce n'est pas seulement la réaction des Blancs qui est en jeu, *Monsieur** Necker, mais la façon dont les autres Noirs le vivent. Les Noirs font ces distinctions autant que les Blancs. Quand une Noire me regarde, je sais pertinemment qu'elle se demande avec qui ont bien pu coucher mes grands-mères, arrière-grands-mères et arrière-arrière-grands-mères pour en arriver à un spécimen présentant un tel mélange de traits considérés comme atypiques. Tout cela revient à dire que mon physique montre mon pourcentage de sang blanc. C'est toujours une question de race, *Monsieur** Necker. Quand un autre Noir me dévisage, je sais qu'il juge tous mes ancêtres. Le problème, c'est que je me pose les mêmes questions. Qui étaient ces ancêtres blancs ? Ont-ils aimé mes aïeux noirs ou se sont-ils servis d'eux ? Je dois avoir un arbre généalogique fort compliqué que je ne parviendrai jamais à démêler... c'est triste, frustrant, exaspérant !

— Je ne me rendais pas compte...

— Pas plus que la plupart des gens, dit Jordan. Je n'imaginais pas me lancer dans un tel discours.

— Parlez-moi un peu de vos parents, parlez-moi de votre enfance, intervint Necker.

— Mon père est militaire de carrière, le colonel Henry Dancer. Sorti brillamment de West Point, il a su qu'il avait trouvé en l'armée une famille tant qu'il suivait les règles. Il est dur, autoritaire et très ambitieux. Il a tenu à ce que j'aille à l'université avant de m'autoriser à travailler, puis il s'est longuement renseigné sur l'agence et a cuisiné Justine pendant deux heures avant de me laisser signer un contrat avec Loring Model Management. Il n'apprécie pas mon choix. J'ai été élevée pour jouer les potiches cultivées et faire honneur à ma famille. La principale passion de ma mère est son ambition pour mon père. Elle le voit général, ce qu'il deviendra sans doute. Pour l'instant, elle est la femme du colonel, et un jour elle sera la femme du général. Elle aimerait que j'aie la même vie, structurée, sûre. Rien que d'y penser, ça me fait froid dans le dos.

— Qu'est-ce que cela aurait de si terrible ?

— Vous êtes Suisse, ça se voit ! Je veux avoir le choix, pas une assurance-vie. J'ai vécu dans huit bases militaires, je connais les règles du jeu. Je connais l'art et la manière de charmer la femme du commandant de n'importe quel poste et jamais je ne veux avoir à recommencer !

— Vous trouvez cela avilissant ?

— Plus ennuyeux qu'avilissant. Tout est lié à l'autorité et à l'art de faire plaisir à ceux qui la détiennent. Si je devais épouser le genre d'officier noir plein d'avenir qui plairait à mes parents, mes amies seraient les épouses des officiers de son rang. On monterait en grade ensemble jusqu'à la fin de nos jours, s'invitant à tour de rôle et échangeant des recettes de cuisine, à moins que l'un des maris ne soit promu à un grade supérieur ou qu'il ne reste à la traîne. Dans ce cas, la femme de ce dernier devrait se faire de nouvelles amies. Vous vous rendez compte ?

— Cela a l'air terriblement contraignant. Même pour un Suisse !

Necker se moquait de son sérieux.

— Être noir l'est suffisamment comme ça ! A l'université, ma camarade de chambre était une fille formidable qui s'appelait Sarah Cohen. On parlait pendant des heures de nos conditions respectives. Elle disait qu'elle aurait aimé, ne serait-ce qu'une fois, être présentée sous le nom de Jordan Dancer pour voir la réaction des gens quand ils ne savaient pas, de la seconde où ils entendaient son patronyme, qu'elle était juive. Moi, je lui disais que j'aurais aimé être une semaine dans sa peau pour voir l'effet que ça faisait de ne pas être cataloguée de la seconde où j'arrivais quelque part, bien avant qu'on ne me présente ! Là-dessus, Sharon ne pouvait me battre !

— Quel genre de vie menez-vous ? s'enquit Necker.

— A l'université, je ne sortais qu'avec des Noirs. Ça me facilitait la vie. Je n'étais pas obligée d'être sans arrêt sur mes gardes dans un petit monde où chacun fourrait son nez dans les affaires des autres. Maintenant que je n'y suis plus, je peux sortir avec qui je veux. Le problème n'est pas là. La question, c'est de savoir ce que je ferai quand je serai plus âgée, quand ma carrière de mannequin, que ça marche ou pas, sera finie. Je dois y penser dès aujourd'hui, pas dans six ou sept ans, dit Jordan avec véhémence.

— Qu'ils soient noirs ou blancs, cela vaut pour tous les mannequins, non ?

— Bien sûr, mais la plupart pensent qu'une bonne occasion se présentera. Les Blanches s'offrent le luxe des solutions de facilité. Moi, je ne peux me le permettre. Pour y arriver, je suis obligée d'être beaucoup mieux qu'une Blanche, car il y a une demande énorme pour elles et très limitée pour moi. Je dois être plus que spéciale pour avoir la moindre chance, l'accepter, ne pas me laisser dévorer par cette idée, car personne ne veut d'un mannequin noir qui vous donne des complexes sur toute cette histoire de couleur de peau. Je dois faire semblant d'ignorer que je suis noire pour que les gens se sentent à l'aise avec moi.

— Ce doit être incroyablement compliqué.

— Oui, répondit Jordan avec regret, vous pouvez me croire.

— Avez-vous des projets d'avenir ?

— Rien de sérieux. Pourtant, je devrais. Tenter de poser les bases pour créer ma propre entreprise ? Prenez Iman, par exemple, *Monsieur** Necker. Elle a travaillé pendant vingt ans. Aujourd'hui, elle lance une société de cosmétiques. C'est une véritable légende. Elle est la femme de David Bowie. A trente-neuf ans, on la paie encore quarante mille dollars pour un défilé et, quand elle défile, on ne voit qu'elle. C'est une Noire qui a tout réussi, mais elle est unique en son genre, une déesse de Nairobi. Il y en a une sur un milliard. Espérer créer ma propre société à mon tour ou prendre le chemin le plus simple et me mettre en quête d'un mari ? Devenir complètement idiote et épouser une vedette de rock, un acteur, un grand nom du sport pour m'apercevoir que mon mariage ne marche pas, ce qui est généralement le cas de ce genre d'unions ? Ou bien me marier avec un milliardaire noir que j'épouserai pour son argent et sa position dans la haute bourgeoisie noire ?

— Ne pourriez-vous tout simplement rencontrer quelqu'un de banal, un homme charmant qui ne serait ni riche ni célèbre avec qui vous mèneriez une vie normale ?

Son regard pétillait devant le sérieux avec lequel Jordan jugeait les possibilités qui s'offraient à elle.

Avec le même sérieux, Jordan répondit :

— Oui, ça pourrait arriver. Mais je crois que je ne m'en contenterais pas longtemps. Vous ne saisissez pas la situation, me semble-t-il. Vous ne comprenez toujours pas la chance incroyable que j'ai eue, le genre d'oiseau rare que je suis grâce à tous les privilèges qui m'ont été accordés : la famille, l'éducation, le physique. Toutes choses qui demeurent du domaine du rêve pour la plupart des jeunes filles noires ! Les fées se sont penchées sur mon berceau. Je reconnais que je suis gâtée, ça m'a ouvert les yeux sur un monde qui dépasse la vie normale. Tous les gens qui m'entourent espèrent que je vais devenir quelqu'un, autre chose qu'une simple mère de famille ou une femme au foyer. Moi aussi ! Croyez-vous que je puisse me laisser aller et harponner le premier type potable qui se présente ? Pire encore, tomber amoureuse d'un Blanc et nous mettre tous les deux dans une situation impossible.

— Pourquoi en êtes-vous si convaincue ?

— Parce qu'on est tous racistes au fond, répondit-elle d'un ton neutre.

— Jordan, vous le pensez sincèrement ?

— Pour sûr ! Moi aussi, je suis raciste ! Les ploucs, les gangs de Portoricains et de Noirs, les fans blanches qui jouent les hystériques devant les sportifs noirs m'inspirent des sentiments méprisables. Alors, vous imaginez ce que ce serait si j'entrais dans une famille blanche et que je devenais la hantise de ma belle-mère ?

— Peut-être exagérez-vous un peu. Les gens ne peuvent-ils oublier la couleur de votre peau une fois qu'ils vous connaissent ?

— « Une fois que »... oui, peut-être. J'aimerais le croire. Sharon, comme beaucoup de mes amies à l'université et certaines des filles avec qui je travaille, a fait cette démarche. Mais on n'a pas épousé nos frères respectifs.

— Votre beauté ne pourrait-elle vous aider à dépasser ce problème ?

— Vous plaisantez ! Je n'aurais pas imaginé qu'un Suisse pût poser une telle question. Je n'ai jamais espéré que la beauté eût la moindre influence. Vous ne comprenez pas à quel point tout cela est délicat. Il ne manquerait plus qu'un mariage mixte par là-dessus ! Tous les jours à New York, je croise des tas de Noires ravissantes. On ne me reconnaît pas au premier coup d'œil, pas encore. Je ne suis pas Naomi Campbell, Tyra Banks, ni Veronica Webb. Non, disons juste Naomi, c'est le seul mannequin noir que tout le monde connaît de vue plus ou moins. Alors, je fais très attention à des choses auxquelles vous ne penseriez jamais. Je n'aime pas les surprises.

— Qu'entendez-vous par là ?

— A l'université, par exemple, je ne suis pas entrée dans un club d'étudiantes... je ne voulais pas être l'un des rares alibis noirs d'une communauté blanche, ni me limiter à un club réservé aux Noires. Je me suis donc concentrée sur ce que je pouvais faire sans me lier à un groupe quelconque.

— Peut-être êtes-vous hyper sensible ?

— Sans doute, acquiesça Jordan en haussant les épaules, mais ça facilite la vie. A New York, je ne vais que dans des endroits où on me connaît, à moins d'être recommandée.

Jamais je n'irais chez un coiffeur sans être recommandée au propriétaire ou au directeur. Jamais je n'irais faire des courses dans un magasin chic sans être accompagnée d'une amie blanche. Si un ami blanc m'emmène dans un bon restaurant, il n'y a pas de problème. Mais je n'accepterais pas qu'un Noir réserve une table et se présente avec moi s'il n'y est jamais allé et qu'il ne connaît pas le maître d'hôtel. Vous paraissez stupéfait, *Monsieur** Necker.

— Effectivement.

— Ce n'est pas votre problème. Mais ça me fait du bien d'en parler, surtout à une oreille aussi attentive que la vôtre. J'ai répondu à beaucoup de questions ce matin. Je vous ai confié beaucoup de choses dont je n'aurais jamais imaginé discuter avec vous à cause de l'intérêt que vous avez manifesté. J'avoue que je ne comprends toujours pas pourquoi. Pourquoi cela vous intéresse-t-il ? Je suis l'un des trois mannequins en compétition pour obtenir un contrat avec votre société. Est-ce là la raison ?

— Non.

— C'est bien ce que je pensais... pour quelle raison, alors ?

— Je pensais juste... que si j'avais une fille... et que je ne sache rien de sa vie... j'aimerais tout savoir d'elle : ses problèmes, ses espoirs, ses préoccupations... par pure curiosité.

— Mais vous n'avez pas de fille ?

— Ma femme et moi n'avons jamais eu d'enfants...

— Je le regrette.

— Moi aussi. Beaucoup. Je ne suis pas comme votre père qui préfère les garçons aux filles. Si je n'avais eu qu'un enfant, plus que tout j'aurais voulu une fille, une fille à qui je me serais efforcé d'apporter... le bonheur et la sécurité.

— Si vous en aviez une, elle vous dirait qu'elle a faim ! s'exclama Jordan, perplexe devant son air malheureux.

— Moi aussi, dit-il, se levant aussitôt. Retournons à la voiture. Il y a un excellent restaurant à Versailles... dont je connais le propriétaire.

— En France, je me sens chez moi ! Peut-être suis-je une réincarnation de Joséphine Baker.

— J'en doute. Vous n'êtes pas assez foncée, répliqua Jacques Necker avec un large sourire.

— Peccadilles, peccadilles !

13

J'avais déjà pris mon petit déjeuner quand on m'apporta ce fax dans ma chambre.

Sans doute sais-tu que tout New York est bloqué par la tempête. J'ai essayé de t'appeler plusieurs fois, mais tu étais toujours sortie. Petite veinarde, quelle chance tu as de t'amuser comme une folle dans le gai « Parii » pendant que je gèle. N'essaie pas de me joindre, je suis chez des amis à cause de problèmes de chaudière indescriptibles à la maison. Le bureau est fermé jusqu'à nouvel ordre, les prises de vue sont annulées, les vols aussi. Chacun reste chez soi en attendant la fin de l'état d'urgence. Je t'envie, bien au chaud dans ton bel hôtel. J'espère que les filles apprennent vite et qu'elles ne te posent pas de problèmes. Quant à toi, essaie de bien te tenir, quelles que soient les provocations.

Je t'embrasse, Justine.

Que je me tienne bien! Tinker avait disparu avec un inconnu, April s'était fait embobiner par Maude, Necker avait des vues sur Jordan et cette salope de Justine à qui on ne pouvait se fier me recommandait de bien me tenir!

Pire, je ne pouvais déverser ma colère sur elle. Pourquoi ne m'avait-elle pas dit chez qui elle était? Je connaissais tous ses amis dont j'avais les coordonnées, ce qu'elle savait pertinemment. Et qu'est-ce que c'était que cette histoire de bureau fermé? On ne met pas la clé sous la porte sous prétexte que la ville est bloquée! De toute façon, je ne comptais pas l'appeler. Mais je devais avoir moyen de la joindre en cas d'urgence.

Justine avait-elle perdu tout bon sens? Elle me laissait me débrouiller toute seule alors que j'étais de plus en plus inquiète pour Tinker. Fraîchement débarquée, elle avait déjà passé la nuit dernière avec un inconnu. C'était loin d'être une bonne nouvelle, surtout quand on pensait à son état après le fiasco chez Lombardi hier. Quel genre de voyou avait abusé d'elle? Les types qui courent après les mannequins sont pires que des limaces. Et je ne pouvais m'adresser à personne puisque les autres aussi avaient pris la poudre d'escampette.

Je froissais le message en jurant quand je tombai sur Mike Aaron dans le hall.

— Ah! Te voilà, Frankie. Écoute, on ne peut pas continuer comme ça!

Il me prit par le bras. Je fus bien obligée d'écouter ses doléances.

— Bonjour, Mike. Quelque chose te contrarie? demandai-je d'un ton narquois.

Apparemment, je suis le chef de notre petit groupe. C'est moi qui surveille la salle de classe, moi qui range les pupitres à la fin des cours. Je ne peux pas me conduire comme un enfant moi aussi. En public, ma devise est : « Élève-toi au-dessus de la mêlée. »

— Tu as vu le temps qu'il fait? lança-t-il, furieux.

— Ouais, pourquoi?

— Il y a une lumière sublime! Cela ne se reproduira peut-être jamais durant notre séjour, vu le temps qu'il fait ici. Il va y avoir une lumière idéale tout l'après-midi pour que je prenne les filles en photo dans les rues de Paris... et je ne peux pas mettre la main sur l'ombre d'une, sans parler des trois. Or, je te rappelle que le sujet, ce sont les trois. Je ne trouve même pas Maude. Mais qu'est-ce qu'il se passe, nom de Dieu?

— Elles ont été prises d'une crise de folie furieuse. Tu as vu ce qui s'est passé hier soir?

— Je croyais que tu étais responsable d'elles, attaqua-t-il.

— Moi aussi. Le destin devait avoir d'autres visées.

Je n'avais aucune intention de prétendre savoir où étaient les filles pour lui sauver la mise. J'avais assez de secrets à garder. S'il ne pouvait les photographier sous le soleil, il les prendrait sous la neige ou au fond d'une mine de charbon. Je m'en lavais les mains. Les problèmes de *Zing* ne me concernaient pas.

— Quel genre de chaperon es-tu? dit-il en me regardant d'un air accusateur.

Je levai les bras au ciel en un geste refusant tout remords et avouai :

— Archi nul ! Pour commencer, je n'ai jamais envisagé cet emploi comme un pas décisif dans ma carrière. Je n'ai pas la formation nécessaire pour tenir à l'œil trois jeunes chiens en bonne santé, mais pas forcément obéissants.

— On croirait travailler avec une équipe de cinéma en extérieurs, observa Mike, exaspéré. Retire les acteurs d'un plateau, emmène-les loin de chez eux, mets-les dans un hôtel et ils font comme si leur vie n'existait plus, comme si leurs actes ne tiraient pas à conséquence. Une fois qu'ils n'ont plus à dormir dans leur lit, tout est permis... les salauds se transforment en bêtes sauvages qui rôdent dans la région. On assiste à une crise d'hystérie générale centrée sur le cul !

— Contrairement aux mannequins, les bêtes sauvages aussi se comportent de façon prévisible, remarquai-je gentiment. Et Paris n'a rien d'un endroit tranquille. Enfin, au pire, je suppose qu'elles vont réapparaître avant le défilé de Lombardi.

Je prenais un malin plaisir à tracer un tableau noir de la situation, à feindre l'indifférence sur le sort de mes ouailles. Le mot clé en l'occurrence était l'insouciance. Le titre de « chaperon » me déplaît souverainement.

— Merde alors ! s'exclama-t-il d'un air écœuré.

Puis il passa à autre chose :

— Tu veux manger un morceau ?

— Je ne serais pas contre. Ici ou ailleurs ?

— Il faut que je sorte de cet hôtel. Sinon, je vais étouffer. Allons nous promener et prendre un sandwich, ou autre chose. Peut-être pourrait-on faire un tour au Louvre. Autant faire quelque chose d'utile !

Il semblait de fort mauvaise humeur.

— Formidable. J'avais l'intention d'y emmener April aujourd'hui.

— Ce doit être la vingtième fois que je viens à Paris et je n'y ai jamais mis les pieds... j'ai toujours eu autre chose à faire.

— Je vais prendre un manteau et je te retrouve ici.

— Mets des chaussures confortables, ajouta-t-il d'un air lugubre.

Regagnant ma suite, je songeai à la galanterie de son invitation forcée. La journée du grand Mike Aaron étant gâchée, déjeuner avec moi était manifestement son lot de consolation. En dehors du fait que je n'avais rien de mieux à me mettre sous la dent, je me demandais pourquoi j'avais accepté. Je m'approchai du placard pour y prendre mon manteau quand je surpris mon regard dans la glace. Tu parles ! A d'autres ! J'étais aussi excitée que du temps du lycée, je vibrais autant d'espoir que si j'attendais mon premier soupirant.

Je me regardai avec horreur, horreur teintée d'une certaine émotion, elle-même teintée d'un certain défi. J'en avais marre de jouer les duègnes sur qui on pouvait compter, charge que Justine m'avait collée sur le dos à peine quelques jours plus tôt. Merci toujours ! Disons les choses comme elles sont... ce n'était pas juste !

Certes, ce n'était pas le personnage énervé et mal élevé d'aujourd'hui qui m'émoustillait, mais le souvenir de la gamine d'autrefois qui aurait donné n'importe quoi pour se balader dans Paris avec le Mike Aaron de mes quatorze ans. Ça, j'en étais sûre. Allez, arrête ! C'est pas tous les jours qu'on réalise un vieux rêve, même enterré depuis belle lurette. Saute sur l'occasion !

Je me déshabillai rapidement et tombai aussitôt sur le pull-over de cachemire noir de Donna Karan assorti à un pantalon en stretch, ensemble d'une grande souplesse. J'avais l'air un peu sévère, me dis-je en examinant le résultat. Presque trop mince, si tant est que ce soit possible. Il fallait contrebalancer tout ce noir sans couture d'un classicisme séduisant par la coiffure. Dieu merci, la veille je m'étais lavé les cheveux que j'avais nattés mouillés. Je pouvais donc les relever.

J'enlevai les pinces en écaille qui retenaient ma houpe puis, le plus vite possible vu leur épaisseur, me brossai les cheveux qui formaient des vagues grâce aux tresses.

Superbe ! Peut-être Justine avait-elle raison, peut-être négligeais-je l'un de mes atouts. De plus, Martha Graham en personne n'aurait pas désapprouvé ce style. En dansant, elle se servait de ses cheveux comme d'un cinquième membre. Elle était connue pour ça. Mon long manteau en poil de chameau doublé de peau de porc rouge porté ouvert, la ceinture lâche, une écharpe de cachemire assortie autour du cou dont le bout pendait dans le dos et mes bottes noires préférées à petits talons et bien cirées complétaient la tenue. Le plus réussi, c'est que tout en faisant beaucoup d'effet, cela n'avait rien d'habillé, de clinquant ni d'aguichant bien que j'aie passé dix minutes de plus à me faire les yeux. J'avais l'air d'un bandit de grand chemin par un mauvais jour. Pourtant, j'avais juste mis des vêtements pratiques pour aller faire un tour et grignoter un sandwich.

Je sortis de l'ascenseur et me dirigeai droit sur Mike. Tout en marchant, je jouais les femmes fatales en ondulant très légèrement les hanches sur un rythme de rumba, manœuvre que seul un professeur de danse fort soupçonneux aurait pu remarquer. Mike Aaron ne me reconnut pas.

— Tu es prêt ? lançai-je.

— Frankie ?

— Désolée d'avoir été si longue. Gabrielle m'a appelée et j'ai dû débiter un tas de mensonges.

— Frankie !

Je le regardai avec une pointe d'amusement condescendant, comme un frère cadet.

— Tu as oublié un truc ?

— Euh ?

Il semblait abasourdi. Les hommes sont vraiment bien peu de choses.

— Je t'ai demandé si tu avais oublié un truc, répétai-je patiemment.

Je retirai mes gants que je lissai aussi méticuleusement que Marlène Dietrich dans tous ses films.

— Non. Je... peu importe.

Comme nous sortions de l'hôtel, j'eus la forte impression que je m'étais débarrassée à tout jamais de mon étiquette de chaperon. A moins de me tromper sur toute la ligne. Or, je n'ai pas l'habitude de commettre certaines erreurs. Même si on accuse son chien de la rage quand on veut le noyer, tout ne peut pas toujours aller de travers et aujourd'hui, c'était mon jour.

— Où va-t-on ? demanda Mike en montrant l'avenue des deux côtés.

— Prenons la rue Bayard pour rejoindre les quais, proposai-je. C'est un bon raccourci, j'ai envie de marcher le long de la Seine.

— Tu connais bien Paris, apparemment.

— Je venais souvent avec mon premier mari, mentis-je avec brio.

Je marchai d'un pas vif, ce qui relève du défi quand une valse vous trotte dans la tête. Vous avez déjà vu quelqu'un marcher sur trois temps ? C'est impossible, mais Paris éveillait en moi un rythme de valse. Était-ce du zen ?

— « Ton premier mari », répéta-t-il avec curiosité. Je le connais ?

— Slim Kelly.

— Le journaliste sportif ? s'enquit-il, incrédule et impressionné.

Pourquoi les hommes réagissent-ils ainsi ? Le prestige par insémination ? Savent-ils à quel point ils manquent de finesse ? J'aurais été mariée avec le plus respectable des présentateurs du journal télévisé que cela ne leur aurait pas inspiré le même respect que cette racaille, ce mufle de Slim, légende vivante, comme il ne manquait pas une occasion de me le rappeler.

— Ouais.

— Si Slim Kelly était ton premier mari, qui était le deuxième ?

— Je ne l'ai pas encore rencontré. Je ne suis divorcée que depuis un peu plus d'un an. Cela va sans dire qu'il y en aura un deuxième.

— Et un troisième ?

Tout en remontant à toute allure le cours Albert Ier en direction de la place de la Concorde, je lançai par-dessus mon épaule :

— L'avenir le dira !

— De grâce, Frankie ! Pourquoi marches-tu si vite ? se plaignit Mike.

— Tu as dit que tu étouffais à l'hôtel. Je croyais que tu avais besoin de t'éclaircir les idées.

— Je n'ai pas dit que je voulais passer à toute vitesse devant la plus belle vue au monde.

Je ralentis le pas.

— Comme tu le voudras. Peut-être n'es-tu pas très en forme.

Il me jeta un regard noir. Du moins en avait-il l'intention, mais ma coiffure et mon sourire supérieur l'arrêtèrent en chemin. Ai-je oublié de vous préciser que mes dents sont aussi exceptionnelles que mes pieds ?

— Ne commence pas.

Il n'en dit pas davantage. On continua à marcher le long des quais. En face se déployait l'une des plus belles perspectives de Paris ponctuée par la tour Eiffel. Une vraie carte postale. Le ciel, plus que nulle part ailleurs, dominait l'alignement des bâtiments classiques, peu élevés et dans des tons de gris, tous plus beaux les uns que les autres. J'avais la même impression de liberté que sur les planches de Coney Island, bien que l'architecture remplaçât ici la mer et la plage de sable blanc. Tant que je n'avais pas à choisir ! Enchantée, je poursuivis mon chemin.

— Tu n'as pas faim ? demanda Mike.

Je m'arrêtai et regardai où on était. En face se trouvait le marché aux oiseaux, devant nous l'île de la Cité et les tours de Notre Dame. Autrement dit, on était passés devant le Louvre sans le voir. Fallait le faire !

— Maintenant que tu en parles, je prendrais bien quelque chose. C'est drôle, je ne pense jamais à manger quand je suis ici.

— J'avais remarqué. Si tu continues, tu vas devenir aussi racho que les filles.

— Quel mal y a-t-il à cela ?

— Je te l'expliquerai si tu arrêtes de marcher comme une dingue. Il y a un bistrot en face, c'est là qu'on va.

— Comme tu le veux... superman.

— Fais gaffe !

— Tu es susceptible, dis-moi ?

— J'ai faim, c'est tout.

On s'installa à la terrasse vitrée du Bistroquet, un petit restaurant. Je regardai la carte qui proposait des spécialités campagnardes revigorantes.

— Apparemment, ils ne connaissent pas les sandwichs ici, commentai-je.

— C'était une façon de parler.

— Comme « gros pif » ? lançai-je, plongée dans la carte.

— Je le savais ! C'est pour ça que tu es si méprisante, hein ? Allez, reconnais que tu ne me l'as pas pardonné. C'est un compliment, Frankie !

— Pas chez moi, balle perdue.

— Gros pif... c'est voluptueux, délicieux, agréable à toucher, un truc à quoi se raccrocher par une nuit de tempête, sexy, baisable. Baisable, merde !

— Arrête de crier.

— Je viens de te dire que tu ne devais pas devenir trop racho ! s'exclama-t-il en frappant du poing sur la table. Et je le pense, merde ! J'ai épousé un mannequin autrefois. Elle portait la toilette mieux que personne, mais il n'y avait rien de douillet là-dedans, pas un endroit où se blottir, elle avait les coudes d'un pointu ! Elle avait des hanches comme des épées, tu risquais de prendre un mauvais coup mal placé avec son bassin et sa poitrine était triste à pleurer... il n'y avait pas d'implants à l'époque.

— Pourquoi l'as-tu épousée, alors ?

— Qu'est-ce que j'en sais ! Au lit, on aurait cru une mante religieuse en fer, un excitant très fugace. Je n'étais qu'un gamin, ça semblait une bonne idée sur le moment.

— On dit ça! Je suis sûre que ta deuxième femme était aussi un mannequin racho. Les photographes répètent toujours les mêmes erreurs.

— Je ne me suis jamais remarié.

— Sage décision.

Il ne réussit pas à me briser le cœur.

— Alors, tu veux bien oublier que je t'ai traitée de... gros pif?

— Tu me rappelles Slim Kelly. Il appelait une pizza un « cochon d'ail », affirmant que je ne devais pas m'en offusquer car cela désignait ce qu'il y avait de meilleur quand il était petit. Il ne comprenait pas que l'expression me déplaisait par principe.

— Je te promets que je ne dirai plus jamais « gros pif ». A une condition.

— Laquelle?

— Que tu ne parles plus jamais de « balle perdue ».

— Oh, Mike, je suis désolée! Je ne savais pas que ça te contrariait. C'est de l'histoire ancienne. Mon petit chéri, je ne voulais pas manquer de tact.

— Écoute, Frankie, tous les joueurs ont une balle perdue dans leur carrière. Bill Bradley prétend que rien ne lui a été plus difficile que d'oublier le dernier tir qu'il a raté à la finale de l'Eastern Conference en 1971, car pendant vingt ans tous les chauffeurs de taxi le lui ont rappelé. Et je te parle du sénateur Bill Bradley!

— Tu veux dire que personne n'est parfait? risquai-je, incrédule.

— Tu es une sacrée salope, hein?

— Je me demandais si tu t'en apercevrais un jour. Avec un gros pif et tout.

— Ah, merde!

— Je te pardonne, je te pardonne, ajoutai-je aussitôt.

Je ne pus m'empêcher de rire en voyant sa tête. Cela le rassura.

— Cessons là les excuses et les explications sur mon nez aristocratique. A titre d'information, j'ai toujours adoré mon nez dont je perçois la classe exceptionnelle. C'est clair, Mike?

— Parfois, j'ai l'air d'un con en plaqué or, marmonna-t-il.

— C'est élégamment dit. On commande?

Il y a toujours un curieux moment quand deux personnes, qui n'arrêtent pas de s'envoyer des piques, concluent une trêve. La gêne et le silence s'installent, tandis qu'ils se demandent de quoi ils vont bien pouvoir parler maintenant qu'ils ont posé les armes, énergie essentielle à leurs rapports.

On se plongea dans la carte, fronçant les sourcils d'un air perplexe, singeant la difficulté de la décision devant un tel choix, méditant sur la cuisine du Bistroquet tels deux critiques gastronomiques.

— Tu as une idée ? demanda-t-il enfin.

— Le ragoût, peut-être ?

— Lequel ?

— C'est bien ça le problème. Il y en a trois, apparemment. D'après toi ?

— Avec un steak et des frites, on ne peut pas se tromper.

— Je prends la même chose, mais sans frites.

— Juste un steak ?

— Avec des... haricots verts ?

— Très bien.

Il commanda dans le français qu'on avait appris au lycée.

— Du vin ? proposa-t-il.

— Oui, un verre de rouge, s'il te plaît, répondis-je.

Je ne bois jamais au déjeuner, mais pour une fois !

Quand le serveur se retira, il leva son verre.

— A l'école buissonnière, dit-il, montrant la rue animée derrière la vitre. Pour ça, c'est l'endroit idéal.

— Toujours, acquiesçai-je avec enthousiasme.

— Tu as jamais fait l'école buissonnière ? demanda-t-il après qu'on eut trinqué.

— Une fois, mais j'avais prévenu ma mère qu'elle ne s'inquiète pas au cas où l'école appellerait pour savoir ce qui m'était arrivé.

— Tu devais être un casse-cou, un enfant terrible.

— Ouais. (Je pouffai à cette idée.) Dans ma prochaine vie, je serai une réincarnation de Madonna. Dans celle-ci, j'étais bien sage, une gentille petite fille qui faisait de la danse moderne.

— Et que s'est-il passé ? Pourquoi t'es-tu arrêtée ?

— Quand j'étais en troisième année chez Juilliard, j'ai fait une très mauvaise chute et je me suis bousillé les genoux. On peut danser avec les pieds en sang, mais pas avec de mauvais genoux.

— On ne peut pas faire de basket non plus. Quand ils sont nases, c'est foutu.

— C'est pour ça que tu n'es pas devenu professionnel ?

— Quelle gentillesse !

— Non, je parle sérieusement, ce n'était pas une plaisanterie.

— C'est en cela que c'est gentil. Écoute, Frankie, je regrette de te décevoir, mais je n'étais qu'une vedette de lycée. En moyenne, il doit y avoir deux cent cinquante mille joueurs de mon niveau sur l'ensemble des lycées du pays. Le cinquième continue à jouer à l'université. Sur ces cinquante mille, un sur mille participe chaque année à la loterie de la National Basketball Association. Sur les deux cent cinquante mille cracks des lycées, cinquante bleus sont choisis par une équipe professionnelle. Pas plus. Et sur ceux-là, il y en a bien la moitié dont tu n'entends jamais plus parler et cinq ou six qui démarrent un jour. C'est aussi difficile que ça.

— C'est presque aussi dur que de devenir top model.

— Je n'ai jamais vu les choses ainsi.

— Tu les en respectes plus ?

— Sans doute le devrais-je, dit-il, songeur. Malgré tout, le talent d'un grand athlète me paraît... plus significatif... que d'avoir une belle gueule devant un appareil.

— Je ne parle pas de ça, pense à la détermination qu'il faut pour y arriver.

— Tu as probablement raison. Mais je n'ai pas l'impression que les mannequins fassent un travail utile.

— Mike, ce n'est pas juste ! Les top models se battent dans un monde très compétitif où ils sont, je l'avoue, hyper gâtés, surévalués et surpayés. En attendant, ils contribuent de façon essentielle au développement d'une énorme industrie qu'ils transforment en un spectacle trépidant, formidable, un vrai feu d'artifice. Et quand leur carrière est finie, ce qui arrive affreusement vite, il ne leur reste que leur album s'ils n'ont pas eu la sagesse d'investir leur argent. A l'égal des joueurs de basket. Pense à Claudia Schiffer comme à l'équivalent féminin de Shaquille O'Neal.

— Fichtre ! Je suis content que Bill Bradley ait réussi dans la politique.

— Moi aussi.

— Tu veux du fromage ou un dessert ?

— Rien, merci. J'aimerais me balader encore un peu jusqu'au coucher du soleil.

Pour se balader, on se balada. Le long de la Seine qui, avec ses dizaines de ponts, sera toujours le plus bel endroit de cette ville aux charmes innombrables. Quand on avait vaguement envie de s'aventurer dans l'une des ruelles, exerçant cette fascination sur les touristes aussi bien que sur les gens qui vivent à Paris, la Seine nous attirait toujours.

On ne s'offrit rien que deux cafés, on ne visita pas un seul monument, on n'entra pas dans une seule galerie, on ne feuilleta pas davantage les ouvrages des bouquinistes, on ne regarda pas les vitrines d'un seul magasin si ce n'est celle d'un marchand de graines pour les oiseaux, on dit beaucoup de bêtises et quelques choses un peu plus sensées et, à la fin de l'après-midi, quand le soleil se coucha, j'eus l'impression qu'on était presque devenus amis.

— Il commence à faire froid, dit Mike. Prenons un taxi et rentrons prendre un verre à l'hôtel. Peut-être y trouveras-tu un message du bureau des personnes portées disparues.

— L'école buissonnière est finie, soupirai-je. Ça a été une merveilleuse journée.

— Exceptionnelle, acquiesça-t-il.

Il me sembla qu'il soupira, lui aussi. Peut-être me trompai-je, ce qui m'étonnerait fort.

Quand on entra par le tambour au somptueux Relais Plaza à la clientèle élégante, Tinker, April, Jordan et Maude étaient à une table près du bar.

— Ah, vous voilà ! s'exclama April d'un ton accusateur.

— Il était temps ! lança Maude à Mike.

— Où étiez-vous passés tous les deux? s'enquit Jordan d'un air indigné.

Tinker eut le bon sens de clamer :

— Fabuleux tes cheveux, Frankie !

Je me tournai vers Mike qui croisa mon regard.

— On est allés au Louvre, évidemment, affirma-t-il.

— Et je n'ai vu aucune de vous là-bas, ajoutai-je sévèrement.

Oui, je crois pouvoir dire qu'on était devenus amis.

14

S'arrêtant dans le couloir devant la porte close de Loring Model Management, Justine prit une profonde inspiration et prêta l'oreille. Elle perçut la présence d'une nuée de mannequins : un babillage haut perché, ponctué de cris vaguement scandalisés et de rires espiègles. Elle ne pouvait se montrer dans cet état, songea-t-elle, soudain prise de panique. Elle plongea la main dans sa poche à la recherche de son vieux bonnet de laine. Bien qu'il fît chaud dans le hall, elle se l'enfonça presque jusqu'aux yeux. Puis, leva le col de son manteau blanc et s'enroula une écharpe assortie autour du visage d'où ne dépassait que le bout de son nez. Ainsi attifée, elle se glissa à la réception et rasa les meubles jusqu'à son bureau où elle se réfugia prestement. Une fois en sécurité, elle ferma la porte à clé et poussa un soupir de soulagement.

Elle savait quelle tête elle avait : les lèvres gonflées, les joues et le menton échauffés par le frottement de la barbe, les yeux languissants, soulignés de cernes à cause du manque de sommeil, les cheveux emmêlés qu'elle avait juste essuyés avec une serviette car Aiden n'avait pas de séchoir. Elle avait l'air crevé, complètement crevé, des pieds à la tête et sous toutes les coutures. Mais elle se sentait nettement mieux qu'elle ne le laissait paraître. Ils n'avaient pas cherché à voir le match des Knicks, jamais changé les draps, encore moins fait le lit, pratiquement rien mangé et les douches qu'ils avaient fini par prendre ensemble en entrant dans la cabine d'un pas vacillant la rebutaient car l'odeur d'Aiden se dissipait sous le savon.

Arrête-moi ça tout de suite ! s'intima Justine tout en essayant de réparer les dégâts avec la trousse de maquillage rangée dans le tiroir de son bureau. Peine perdue. Elle prit l'une des bouteilles de champagne, toujours au frais pour fêter les grands événements, qu'elle passa sur ses joues enflammées, sachant que seule une bonne nuit de sommeil dans son lit pourrait arranger un peu les choses. Elle n'en avait aucune envie. Arrête ton cirque !

Justine appela sa secrétaire par l'interphone.

— Bonjour, Ellen.

— Oh, je ne vous ai pas vue entrer, Justine ! J'arrive tout de suite.

— Non, restez à votre poste et montez la garde. Passez-moi juste les fax de Frankie sous la porte.

— Il n'y en a pas, Justine. Je viens juste de vérifier.

— C'est impossible !

— Moi non plus, je ne comprends pas. Ça fait presque quatre jours qu'elles sont parties. J'ai appelé la société de téléphone pour voir s'il y avait des problèmes sur la ligne entre Paris et ici, mais tout est normal. Voulez-vous que je l'appelle à l'hôtel ?

— Non, pas pour le moment. Je vous le dirai. D'autres nouvelles ?

— Dart Benedict a rappelé pour fixer un déjeuner avec vous.

— Laissez tomber. Écoutez, Ellen, à moins d'une urgence, prenez les messages pour moi. J'ai beaucoup de travail en retard et je vais en profiter pour me remettre à jour dans la mesure où on n'est pas encore bousculé.

Sans parler de sa tête, comment pouvait-elle justifier sa tenue devant Ellen ? Elle n'avait pas l'habitude de se présenter à l'agence dans un caleçon rose et un pull à l'effigie des Giants. Il faudrait qu'elle fasse un saut chez elle à l'heure du déjeuner pour se changer.

— Très bien, Justine.

La ville émergeait peu à peu du blizzard, mais la majeure partie des petites rues restait impraticable. Les bruyants bavardages derrière la porte prouvaient que les mannequins, qui n'avaient pas été payés vendredi, étaient quand même venus chercher leur chèque. Munis de leur carnet de bons indiquant le nombre d'heures effectuées, ainsi que le tarif et le nom de l'employeur, ils avaient assiégé le bureau de la comptabilité. D'habitude, ce rite hebdomadaire se déroulait le vendredi en fin de journée. La semaine dernière, la plupart des filles étaient rentrées directement chez elles à cause de la tempête. Et, dans la mesure où les studios photo se remettaient tout juste en route, elles avaient congé aujourd'hui.

Comme dirait Frankie, quelle galère cette histoire de paiement! Mieux ça marchait — plus les filles travaillaient et plus elles étaient payées —, plus Justine tirait sur son crédit. Un vrai cercle vicieux! Jamais elle ne pouvait dormir sur ses deux oreilles. Elle surveillait son compte en banque avec le même soin qu'un prématuré qui aurait été l'unique héritier du trône. Elle le gardait toujours au chaud, à l'écart de la moindre contagion et l'alimentait en respectant scrupuleusement les délais. Comme toutes les agences, Loring Management, qui payait ses mannequins chaque semaine, se faisait payer nettement moins vite. Ce qui n'empêche qu'il fallait régler cette énorme somme tous les trois mois. Or, depuis quelque temps, les clients retardaient leurs paiements comme jamais depuis ses débuts. C'était préoccupant. Elle verrait ça demain.

D'un autre côté, se dit Justine en approchant de la fenêtre, c'était bon signe que les filles soient arrivées jusqu'ici malgré les congères, tels des chiens de traîneau en route vers le Pôle. Cela prouvait qu'elles étaient en bonne santé physique et mentale. Quand un mannequin ne venait pas se faire payer, là, il fallait s'inquiéter sérieusement.

Pour certaines, qui commençaient à poser problème ou en étaient déjà un, le jour de paie était le seul point de repère au milieu de la confusion que représentait la semaine : un grisant tourbillon de travail, d'attentions, de flatteries, de vêtements gratuits, de fêtes, de potins, de sexe et de drogue. Les excès de boissons remplaçant la drogue quand la fille avait un brin de jugeote. Oublier le jour de paie, c'était comme de tirer le signal d'alarme. Un présage nettement plus dangereux que la gueule de bois à répétition, les kilos en trop, un refus inexplicable de se rendre dans un studio, une prise de vue annulée à la dernière minute, une crise de larmes sur le plateau, ou même un œil au beurre noir ou une dent en moins. Oublier le jour de paie signifiait généralement que la fille prenait de la cocaïne ou, depuis un an, de l'héroïne.

Elle ne pouvait pas y faire grand-chose, s'avoua Justine avec un sentiment de rage et de frustration qui ne s'apaisait jamais. Aucun sermon au monde, aucun exemple, le plus sordide fût-il, ne pouvait empêcher une fille de choisir un petit ami sadique ni de se droguer, si c'était là son destin. En 1994, même s'ils étaient au lycée ou à la fac, tous les ados risquaient de s'y laisser prendre jusqu'à un certain point.

Pourquoi Justine avait-elle des pensées si sombres ce matin alors qu'elle venait de vivre le plus beau week-end de sa vie ? Peut-être la déception succédait-elle à un trop grand bonheur, peut-être était-elle victime d'une espèce de vengeance hormonale ? Toujours est-il que, de retour dans sa tanière, elle s'était mise à broyer du noir au lieu de profiter de ses souvenirs. Justine s'interrogea sur son humeur. Elle avait l'impression que quelque chose lui manquait terriblement, une chose indéfinie mais liée à Frankie. De la colère plus que de l'inquiétude. Était-ce dû à son silence inexplicable ou tout simplement à son absence ? L'ambiance semblait curieuse sans sa gaieté débordante. Frankie faisait preuve d'un bel optimisme sur ce métier. Contre toute évidence, elle considérait encore chaque nouvelle comme un défi plein de potentialités, un conte de fées qui ne demandait qu'à devenir réalité, une occasion en or pour la fille qui ne s'y attendait pas. La différence, c'est que Frankie n'était dans le métier que depuis sept ans alors que Justine, entre ses huit années comme mannequin et neuf à la tête de Loring Management, en comptait dix-sept. Frankie n'avait pas vu autant de filles se détruire.

Justine était-elle usée ? Pourquoi son cœur se serrait-il à chaque fois qu'elle songeait à l'avenir des jeunes filles qu'elle engageait ? Était-ce par lassitude qu'elle ne pouvait pratiquement plus lire les pages beauté des magazines de mode, sujets à des revirements exaspérants : une saison, ils prônaient la vamp aux lèvres pâles et aux grands yeux, la saison suivante, l'Allemande blonde costaud. Sitôt après, la brune fatale, bientôt éclipsée par l'Américaine type aux taches de rousseur. Jusqu'au jour où les rédacteurs, qui tentaient désespérément de capter l'attention des lectrices, ne juraient plus que par la vamp aux lèvres rouges, avec des cheveux abîmés et des yeux qui en avaient trop vu ?

Quelle femme normalement constituée voudrait-elle dépenser de l'argent tous les mois pour qu'on lui jetât à la gueule qu'elle n'arrivait pas à la cheville d'un idéal ridicule, impossible et fabriqué qui changeait sans arrêt ? Quel genre de folie collective permettait-il aux rédacteurs d'écrire impunément de telles conneries pour faire vendre des vêtements et des produits de beauté ? De plus, le phénomène ne se limitait pas aux États-Unis. Les Français, soi-disant raisonnables, ne publiaient pas moins de trente magazines de mode.

Ne serait-ce pas merveilleux de tout envoyer valser ? Ne serait-ce pas divin d'arrêter sur-le-champ de juger les chances d'un jeune espoir, de flanquer tous ces fichus magazines à la corbeille, sans même jeter un coup d'œil sur la couverture par crainte de se laisser tenter malgré soi, de plier bagage et de partir s'installer en Nouvelle-Zélande, endroit où l'on pouvait apparemment se plonger dans un passé plus judicieux et plus serein, une version améliorée de l'ambiance des années 50? Justine n'achèterait plus jamais de vêtements. Elle en avait assez pour une vie entière à Auckland. Pour tout maquillage, elle mettrait juste de la crème solaire et du brillant à lèvres. Elle ne regarderait même plus Elsa Klensch sur CNN, se promit-elle. Elle vendrait l'agence, déposerait l'argent là-bas dans une bonne banque à l'ancienne et se retirerait à la campagne où elle... où elle... élèverait des moutons...

Justine se jeta sur le canapé, repoussant l'idée de son rêve absurde. Elle avait assisté à la tonte des moutons une fois dans un film, ils ressemblaient aussi peu à des moutons qu'à l'idée bucolique qu'elle s'en faisait. Vraiment, elle était bizarre. Ce qui n'empêche que son avenir était ailleurs.

Était-ce à cause d'Aiden? Parce que le monde entier s'était limité pendant près de quatre jours à un homme et un chat dans un cadre isolé de calme et de découverte passionnée? Ce matin, elle ne parvenait pas à quitter l'appartement. Aiden avait dû la sortir du lit... tout ça pour aller ajuster sa chaudière. Comme si ça ne pouvait attendre! Aiden... Justine sentait qu'elle s'accrochait à ce week-end pour tenter d'y trouver une explication, alors que ses préoccupations étaient ailleurs. Quel que soit le rôle qu'Aiden jouerait dans sa vie, qu'il y jouait déjà, question qu'elle n'avait aucune intention d'affronter, ce n'était pas le genre de problème qui la pousserait à acheter un billet pour Auckland.

Son humeur était-elle liée à ce type de travail? Ces quelques jours, qui l'avaient éloignée de ses soucis quotidiens, éclairaient-ils d'une lumière différente le côté maquereau qui, selon certains, résumait ce métier? Elle pensait parfois qu'on sous-estimait son rôle, alors qu'elle représentait et protégeait le talent, qu'elle dirigeait la carrière des filles pour leur permettre de la gérer. Ce sous-entendu était toujours présent : « Oui, mais qu'y a-t-il d'autre à faire pour réussir? »

Toujours agacée à cette pensée, Justine se pinça les lèvres. Elle menait son agence avec le maximum d'ordre et de droiture dont on pouvait faire preuve dans un métier fondé sur l'idée de vendre des femmes. Du moins en était-elle une aussi. Avec elle, les chances d'une fille ne dépendaient pas du droit de cuissage. Presque tous les abus perpétrés dans ce métier étaient dus à des hommes se trouvant à la tête d'une agence. Un homme ne devrait pas avoir le droit d'exercer un tel pouvoir sur des femmes.

Oui, il devrait y avoir une loi là-dessus... mais comment une loi pouvait-elle interdire à de jolies filles de vendre leur image? Interdire l'emploi de ces images pour pousser les clients à acheter les produits? Imaginez des pages et des pages de publicités sans photo... ni même d'illustrations signées d'un Charles Dana Gibson d'aujourd'hui. La vie de ce pays s'arrêterait peu à peu. Du moins, le monde de la publicité, de la presse féminine, de la mode et des cosmétiques fermerait-il ses portes faute de marché.

Non, elle avait pris la décision de faire ce métier, elle devait s'y tenir et diriger son agence le mieux et le plus honnêtement possible. C'était la seule solution. A l'heure actuelle, personne n'avait plus le genre de scrupules qui empêchait autrefois les top models de présenter de la lingerie. Elle pouvait juste établir des règles que les filles enfreindraient et contrôler les abus évidents d'un système où des mannequins en vogue posaient fièrement dans le plus simple appareil du moment qu'on les payait bien et que le photographe était un professionnel, ou leur petit ami.

Brusquement, Justine appela sa secrétaire par l'interphone.

— Ellen, vous êtes sûre que Frankie n'a pas envoyé de fax?

— Pas encore. Je viens de vérifier.

— Merci. Tenez-moi au courant.

— Vous reprenez les appels? Dart Benedict a téléphoné.

— Non, je vous le dirai.

C'est le moyen que vous avez choisi pour me rendre la monnaie de ma pièce, Miss Severino? C'est là votre conception de la vengeance? Ma punition sous prétexte que je ne suis pas allée à Paris? Pas un fax depuis votre arrivée! Ce n'est pas parce que je suis restée ici que cela excuse votre silence. Surtout avec tout l'argent que j'ai dépensé pour vous offrir du Donna Karan, espèce d'ingrate, sale arrogante, grosse vache mal habillée!

Tandis que Justine faisait les cent pas autour de son bureau, la colère l'emporta sur la déprime. Frankie ne comprenait-elle pas qu'elle voulait savoir ce qui se passait? Comment pouvait-on manquer d'égards à ce point? Merde, elle avait trois filles lâchées dans Paris! Comment s'en tiraient-elles? Avaient-elles rencontré l'un de ces types infâmes qui rôdent dès qu'un mannequin traîne dans les parages? Quel accueil leur avait réservé Lombardi ? Étaient-elles bien installées ? A cette heure, elle aurait dû avoir des nouvelles. Un signe. Leur avion avait-il disparu dans le Triangle des Bermudes ?

Furieuse, Justine griffonna quelques mots sur un bloc.

Que se passe-t-il ? Comment va tout le monde ? Où es-tu ? Que fais-tu ? Réponds-moi par retour.
Justine.

— Ellen, venez chercher ce fax pour Frankie, s'il vous plaît.

La secrétaire de Justine prit le feuillet jaune.

— Je vais le taper.

— Inutile, envoyez-le tel que.

Elle savait pertinemment ce que mijotait cette salope, se dit Justine en arpentant la pièce comme une furie. Sous prétexte qu'elle ne lui avait pas expliqué en détail les rapports qui la liaient à Necker, Frankie essayait de la coincer en la laissant dans le brouillard, en cachant son jeu, en la poussant à avouer qu'elle était malgré tout un peu curieuse... quelle heure était-il à Paris ? Il devait faire nuit, mais ce n'était pas encore l'heure de dîner... elles étaient sûrement à l'hôtel... elle allait décrocher le téléphone... Justine se perdit dans la diatribe dans laquelle elle allait se lancer si elle parlait à Frankie au lieu de se planquer derrière un fax, ce qui permet d'être rapide tout en gardant ses sentiments pour soi.

Ellen revint.

— Elle a dû l'envoyer à peine a-t-elle reçu le vôtre. Il est arrivé aussitôt après.

On vient de m'apporter ton éloquent message. Je croyais que tu t'amusais tant chez tes « amis » que tu nous avais oubliées. Puisque tu le demandes, sache que tout le monde va bien, l'hôtel est parfait, les filles contentes et très occupées, et qu'apparemment aucun problème majeur n'a encore pris des proportions inquiétantes. Pour répondre à ta question concernant mes activités, je te précise que je suis dans ma suite en train de me faire un henné. J'en ai pour une heure ou deux. Tu peux m'appeler si tu veux d'autres détails.
Frankie.

C'était intolérable ! Frankie savait parfaitement ce qu'elle faisait. « Apparemment aucun problème majeur n'a encore pris des proportions inquiétantes » ! Ce qui signifiait en d'autres termes qu'ils menaçaient ! Justine froissa la feuille qu'elle jeta contre la porte. C'était inévitable. Quand on envoyait trois débutantes à Paris, on ne pouvait avoir que des problèmes. Cela tenait au lieu. Dans n'importe quel quartier de Paris, tout particulièrement celui-ci.

Mais pourquoi Frankie n'avait-elle rien dit de Necker ? Elle savait foutrement bien que Justine tenait plus que tout à être informée sur ce point non spécifié dont on ne pouvait faire mention quoiqu'il fût de loin le plus important. Elle n'était pas si bête ! Se refuser à céder à ses pressions, se montrer assez maligne pour trouver le moyen de le tenir à distance ne signifiait pas pour autant qu'elle ne voulait pas savoir... comment il avait réagi en voyant qu'elle n'était pas venue par exemple, quelle impression il lui avait faite, de quoi ils avaient parlé... toutes ces petites choses-là, choses qui seraient... fort intéressantes à apprendre, détails que Frankie, jouissant de son pouvoir et se drapant dans sa vertu, faisait exprès de laisser de côté.

Non, elle n'appellerait pas Frankie. Il était important de garder sa dignité. Pourtant, ne devait-on pas savoir parfois passer au-delà quand on était amies ? se demanda Justine, désespérée. Elle se sentait encore plus mal maintenant qu'elle avait compris la raison de la morosité qui l'avait minée toute la matinée. Elle qui croyait se désintéresser de Necker au point de se ficher de l'opinion de Frankie à son sujet. Bravo pour le pouvoir apaisant de l'auto-analyse !

Deux heures plus tard, alors que la plupart des employés étaient partis déjeuner, Justine quitta Loring Management aussi subrepticement qu'elle y était entrée. Un taxi la déposa au bout de sa rue, puis elle se fraya un chemin jusque chez elle entre les congères qui lui arrivaient à la taille. Il faisait toujours aussi froid dans la maison, se dit-elle à peine arrivée. Mais des bruits encourageants venaient du sous-sol.

— *Mademoiselle** Loring ?

— Oui ?

Justine observa avec surprise un homme dans un uniforme sombre à l'air vaguement officiel qui attendait dans le vestibule. Il lui présenta plusieurs feuilles de papier sur une tablette.

— *Madame**, si vous voulez bien signer chaque feuille

pour prouver que la caisse est bien arrivée, demanda-t-il poliment.

— De quoi s'agit-il? s'enquit Justine, troublée, en cherchant Aiden des yeux.

Montrant une grande caisse devant la porte, l'homme répondit avec un sourire :

— Une livraison de chez Kraemer.

— Je n'ai rien commandé chez eux, je ne les connais même pas, répliqua Justine avec impatience. Emmenez-moi ça... allons, emmenez-moi ça.

— C'est impossible, *Madame**. J'ai reçu l'ordre de le livrer à *Mademoiselle** Loring en personne.

— Oh, je vous en prie, je n'ai pas de temps à perdre à discuter... bon, laissez-le où vous le voulez...

Justine dit cela d'un ton distrait tout en tendant l'oreille vers le sous-sol, espérant reconnaître la voix d'Aiden. Elle feuilleta les papiers qu'elle signa d'un gribouillis et fit signe à l'homme de se retirer. Elle ne jeta pas un œil sur la caisse. Ce devait être un tour de Frankie. Avec un peu de chance, elle devait renfermer son innommable garde-robe qu'elle pourrait donner à l'Armée du Salut à condition qu'ils ne soient pas trop regardants. Justine se dirigea aussitôt vers l'escalier qui menait au sous-sol .

— Aiden est en bas? hurla-t-elle.

— Il est au deuxième, répondit quelqu'un.

Elle monta les marches à la volée, puis s'arrêta brusquement lorsqu'elle entendit Aiden fredonner un air en tapant sur un tuyau dans la salle de bains. Elle ne savait que lui dire, songea Justine, soudain prise de timidité. Entre le moment où elle s'était réveillée dans son lit ce matin et maintenant, elle avait l'impression qu'il s'était écoulé une éternité avec la matinée qu'elle avait eue au bureau. Elle se détourna, entra dans sa chambre, s'assit à sa coiffeuse et retira son bonnet. Puis elle prit une brosse et, son cœur battant la chamade, s'attaqua à ses cheveux emmêlés sans oser se regarder dans la glace. Le fredonnement s'arrêta et elle entendit des pas approcher dans son dos. D'un air résolu, elle poursuivit sa tâche.

Lui prenant la brosse des mains, Aiden dégagea son visage et lança :

— Quel embrouillamini! Sans doute vaut-il mieux tout couper. Très court, comme un petit garçon. C'est de ma faute, quelle erreur de ne pas avoir de séchoir. Je vais te les couper pour me faire pardonner. Je suis assez habile et je ne te demanderai pas un sou de plus.

— Espèce d'imbécile !

Elle se renversa contre lui en riant.

— Ça risque de te faire mal si je t'embrasse ? Tes lèvres ont l'air un peu... meurtri. Tu m'as tant manqué, j'ai pensé à toi toute la matinée. Je voudrais juste te montrer que je peux embrasser tout doucement...

— Je ne sais pas, murmura Justine. Tout me fait mal, même de marcher...

— Il n'y a qu'un remède contre ce genre de choses, affirma-t-il. Remettre cela.

Il la prit dans ses bras et la porta jusqu'à son lit tout en passant délicatement la langue sur ses lèvres.

— Aiden ! s'exclama Justine en se débattant. Aiden, je t'en prie...

— Oui, ma chérie ?

— Ferme la porte à clé !

— C'est fait. Dois-je en conclure que tu te sens un peu mieux ? dit-il tout sourire.

Déjà, il lui enlevait son manteau et la glissait sous les couvertures. Il faisait glacial dans la pièce.

— Si tu me taquines, je vais... le menaça-t-elle en ouvrant les bras.

— Ce n'est pas mon genre, je suis pas taquin, ma chérie. Je ne voulais pas m'imposer, c'est tout. Voyons... qu'est-ce que tu préfères ? Un petit câlin en douceur... un tout petit câlin très en douceur... ou aurais-tu par hasard envie d'un coup vite fait sur le gaz ? demanda-t-il avec prévenance en relevant son pull pour découvrir ses seins. Ou bien préfères-tu jouer à pile ou face ? poursuivit-il.

Il lui retira ses bottes fourrées et son caleçon rose, puis commença à se déshabiller, apparemment indifférent au froid.

— Oh... oh...

C'était impossible après le week-end qu'elle avait passé. Pourtant, elle avait envie d'un coup vite fait sur le gaz, elle en crevait d'envie. Assez de bavardage. Sinon, il allait la faire jouir rien que d'en parler.

Aiden se nicha à côté d'elle, son grand corps la réchauffant, et l'observa d'un air interrogateur.

— J'ai une meilleure idée, dit-il. Je vais juste te caresser tout doucement, ça me donnera une vue plus précise de ce que tu veux, hummm ?

La bouche sèche, Justine hocha la tête. Elle sentit sur elle sa main possessive, puis son doigt la caresser avec la plus grande précaution jusqu'à se glisser en elle presque malgré lui. Soudain, elle serra les cuisses pour l'empêcher de bouger et, avec la violence de l'assouvissement total, se frotta avidement contre son doigt calleux. Presque aussitôt, elle hurla de plaisir.

Une fois qu'elle se fût reprise, tandis qu'elle gisait dans ses bras, encore haletante, il déclara :

— Très instructif.

— Ça ne m'est jamais arrivé ! s'exclama Justine, gênée.

— Il y a un début à tout.

Justine réfléchit.

— Tout est de ta faute, marmonna-t-elle, encore confuse.

— Je l'espère bien, ma chérie, répliqua-t-il, souriant de la voir rougir. Comme ça, tu es réchauffée maintenant, ajouta-t-il en guidant sa main vers son sexe.

— Mon Dieu, souffla-t-elle, je ne me rappelais rien de toi. Tu ne peux pas te balader dans cet état.

— Ni travailler, acquiesça-t-il.

— Ce petit câlin dont tu parlais ? Il serait vraiment... si doux que ça ?

— Tu ne sentiras pratiquement rien, lui assura Aiden. Et je m'arrêterai si ça te fait mal, je te le promets.

— Comment refuser une proposition pareille ? murmura Justine en écartant les jambes.

Elle avait encore envie de lui. Très envie. Terriblement envie. Sentir son sexe brûlant dans sa main avait suffi.

— J'ai dormi ? lança Justine, ahurie.

Aiden lui fit un baiser sur l'oreille. Nichée au creux de son épaule, elle redressa la tête et ouvrit les yeux. Elle ne savait pas quelle heure il pouvait bien être, ni quel jour on était.

— Quelques instants. Tu dormais si profondément que je ne voulais pas te réveiller, mais il faut que je retourne travailler et je suis du mauvais côté du lit.

— Moi aussi, mon Dieu ! Je ne suis rentrée que pour me changer.

Juste vêtue de son pull-over à l'effigie des Giants, Justine se leva d'un bond en s'écriant :

— Oh, Aiden !

Puis elle se regarda dans la glace de la coiffeuse en se lamentant :

— Oh, Aiden ! Qu'est-ce que tu m'as fait ?

— Quelle tristesse d'oublier si vite les beaux efforts d'un homme.

— Imbécile ! Tu n'as pas vu la tête que j'ai ? Je ne sais pas par quel bout commencer, ajouta Justine devant ce visage inconnu qui irradiait.

— Ne touche à rien, chérie. Si on te fait une réflexion, dis que tu es allée te faire faire un nettoyage de peau à l'heure du déjeuner et que l'esthéticienne y est allée un peu fort.

En proie à une jalousie dévorante qu'aucun homme n'avait jamais suscitée chez elle, Justine répliqua :

— Quel sens de la repartie ! Tu es sans doute un habitué de ce genre de conseils ?

— Non, c'est une première.

Il la prit dans ses bras et la serra contre lui.

— Je ne fais pas l'amour avec mes clientes... par principe. Et je ne m'occupe pas non plus de leur plomberie. J'engage des plombiers pour ça. J'ai fait une exception aujourd'hui. C'est clair ?

— Oui, acquiesça-t-elle d'une petite voix peu convaincue.

— Tu as l'air soupçonneux. Tu n'as aucune raison de l'être.

— Qu'est-ce que j'en sais ?

— Pour l'instant, il n'y a pas moyen. Mais tu le comprendras avec le temps... au fil des jours, des semaines, des mois.

Gênée, Justine se dégagea de son étreinte, puis elle s'assit à sa coiffeuse où elle prit sa crème de jour et son brillant à lèvres. La jalousie était un sentiment qu'elle méprisait et voilà qu'elle s'y était laissé prendre.

— Ce courrier t'a fait signer des papiers ? demanda Aiden en s'habillant.

— Quel courrier ?

— Le type que j'ai fait entrer. Manifestement, ça ne risquait rien. Il avait l'intention de t'attendre dehors, toute la journée s'il le fallait. J'ai eu pitié de lui. Il m'a dit qu'il voulait te livrer ce paquet depuis plusieurs jours mais que le blizzard l'empêchait d'atterrir à New York. Il était bloqué à terre.

— D'atterrir ? D'où venait-il ?

— De Paris. Je pensais que tu attendais quelque chose.

— Toute cette histoire est un mystère, avoua Justine avec indifférence.

Pendant ce temps, elle se noircissait les sourcils d'une main experte.

— Tu n'es pas curieuse de voir ce que c'est ? Un mystère dans une grande caisse remise en mains propres ?

— Si, marmonna-t-elle d'un ton distrait tout en cherchant son mascara.

— Tu n'arriveras pas à l'ouvrir toute seule. Je vais m'en occuper. Ensuite, tu pourras retourner au bureau s'il le faut. Tu n'as pas remarqué que ça se réchauffait ici ?

Justine reposa brusquement son mascara.

— Oui, Aiden, c'est vrai ! Quelle merveille !

— La nouvelle chaudière marche, déclara-t-il avec soulagement. Tu ne trouves pas qu'on devrait fêter ça en s'offrant une demi-journée de vacances ?

— On en sort, protesta Justine.

— Non, ça, c'était un cas de force majeure. Ce qui n'a rien à voir.

— Tu crois que je réussirai à avoir le dessus avec toi un jour ?

— Une fois par an. Bon alors, qu'est-ce que tu veux faire : te peinturlurer les cils ou voir ce qu'il y a dans cette caisse ?

— Tu ne veux pas l'ouvrir pendant que je finis de me maquiller ? J'en ai pour une minute.

— D'accord.

« Une fois par an », songea Justine. Il avait dit cela avec un tel naturel, une telle conviction. Une semaine plus tôt, elle ne le connaissait pas. Pas plus qu'elle ne se connaissait.

Peu après, vêtue d'un pantalon de laine gris anthracite et d'un pull-over assorti, Justine regardait Aiden finir d'ouvrir la caisse.

— Je ne sais ce que c'est, mais c'est drôlement bien emballé, observa-t-il. Je n'ai jamais vu ça. Donne-moi un coup de main, chérie.

Ils extirpèrent soigneusement le *bonheur du jour** de l'emballage qui le protégeait, puis Aiden le posa délicatement sur le tapis du vestibule. Tous deux restèrent muets devant le petit secrétaire dont la richesse et l'élégance en disaient plus long sur sa provenance que ne l'aurait fait un conservateur de musée.

— La vache, incroyable ce truc ! s'exclama enfin Aiden.

— J'ai peur d'y toucher, murmura Justine. Il doit y avoir une erreur. Ça ne peut pas être pour moi.

— J'ai vu l'ordre de livraison, il était explicite. Je voulais le signer, mais le type m'a dit que seule *Madame** Loring pouvait s'en charger. Regarde-moi ces pieds... du sycomore d'une beauté ! Et le travail d'ébénisterie est l'œuvre d'un génie.

Émerveillé, Aiden observa de près la marqueterie et la porcelaine incrustée.

— Quel art ! C'est une véritable pièce de musée.

— Tout a l'air minable à côté, constata Justine d'un ton détaché.

Tel un pur-sang se retrouvant dans une écurie de louage, l'extraordinaire secrétaire lui semblait se dresser avec dédain de ses hauts pieds minces rehaussés de similor sur son vieux tapis en lambeaux aux teintes fanées acheté à une braderie.

— Tu vas sûrement y penser à deux fois avant de t'en servir, renchérit Aiden. Il est en parfait état... ça va te changer. C'est ton anniversaire ou quoi ?

— Non.

— Tu n'ouvres pas les tiroirs ?... il doit y avoir une carte dedans.

Justine était paralysée. Seul Necker avait pu lui envoyer un jouet inutile d'un tel prix.

S'efforçant de garder un ton neutre, Aiden ajouta :

— Ou sais-tu de qui ça vient ?

— Cette fois, c'est toi qui as l'air soupçonneux, riposta Justine.

— C'est le genre de meuble français dit « inestimable ». Crois-en mon cours aux arts déco... cependant, tout a un prix, cette merveille aussi. Suivant sa provenance, ça peut se compter en millions.

— Ne sois pas ridicule !

Inquiète et troublée, Justine ouvrit chacun des trois tiroirs carrés, tous de la même taille, qui composaient le haut du *bonheur du jour**. Elle n'y découvrit que des compartiments qui les séparaient avec habileté. Sous le rabattant se trouvaient trois autres tiroirs. Dans celui du milieu, surélevé afin de laisser de la place pour les jambes, elle trouva une enveloppe blanche qu'elle déchira, puis jeta un coup d'œil sur la carte :

« Je compte les heures. J.N. »

Justine la remit à sa place et referma aussitôt le tiroir.

— Écoute, chérie, tu ne me dois aucune explication, dit Aiden en voyant son air buté. On n'est pas des enfants et le passé est le passé. Mais s'il y a un homme qui compte dans ta vie — car manifestement, toi tu comptes pour lui —, je tiens à savoir quelles sont tes intentions à son égard. Pour me protéger... bien que ce soit déjà beaucoup trop tard.

— Il n'y a personne dans ma vie, déclara Justine avec colère.

— Si tu le dis, je te crois.

— Tu n'as pas l'air convaincu, l'accusa-t-elle.

— En fait, je ne sais presque rien de toi.

— Je n'en sais pas plus long sur toi, nom de Dieu !

— Personne ne m'envoie de cadeaux hors de prix, ça ne risque pas.

— Aiden, c'est dégueulasse.

— Réaliste, rien de plus.

Elle n'avait pas l'intention de s'expliquer. Justine avait les idées claires malgré sa fureur. Elle ne savait pratiquement rien de lui. Le plaisir, surtout celui qui rend fou au point de se livrer à des extravagances inimaginables, était la dernière des choses à laquelle se fier chez un homme. Pourquoi lui aurait-elle confié son plus grand secret ? S'il voulait croire qu'elle avait un riche amant, libre à lui. Pourquoi n'en aurait-elle pas eu un ? Ou dix ?

— Il faut que je retourne au bureau, annonça-t-elle froidement. J'aimerais que tu mettes ce truc à un endroit où tes ouvriers ne risquent pas de le bousculer.

— On se voit ce soir ?

— Non, je ne pense pas. J'ai besoin d'être un peu seule.

— Très bien. Comme tu le voudras, ajouta-t-il d'un ton distant et blessé. Mais n'oublie pas d'envoyer un mot de remerciement très chaleureux à la personne qui t'a offert ce bijou.

15

Pris de panique et tentant d'y échapper, Marco Lombardi tournait en rond dans son grand atelier. Son anxiété grandissait alors que les jours, qui passaient trop vite, le rapprochaient du moment fatidique. Du temps où il était assistant, il piaffait d'impatience à l'idée que seul le manque de soutien financier l'empêchait de montrer son talent exceptionnel. Aujourd'hui, à un peu plus d'une semaine du triomphe éventuel, tous ses projets semblaient s'effondrer. Il ne pouvait y croire. Il se sentait mal, miné par la crainte de l'échec.

Ce matin même, il avait demandé qu'on lui apportât toute la collection sans se soucier que les finitions, comme toujours dans la haute couture, restaient encore à faire sur la plupart des modèles : les ouvrières n'avaient pas encore livré les broderies de la plus haute importance, les boutons et les fermetures Éclair n'étaient pas encore posés, certains ourlets n'étaient que bâtis. Il avait fait une coupe sombre dans les tailleurs, les robes et les robes du soir, jetant plus de la moitié de la collection par terre. Mieux valait ne rien présenter que de se contenter d'un à peu près, annonça-t-il dans une colère froide au personnel stupéfait. Qu'on lui emmène tout ça et qu'on ne lui montre plus jamais ces chiffons, ordonna-t-il. Récupérant la cause du délit en poussant des petits cris de commisération, les employées décampèrent, bien décidées à tout garder sur des cintres en attendant qu'il se calmât.

Marco fit alors venir son mannequin d'essayage, la formidable Jeanine que Necker avait engagée au prix de grands efforts. Il lui demanda de passer chacune des tenues qui avaient survécu au carnage. Jeanine, une femme quelconque de trente-cinq ans d'un professionnalisme exemplaire et au célèbre corps irréprochable sur lequel le moindre modèle tombait bien, restait d'un flegme impassible tandis qu'il se livrait à un saccage, retirant les manches, coupant les cols et jurant en réépinglant les ourlets du bas. Selon son habitude dans ce genre de moments qui se produisait souvent dans toute maison de couture, elle soupesait les mérites d'une nouvelle recette de cuisine quand elle s'aperçut que Lombardi s'était arrêté.

— Jeanine, cela me faciliterait les choses si tu n'étais pas complètement ailleurs, si tu ne faisais pas cette tête d'enterrement, si tu n'étais pas qu'une pauvre bourgeoise stupide dénuée de talent, si tu pouvais te forcer un tant soit peu à prêter attention à ce qu'on fait.

Elle le regarda en face sans réagir. Elle leva juste imperceptiblement les sourcils d'un air méprisant. Elle défit la fermeture du fourreau en *peau de soie** gris pâle qu'elle plia proprement et le tendit à Marco. On entendait les mouches voler dans le salon d'essayage.

— *Adieu, Monsieur**, dit-elle d'un ton sans appel en enlevant ses chaussures.

Dédaignant le peignoir qui lui était réservé, elle se retira, elle et sa précieuse carcasse, avec son minuscule slip en dentelle pour tout atour.

Elle pouvait trouver un autre emploi sans l'ombre d'un problème, un emploi où ses mesures ne susciteraient que l'admiration, se dit Jeanine en partant. Aucun couturier, même dans ses pires crises de doute et ils en avaient tous, n'avait jamais eu la bêtise de la critiquer, songea-t-elle tout en montant comme une reine l'escalier qui menait au vestiaire où elle laissait ses affaires. Elle ne lui prédisait rien de bon à cet Italien dont le charme indiscutable ne compenserait jamais son sale caractère. Sans compter qu'on n'était pas près de lui pardonner ses ignobles manières d'étranger. D'ailleurs, elle brûlait d'impatience d'en parler à sa meilleure amie, le premier mannequin d'essayage de chez Chanel.

Personne n'osait rompre le silence. Marco jeta la robe dans les bras de l'une des ouvrières.

— Vous n'avez rien d'autre à faire que de rester plantées là comme des imbéciles ? lança-t-il, furieux. Emmenez-moi tout ça et remettez-vous au travail. Dehors, tout le monde, on n'est pas au cirque ici ! *Madame** Elsa, trouvez-moi un autre mannequin d'essayage. Et pas une vache décrépite cette fois !

En début d'après-midi, *Madame** Elsa n'avait toujours pas trouvé une fille correcte à la dernière minute en ces jours frénétiques dans le monde de la haute couture. Trop énervé pour se mettre à sa table de dessin, bien que beaucoup plus humilié à l'idée d'avoir perdu son sang-froid devant ses employées que par la défection de Jeanine, Marco se trouva réduit à attendre Tinker Osborn.

Elle avait l'incroyable effronterie d'avoir trois minutes de retard ! se dit-il, fou de rage. Il avait promis, dans un moment de faiblesse, de lui apprendre à marcher. Et au lieu de l'attendre sagement au retour de son déjeuner pris avec un lance-pierre, elle n'était pas là. Son courroux se décupla quand il jeta un coup d'œil dans la rue Clément-Marot. Il remarqua soudain le nuage corail de ses cheveux, on ne pouvait s'y tromper. Elle était sur le trottoir, juste sous ses fenêtres, disparaissant entre les bras d'un jeune homme. Le quidam était si baraqué qu'il la cachait de son imposante stature quand ils couraient dans la rue.

Tinker s'arracha à l'étreinte de Tom, puis monta timidement l'escalier qui menait à la pièce où se trouvait Lombardi, lui avait-on dit. C'était celle, nota-t-elle avec appréhension, où elle s'était couverte de honte. Elle frappa à la porte et, quand il lui cria d'entrer, s'exécuta.

Sans lever les yeux de la table où il examinait des métrages de tissu, il lança :

— Tu es en retard.

— Je suis navrée... j'ai couru... mais on... je n'arrivais pas à trouver un taxi.

— Si tu es au Plaza, c'est que l'hôtel est au coin de la rue, répliqua-t-il d'un ton glacial. Tu es à ma disposition, l'aurais-tu déjà oublié ?

— Non, non, pas du tout... mais j'ai déjeuné avec un ami et le serveur a tardé à apporter l'addition..., bredouilla-t-elle.

— Celui que j'ai vu de la fenêtre ? N'imagine pas que je vais gober cette histoire. Les filles comme toi sont la risée de toutes les collections... à peine débarquent-elles à Paris que les voilà comme des chiennes en chaleur, prêtes à écarter les jambes pour le premier butor venu. J'espère que tu as pris un bon bain avant de venir.

— Ce n'est pas... vous vous trompez...

— Tu parles ! Épargne ta salive. Je connais le baratin : c'est ton frère, ton cousin, ton oncle que tu n'avais pas vu depuis longtemps... Vous autres, vous avez aussi peu de pudeur que d'imagination, vous ne racontez que des mensonges. Ce n'est qu'une bite, une bite avec un type au bout, rien de plus. Déshabille-toi.

— Comment ?

— Déshabille-toi. J'ai besoin d'un mannequin d'essayage.

— Mais... vous aviez dit... que vous alliez m'apprendre à marcher.

— Pure folie de ma part, je n'aurais jamais dû accepter. Dans l'immédiat, il me faut un mannequin d'essayage. N'enlève pas ton soutien-gorge cette fois-ci, on n'est pas dans un strip-tease de Pigalle ici. Déshabille-toi ou prends le premier avion pour New York. Pour moi, c'est du pareil au même. Telle que, tu n'es bonne à rien.

C'était de la faute de Necker s'il se retrouvait coincé avec cette fille. Necker qui lui avait collé ce bonnet de nuit de Jeanine, Necker qui n'avait pas arrêté de lui imposer des conditions entravant sa créativité, Necker à qui il devait cette imbécile sans piment ni cervelle débitant des excuses ridicules de cette voix si bêtement américaine. Mais pourquoi tout le monde lui mettait-il des bâtons dans les roues ?

— Allez, bouge-toi ! Pose tes affaires n'importe où ! hurla Marco à Tinker.

Tinker tremblait comme une feuille en retirant son mini-kilt et son pull-over à la hâte. Comment cet homme pouvait-il être celui qui les avait toutes envoûtées de son charme ? Personne ne la croirait si elle le disait. La seule chose dont elle était sûre, c'est qu'elle devait lui obéir, se plier à ses caprices si elle voulait s'en sortir, car il était maître à bord. Sinon, elle serait éliminée, elle perdrait à jamais son unique et précieuse chance de se faire un nom.

Toujours plongé dans les dizaines de métrages empilés sur la table, Lombardi ordonna :

— Mets-toi dans la lumière, de dos à la grande glace, à un mètre à peu près.

Il leva les yeux et ajouta :

— Mais enfin, enlève-moi ces bottes ! Avance d'un pas et ne bouge plus.

Il la contempla d'un regard indifférent qui lui donna l'impression d'être un mannequin de cire. Puis la volonté de fer inculquée durant son enfance l'emporta et Tinker se ressaisit.

Dieu merci, il s'était débarrassé de Jeanine, ce cheval de labour sur le retour ! songea Marco tandis qu'il travaillait sur l'image de Tinker de son sens du trait aiguisé. Rien qu'en regardant une nouvelle silhouette, il comprit que Jeanine avait fini par faire partie des meubles. Jeanine et son élégant chignon brun foncé, son teint cireux que le maquilleur le plus talentueux ne réussissait pas à éclaircir et son maintien toujours impeccable. Peut-être bon nombre des difficultés qu'il avait eues dernièrement étaient-elles dues à l'ennui lié à Jeanine, sentiment qui s'était confondu dans son esprit avec le manque de confiance en ses idées.

Celle-ci, avec la fraîcheur du contraste créé par ses cheveux et son teint, sa jeunesse qui demandait peu de maquillage, son extrême simplicité, son corps qui dans chacune de ses lignes lui était inconnu, sa façon ridicule de rejeter les épaules en arrière comme un bon petit soldat... celle-ci... lui donnait de nouvelles idées.

Par son ignorance même qui l'avait exaspéré, elle était complètement différente de Jeanine. Marco s'était souvent demandé à quel point un mannequin investissait un modèle de sa personnalité, ou si le modèle pouvait transformer le mannequin du tout au tout? Parfois c'était l'un qui l'emportait, d'autres fois c'était le contraire. Mais un couturier ne savait jamais vraiment à quoi s'attendre tant que ses croquis ne se matérialisaient pas sur un corps.

Tandis qu'il observait Tinker, il lui vint soudain à l'esprit qu'il n'y avait pas de dentelle dans sa collection. Il trouvait que cela faisait vieux jeu ce printemps, du moins sur Jeanine. Pour cette fille en revanche il fallait de la dentelle, quelque chose lui disait qu'elle pourrait lui donner une nouvelle jeunesse, songea-t-il en dévidant aussitôt des métrages de dentelle Chantilly enroulés sur des rectangles de carton. Le motif floral, travaillé et néanmoins délicat, était très espacé sur la toile et l'étoffe si légère qu'elle ne pesait rien malgré son prix.

Marco drapa deux longueurs de dentelle sur ses bras. Puis il plaça le milieu de la pièce sur les épaules de Tinker qu'il couvrit d'un voile retombant à terre en vagues vaporeuses. Il recula et la regarda d'un œil critique. Quel dommage qu'il ne pût l'envoyer ainsi sur le podium! On ne voyait que la beauté du tissu. Pas un effet, pas une doublure, pas un ourlet, pas un ornement, juste sa taille et sa maigreur en un geste, la grâce suggérée par le modèle... Oui, tout était dans le contraste formé par ce visage presque fade, le panache de cheveux roux et la superbe dentelle noire qui lui tombait dans le dos en volutes pour se déployer en éventail. Mais quelle était la femme riche qui aurait dépensé de l'argent pour acheter une chose qu'elle pouvait trouver dans un magasin de tissus et façonner à sa guise?

Marco s'attaqua au tissu. Il le pinça et le resserra ici et là, mettant des épingles avec doigté pour dessiner les épaules, indiquer la ligne des manches, suggérer le haut décolleté. Il le laissa échancré dans le dos jusqu'à la chute de reins, puis lia les deux morceaux en un énorme nœud à la taille dont le bout formait une courte traîne. Il étudia le résultat dans la glace, le tissu se déployait en un envol loin du corps du plus bel effet. En revanche, la coiffure n'allait pas du tout. Trop présente, elle s'opposait au tourbillon de la dentelle.

— Il faut que tes cheveux soient relevés, dit Marco. Tu as apporté des épingles ?

— Non.

— Tu devrais être mieux outillée, riposta-t-il d'un ton cassant. Ne bouge pas.

Marco trouva à sa place habituelle sur la table des accessoires la boîte d'épingles que Jeanine avait oubliée. Il en prit plusieurs dans la main, se posta devant Tinker et releva ses cheveux qui tombaient d'un côté du visage. Il la regarda alors et s'aperçut qu'elle était impassible. Un vrai bloc de marbre ! Chez un mannequin, la froideur lui semblait encore plus démotivante qu'un sale caractère. Quelle fichue créature ! S'il avait recherché les vibrations négatives d'une figure inexpressive et d'un regard vide, il aurait aussi bien pu garder Jeanine ! Le problème, c'est qu'il avait besoin de cette petite salope maintenant. Il voulait l'exploiter à fond, il l'avait senti de l'instant où elle lui avait donné envie de travailler la dentelle.

— On a déjà créé une robe sur toi ? lui demanda-t-il.

Tinker fit non d'un léger grognement.

Cette imbécile avait encore l'audace d'être en colère contre lui. Alors qu'elle aurait dû remercier la bonne étoile qui l'avait mise là au bon moment, elle se donnait de grands airs comme si elle avait le droit de jouer les susceptibles sous prétexte qu'il ne l'avait pas accueillie à bras ouverts. Elle faisait preuve d'un manque total de professionnalisme. Il n'y avait qu'une solution : lui faire un numéro de charme.

— Je trouve ça étonnant, dit Marco d'une voix plus chaude. Il faut reconnaître que tu ne sais pas marcher, mais quand tu ne bouges pas, tu es une véritable muse. C'est exceptionnel, tu sais. N'importe qui peut apprendre à marcher et je n'ai pas oublié que je te l'ai promis. Mais combien de mannequins peuvent-ils affirmer avoir inspiré un créateur ?

Muette, Tinker regardait droit devant elle au-dessus de son oreille gauche.

— Tu as l'air fatigué, poursuivit Marco avec compassion.

Il souleva quelques boucles de ses cheveux. Elle resta de glace, ne remua pas un cil.

Des égards, la donzelle avait le culot de prétendre à des égards avant de consentir à reprendre vie ! Marco plongea les mains dans les cheveux de Tinker et lui massa le crâne du bout des doigts.

— Il faut que tu te détendes, murmura-t-il en la caressant d'une main légère, envahissante. Même si je ne peux te laisser t'asseoir pour le moment.

Ses doigts se glissèrent de la racine des cheveux au bas de la nuque en un mouvement qui devait être exquis.

— Ça va mieux ? demanda-t-il en relevant ses cheveux de quelques épingles.

— J'ai dit que ça allait, répondit Tinker du même ton.

Elle tenait la tête droite comme s'il ne l'avait pas touchée. La colère qui lui monta des tripes la força à serrer les poings jusqu'à s'enfoncer les ongles dans la peau.

Quel entêtement ! Marco se détourna pour dérouler un autre métrage de dentelle destiné à remplir le vide créé sur le devant de la robe en tirant sur le tissu pour former le nœud dans le dos. Elle se montrait hostile, maussade, implacable. D'ordinaire, il l'aurait déjà fichue à la porte vu son attitude. Mais quelque chose d'inattendu, de très important venait de lui arriver.

Alors que Marco lui massait le crâne, elle avait dégagé un parfum qui lui était naturel, un parfum qui stimulait fortement son imagination. Des idées jaillissaient dans sa tête, des idées neuves, excitantes, si précises et si parfaites qu'il n'avait pas besoin de s'arrêter pour les noter dans son carnet car il savait qu'il ne les oublierait pas. Et c'était Tinker qui les lui inspirait.

Cette fille avait une qualité ! Jamais il ne l'aurait soupçonné. Désormais, il dessinerait grâce à elle. D'une journée de travail avec elle sortirait une pile de croquis qui compléterait et rehausserait les meilleurs modèles de sa collection de printemps. Plus important encore, ils donneraient à l'ensemble cette touche de vraie originalité qui lui manquait depuis le début. Même s'il refusait de l'admettre.

L'angoisse de Marco Lombardi s'évanouit. Il avait retrouvé la maîtrise de son art qui lui avait demandé tant d'années de travail, les solides bases de son métier gommées pendant ces terribles mois par le besoin de faire son numéro. Il était maintenant en pleine possession de son talent libéré comme par magie par cette fille très particulière.

Il se retourna vers Tinker, toujours immobile, son corps dévoilé bien que souligné de dentelle. Les épaules, le cou et les bras étaient couverts, le torse nu et blanc en dehors du soutien-gorge. Il devait construire le haut de la robe à même la peau. Sur le podium, rien ne rendrait justice à cette robe du soir sans le choc du corps dénudé jusqu'à la taille.

Marco défit adroitement le soutien-gorge de Tinker qu'il dégagea de la robe à moitié finie.

— J'avais tort, il ne faut pas de soutien-gorge sous la dentelle.

Elle resta impassible tandis que Marco épinglait un long morceau à l'encolure, la couvrant de nouveau jusqu'à terre.

— Juste un tombé sur le devant et spectaculaire avec le nœud dans le dos... oui, mais ça manque encore de forme.

De quelques épingles, Marco souligna son buste des aisselles aux genoux où il laissa le tissu onduler. Il passa une main experte sur ses flancs et façonna la dentelle de quelques épingles supplémentaires jusqu'à supprimer les plis jusqu'au dernier.

Puis il recula pour juger de l'effet : une ligne pure, un véritable choc. Soudain, très curieusement, Marco regarda Tinker autrement et la vit comme une femme. Il approcha d'elle et posa la main sur ses seins, s'attardant sur les courbes délicates, appréciant le galbe affriolant d'un geste qui n'avait rien de professionnel.

Trop bouillante de colère pour oser bouger, Tinker demeura en surface imperturbable. Elle avait les idées claires malgré l'émotion. De deux choses l'une : elle le laissait la peloter et obtiendrait ce qu'elle voulait, ou bien elle lui disait d'aller se faire foutre, lui jetait la robe à la figure et fichait le camp, loin d'ici, loin de Paris, loin du contrat. Il n'y avait pas d'autres solutions. Gagner, se répéta-t-elle, je veux gagner. A ce moment-là, Marco passa les pouces sur ses seins avec une telle délicatesse qu'elle ne le sentit pour ainsi dire pas.

Sans réfléchir, Tinker recula d'un seul mouvement, digne et maîtrisé.

— Ne t'inquiète pas, lui assura-t-il, faisant semblant de ne pas comprendre. Personne ne les verra, je te le garantis... ils sont d'un rose si pâle... il n'y a que moi qui les connaisse... ils sont plus gros... et plus sensibles... que je ne le croyais l'autre jour... mais on ne les verra presque pas... ce mystère te donnera un charme fou! Ces porcs de photographes vont être fous de toi dans cette robe... et tout aussi fous des modèles splendides que je vais créer rien que pour toi. Tu vas faire sensation parmi ces messieurs de la presse, Tinker, tu seras la vedette du défilé. Je vais tout faire pour cela.

— Comment vous croire? répliqua Tinker avec méfiance.

Elle comprit soudain qu'elle avait pris le dessus. L'émotion dans sa voix, la sincérité qui émanait de lui quand il parlait de dessiner pour elle... tout cela sonnait vrai, dans la mesure où il pouvait dire vrai.

— Comment peux-tu en douter? J'en ai le pouvoir. C'est moi qui prends ces décisions, personne d'autre.

— Vous aviez promis de m'apprendre à marcher. Vous n'avez pas tenu votre promesse, et maintenant vous dites que je serai la vedette du défilé. Vous m'avez insultée quand je suis arrivée, et maintenant vous me promettez la lune. Vous changez d'avis comme de chemise. Comment me fier à vous?

— J'étais d'une humeur exécrable. Je reconnais que j'ai passé mes nerfs sur toi, avoua-t-il, contrarié de devoir s'excuser devant un mannequin. Peut-être pourrais-tu t'efforcer de comprendre ce que j'ai enduré.

Tinker le défiait toujours d'un regard impassible, ses yeux d'un gris profond comme si des étoiles s'y reflétaient.

Devant trouver le moyen de prouver sa bonne foi, Marco s'aperçut que, tout à l'émotion d'avoir retrouvé son talent dans toute sa vigueur, il ne lui avait toujours pas montré la robe qu'il venait d'épingler. Ça, ça allait la convaincre! Sur la table des accessoires, il fourragea dans les boîtes de bijoux fantaisie parmi lesquels il choisit de longs pendentifs étincelants.

— Tu vas voir.

Marco revint vers Tinker et lui mit les boucles d'oreille.

— Retourne-toi doucement, tout doucement, regarde-toi dans la glace et dis-moi ce que tu y vois.

De plus en plus stupéfaite, Tinker contempla son reflet: une image inimaginable, une créature d'un autre siècle, une belle époque où tout n'était que grandeur, non pas une jeune fille mais une femme accomplie faite pour porter de la fine dentelle et des bijoux magnifiques, une femme dont la peau brillait à travers le tissu recherché avec une blancheur imposante qu'elle ne soupçonnait pas, une femme éclatante, majestueuse, dont la robe à fleurs ne laissait deviner qu'un aperçu subjuguant de ses jambes dans un jeu d'ombres, une femme dont l'éclat des yeux éclipsait celui de ses boucles d'oreille, une femme dont les cheveux étaient mieux arrangés que jamais.

Tandis que Tinker succombait à son image, Marco se tenait derrière elle. Il découvrit la peau douce derrière les oreilles qu'il caressa en murmurant :

— Tu vois comme tu es belle, *cara* ? Ce n'est pas une preuve, ça ? Comment renoncer à t'employer alors que tu es déjà une vedette, une vedette née ? Tu crois que j'ai souvent eu cette chance ?

Tinker retira sa main d'un geste impatient. Dure, elle croisa dans la glace son regard troublé de plaisir comme s'il n'avait pas conscience de l'avoir touchée.

Oui, malgré la fascination qu'il lui donnerait, elle était encore vierge, elle avait encore cette vulnérabilité et cette maladresse qui l'avaient poussé à proposer de travailler avec elle. Le jour où les trois filles s'étaient présentées, il s'était promis de s'offrir un agréable interlude avec Tinker. Autant il appréciait les mannequins confirmés, autant il ne pouvait résister à une débutante un peu gauche. Aussi charmantes fussent-elles, Jordan et April en savaient déjà beaucoup trop à son goût.

Quand Tinker s'était avancée vers lui, mortifiée, incapable de cacher sa gêne, elle l'avait excité au plus haut point. Il la voyait, aussi clairement que si elle le faisait, tomber à ses genoux. Peut-être s'y prêterait-elle de mauvaise grâce... oui, sûrement ! Mais elle serait trop agitée, trop intimidée pour protester. Il lui dicterait ses envies, puis la regarderait défaire sa ceinture et sa fermeture Éclair de ses doigts tremblants. Le plus lentement possible, elle se forcerait à pencher la tête vers son sexe déjà gonflé qu'elle prendrait maladroitement dans sa bouche sèche et frémissante. Elle s'appliquerait avec une hésitation grisante, déconcertée, ne sachant si elle devait le lécher, le sucer, ni même comment le caresser, le tripotant gauchement, récalcitrante dans son manque d'expérience alors que son sexe grossirait, stimulé par les rares délices de l'innocence, ce piment dont il était fou. Il pourrait le faire durer, ne l'aider en rien, se moquer de ses tentatives, repousser presque indéfiniment son plaisir jusqu'au moment où il lui donnerait enfin quelques instructions explicites pour s'abandonner et jouir dans sa bouche. De toutes les méthodes qu'il avait conçues pour dresser une fille, celle-ci était de loin la plus directe et la plus efficace. Ensuite, prenant son temps, s'attardant sur les détails, il lui enseignerait pendant des semaines l'art de le satisfaire pleinement, de combler le moindre de ses désirs. Et quand elle serait experte en la matière, quand elle aurait perdu le charme de la nouveauté et de l'innocence, il la refilerait à un ami. A Dart Benedict par exemple pour le remercier d'un service spécial...

— Marco ?

La voix dure, furieuse, de Tinker l'arracha à ses fantasmes.

— Marco, le défilé ! Je suis là pour ça, pas pour vous regarder rêvasser devant cette fichue glace ! Quand allez-vous m'apprendre les trucs que je dois savoir pour marcher sur un podium ?

Refoulant ses pensées, il poussa un soupir irrité et revint à la réalité.

— Tu t'es inventé un obstacle imaginaire avec cette histoire de défilé, dit-il à Tinker. Ce qui ne signifie pas que tu n'y crois pas, mais que ça n'existe pas. Tu as deux pieds, deux jambes et tu marches depuis toujours. Tout ce qui te manque, c'est un maintien. Et cela ne tient pas à la façon dont tu marches, mais à l'impression que tu as de toi en marchant. Je comprends que tu t'imagines, négative comme tu l'es, que ce doit être instinctif, que tu n'as pas le truc. Tu te trompes et je vais te le prouver. Tu sais danser ?

— Danser ?

— Oui, danser.

— Même en boîte, je suis nulle parce que je n'arrive pas à me laisser aller pour bien danser.

— Tu as pris des cours ?

— Non.

— C'est bien ce que je pensais. Je vais te faire apprendre à danser le tango.

Les poings sur les hanches, le regard noir, Tinker hurla, folle de déception :

— Qu'est-ce que ça m'apportera, nom d'un chien ? Je suis coincée. Je n'ai jamais rien entendu d'aussi bête.

— Écoute-moi. Je me suis servi de cette méthode avec d'autres filles qui avaient le même problème et ça a marché. Tu es trop jeune pour le savoir, mais le tango est la danse de la passion, la dernière. La danse de l'arrogance, de l'autorité et, par-dessus tout, de la passion. N'importe qui peut en apprendre assez dans un cours de formation intensive pour s'imprégner un peu de cette passion. Toi aussi Tinker. Ensuite, quand tu marcheras sur le podium, tu te concentreras avec une telle passion que tu bougeras avec le pouvoir du tango, la séduction du tango.

— Quelles conneries !

Ignorant sa remarque, Marco mit une cassette dans un magnétophone posé sur la table des accessoires.

— Demain, on travaillera toute la journée avec mes assistants, avec tout le personnel nécessaire pour exécuter les croquis, annonça-t-il. Ensuite, on travaillera tous les après-midi jusqu'au jour du défilé s'il le faut. Tous les matins, tu prendras des cours de tango avec la Senora Varga, une femme sublime, le meilleur professeur de Paris qui t'apprendra à tenir le rôle de l'homme car tu dois avancer et non reculer, ce que fait la femme normalement. Tu danseras le tango trois bonnes heures tous les matins, tu rêveras de tango toutes les nuits et, quand je travaillerai avec toi, je te passerai des cassettes de tango. Quand tu auras le tango dans le sang, tu auras changé d'une façon inconcevable. Alors, écoute, écoute la musique pendant que je t'enlève les épingles.

Consternée, Tinker écouta la musique envahir la pièce. Le tempo était fort, assuré. Mais comment ce truc allait-il lui donner un « maintien » ? Elle n'allait pas descendre le podium en dansant, nom d'un chien ! Marco essayait-il d'abuser d'elle égoïstement, faisant d'elle un simple mannequin d'essayage de luxe qui passerait ses matinées à apprendre le tango et ses après-midi à jouer les « muses » ? Qu'est-ce que ça lui apporterait ? En saurait-elle jamais assez pour être compétitive face à Jordan et April ? Ou n'était-ce qu'un autre tour cruel que lui jouait cet homme cruel ?

Marco la libéra enfin de son carcan de dentelle.

— Rhabille-toi et assieds-toi pendant que je te parle. Le tango n'est pas difficile, c'est une danse précise qui ne tombe jamais dans le négligé. Les règles sont simples, claires, tu vas les apprendre rapidement. Tu n'auras jamais à te « laisser aller », ce qui te pose tant de problèmes. Jamais à improviser non plus. Les mouvements de la danse te donneront un maintien. Une vieille femme empâtée devient séduisante quand elle danse le tango. Tu vas apprendre à te tenir, de la position de la tête à la façon de pointer le bout de tes doigts ou de tes orteils. Si tu suis les règles, tu ne peux pas te tromper.

— Quel genre de règles ? demanda Tinker, intéressée malgré elle.

Si elle avait une qualité, c'était celle de savoir obéir.

— Dans le tango, tu es ancrée au sol. C'est une question d'équilibre, pas de balancement. La plante du pied est entièrement posée à terre, sauf quand tu dois lever le talon pour le bouger. Les genoux sont toujours légèrement fléchis. C'est la première des règles : genoux fléchis. Le rythme est toujours le même, quel que soit le pas : lent, lent, rapide, rapide, lent. Tu n'auras jamais à en savoir plus. Genoux fléchis, lent, lent, rapide, rapide, lent... ça te paraît difficile ?

— Trop facile pour être vrai.

— Debout, tu t'es assez reposée, dit Marco qui arrêta la bande. Je vais t'apprendre le pas de base. Ainsi, tu comprendras à quel point c'est simple. Les autres suivent le même rythme.

— Ceux de l'homme ?

— Non. C'est moi qui vais conduire, mais tu vas saisir. Pieds groupés, buste dégagé, épaules en place mais pas coincées, pas comme un bon petit soldat, le cou étiré... non, tu peux l'étirer mieux que ça... la tête droite, les yeux grands ouverts et pas l'ombre d'un sourire. Je vais te montrer le pas de base très lentement et sans musique.

Marco se mit face à Tinker à une vingtaine de centimètres et posa la main gauche sur son épaule droite.

— Regarde par-dessus mon épaule, pas vers moi.

Il prit son autre main qu'il plaça.

— Bon, fléchis les genoux. Mieux que ça !

Se sentant complètement idiote, Tinker fixa des yeux le coin de la pièce.

— Quand je dis « lent », recule du pied droit. La deuxième fois, du gauche.

Ils reculèrent lentement de deux pas.

— Garde les genoux fléchis ! Quand je dis « rapide », recule d'un autre pas du pied droit. La deuxième fois, un pas de côté, à gauche du pied gauche. Puis sur le dernier « lent », ramène ton pied droit vers le gauche et arrête-toi.

Il la dirigea d'une forte poigne pour les trois derniers pas, l'empêchant de chanceler.

— Voilà, dit Marco. Tu viens de faire le pas de base.

— Vous me reteniez.

— Parce qu'on le faisait si lentement que tu aurais pu perdre l'équilibre. En musique, ça va si vite qu'il n'y a pas de problème. Bon, on va recommencer. Je veux que tu marques les temps avec moi à haute voix.

— Oh, je vous en prie !

— Arrête de jouer les timides ! Lent ! Lent ! Rapide, rapide, lent, nom d'un chien ! C'est mieux. On recommence. Encore.

Il le lui fit faire une vingtaine de fois jusqu'à ce que Tinker se mît à suivre les pas et les mots automatiquement.

— Bon, avec la musique maintenant, dit Marco.

— Je ne peux pas attendre le premier cours? le supplia Tinker, de nouveau affolée.

— Non.

Marco mit la cassette, puis revint vers Tinker.

— Cette musique ne te donne-t-elle pas envie de danser?

— Non!

— Tu es une menteuse. Bon, finie la rigolade. On y va!

Ils firent le tour de l'atelier où ne résonnait que le bruit de leurs pas et de la musique. Après un début hésitant, Tinker trouva le rythme puis rapidement, beaucoup plus qu'elle ne l'aurait cru, elle se mit à danser avec le sentiment d'en être grandie. Elle se métamorphosa en un gros chat resplendissant, autoritaire, un superbe chat arrogant au pied sûr, gonflé de fierté, un chat dont personne n'aurait osé violer le territoire. Le tempo insistant de la musique l'accompagnait, la musique l'envahissait de sa force et de sa grâce, la musique lui faisait oublier qu'elle ne savait pas danser car, tant qu'elle joua, elle y arriva. Elle dansait!

— *Basta!* Ça suffit.

Marco l'entraîna vers le canapé où il la libéra, si bien qu'ils tombèrent à la renverse l'un à côté de l'autre.

— Repose-toi une minute. Alors, qu'en dis-tu? Tu ne veux pas l'admettre, hein? Pourtant, tu dansais le tango. Il n'y a pas de doute!

— Oui.

Tinker rougit de plaisir. Elle était trempée, sa jupe lui collait à la peau et la sueur qui coulait sur son front lui tombait dans les yeux.

— Tiens, proposa Marco en lui tendant un mouchoir.

Tandis qu'elle se tapotait le visage, il huma avec un plaisir violent le goût piquant de son parfum, savourant les frissons de son émoi. Jamais il n'aurait une meilleure occasion, se dit-il, troublé de désir. Comme elle continuait à s'éponger, il défit son pantalon d'un geste vif, furtif. Avec force et adresse, la surprise jouant à son avantage, Marco saisit par le poignet Tinker qu'il balança par terre, la bloquant entre ses genoux.

— Prends-la dans ta bouche, ordonna-t-il.

— Non!

Elle hurla de toutes ses forces en reculant.

— Il n'y a plus personne. Vas-y!

— Compte là-dessus!

Sa résistance l'enflamma. C'était exactement ce qu'il voulait.

— Tu as déjà eu une bite bien dure dans la bouche? lança-t-il en savourant les mots. Tu as déjà sucé un homme jusqu'à ce qu'il jouisse? Non, sûrement pas. Ce sera la première fois.

— Lâche-moi!

Tinker se débattit de toutes ses forces, mais il la coinçait.

— Pas avant que tu l'aies prise dans ta bouche. Pas avant que tu y aies goûté. Je ne te laisserai pas arrêter. Regarde-la. Regarde!

Il la tira par les poignets pour l'obliger à se plier en deux.

— Comment veux-tu que je te lâche alors que j'en crève d'envie? Tu te rends compte que je serai à toi quand tu m'auras dans ta bouche, innocente enfant? Tu ne veux pas de ce pouvoir?

— Ce pouvoir? répéta Tinker d'une voix étouffée en se rendant.

— Je vais t'apprendre une chose qui te donnera du pouvoir sur tous les hommes de ce monde.

— Ça? s'étonna Tinker. Rien que ça?

— Oui, ça.

— Tu me fais mal aux poignets, gémit-elle.

— Baisse la tête et prends-la dans ta bouche, insista-t-il d'une voix voilée.

— Mes poignets... je ne peux pas me pencher...

Elle était au bord des larmes. Libérant l'un de ses poignets, il mit sa main libre derrière sa tête qu'il poussa vers son but. Tinker raidit le cou jusqu'à ce qu'il concentrât toute son attention sur ce geste. Puis, en un éclair, de sa main libre elle saisit ses couilles qu'elle serra de toutes ses forces.

— Aaah! hurla-t-il, suffoquant de douleur.

— Espèce de malade! Salaud! Si tu me touches, je te tue.

De ses deux mains libres, elle serra encore plus fort.

— Jamais plus je n'accepterai d'être seule dans une pièce avec toi. Tu veux travailler sans moi? Je m'en vais ou je reste... c'est à toi de choisir.

— Reste, grogna-t-il.

— Je pensais bien que tu dirais ça. Je crois qu'on se comprend maintenant, malgré mon innocence.

— Lâche-moi!

Tinker lui tordit une dernière fois les couilles.

— Tu sais quel était mon titre de gloire au lycée, Marco?

— Va te faire foutre!

— J'étais la reine des pipes. A demain.

Tinker s'en alla, tremblante mais souriant encore de son mensonge bien avant que Marco ne pût se redresser.

16

Si j'avais dû parier là-dessus, j'aurais dit que Tinker avait décroché le gros lot.

Pendant deux jours ça avait été le calme plat, Lombardi ayant fait savoir qu'il n'avait pas besoin des filles et pas le temps de s'occuper de Tinker. Je me demandais avec inquiétude s'il allait tenir sa promesse. Mike, qui avait les trois filles sous la main, en profita. A cette heure, il devait avoir de quoi remplir dix numéros de *Zing* avec ses photos. Puis hier, Lombardi avait proposé à Tinker un traitement de faveur.

Je n'en savais rien quand, une demi-heure plus tôt alors que je prenais mon petit déjeuner, il m'appela pour m'informer de son nouvel emploi du temps : leçon de tango le matin, séances à son atelier l'après-midi. Je lui offris mes services. Il me répondit que Tinker n'avait besoin de rien dans la mesure où il avait donné des instructions pour que l'une des limousines fût en permanence à sa disposition. Non, le photographe n'était pas autorisé à troubler les leçons de tango, encore moins à interrompre son travail avec Tinker. On devait la leur laisser, à lui, à son personnel et à la Senora Varga, et ne pas l'importuner de nos questions : son temps était précieux.

Naturellement, je vis aussitôt tout cela avec l'heureuse élue que je trouvai pour une fois dans sa suite à prendre un bain. Tinker m'assura qu'elle pouvait affronter la chose.

— C'est un programme très chargé, l'avertis-je. Tu passes presque toutes tes nuits sur la Rive gauche avec un type. A partir d'aujourd'hui, tu vas danser tous les matins et rester debout tous les après-midi à faire des essayages... Ça va être très dur, Tinker. Tu aurais plus de chances d'y arriver si tu te réinstallais à l'hôtel... tu aurais tes soirées pour te faire des bains de pieds, tu passerais une bonne nuit dans ton lit... inutile de te rappeler ce qui est en jeu. J'ai des responsabilités envers toi, Tinker, et tu en as envers toi-même. Tu sais ce que dirait Justine.

— Oh, Frankie, je m'en fous ! Je me fous de ce que tu dis, je veux être avec Tom. C'est lui qui me donne le courage de continuer. Si tu le connaissais, tu comprendrais.

— Présente-le-moi.

— D'accord, je te le promets, mais pas tout de suite. C'est trop tôt... Je le veux tout à moi.

— Tinker, j'espère de tout cœur que tu es aussi forte que tu crois l'être, répliquai-je, inquiète.

Tinker se consumait tant d'amour et d'ambition qu'il était impossible de la raisonner. Si elle voulait à tout prix brûler la chandelle par les deux bouts, je ne pouvais rien faire pour l'en empêcher, à moins de l'attacher. Justine et moi savions qu'elle avait quelque chose de magique, Lombardi l'avait compris aussi. Après tout, peut-être ce Tom lui avait-il apporté une confiance qui lui donnait un nouvel éclat auquel Lombardi était sensible.

Tandis que je me demandais comment m'y prendre pour annoncer à April et Jordan cette nouvelle de taille qui allait sûrement les contrarier, Mike Aaron m'appela par le téléphone intérieur.

— Frankie, il fait un temps magnifique.

— Je t'en prie, emmène les filles, bafouillai-je. Qu'il fasse beau ou mauvais, elles sont à toi, toutes sauf Tinker qui est prise.

Quelle importance qu'il prît des tonnes de photos inutiles !

— Non, ce n'est pas la raison de mon appel. Je me suis repenti de mon mensonge de l'autre soir.

— Hein ?

— Quand j'ai dit à tout le monde qu'on était allés au Louvre. Ça me ronge. Surtout que tu as remué le couteau dans la plaie en disant qu'elles, elles n'y étaient pas allées. Tu ne vois pas qu'on s'est mis en position de supériorité sur le plan culturel alors qu'on ne le mérite pas ? Je trouve ça proprement immoral.

— Je suis sûre que tout le monde a oublié, que tout le monde s'en fiche.

Qu'est-ce qui lui prenait ?

— Non, non, elles n'ont pas oublié... Je les vois penser : Mike et Frankie sont allés au Louvre et nous pas, on a raté ça... Il faut être photographe pour s'en apercevoir, mais il n'y a pas de doute, c'est écrit dans leur regard. Une espèce de tristesse, de manque.

— Ça risque de devenir un vrai problème, dis-je avec sérieux, sentant mon cœur se réveiller.

— C'est pourquoi j'ai pensé qu'on pourrait aller en douce faire une petite visite au Louvre sans en parler à personne, ni aujourd'hui ni jamais. Ainsi pourrait-on réparer nos torts, même si personne ne les connaît.

— Hummm !

— Tu ne crois pas que ce soit la seule solution ?

— Je me le demande, moralement parlant, répliquai-je, songeuse. Il n'empêche que tu as menti, et ça risque d'être pris pour un nouveau mensonge aggravant le premier, une tentative destinée à le masquer. Peut-être devrais-tu en parler à ton rabbin.

Il n'est pas question que tu t'en sortes si facilement, Aaron !

— Mon Dieu ! s'exclama-t-il.

— Pourquoi hésiter ? Si tu peux le joindre.

— Frankie, veux-tu m'accompagner au Louvre aujourd'hui ?

— J'en serais ravie, m'efforçai-je de répondre calmement. Pourquoi ne pas me l'avoir proposé tout de suite ?

— Ça aurait eu l'air d'un rendez-vous galant.

— Et ça en est un ou pas ?

Je tenais à ce que ce fût clair avant de sauter de joie.

— Disons... que oui. Mais les rendez-vous galants... je n'en ai pas eu depuis des années. C'est un truc de gosse.

— Pas chez moi. Le problème, c'est que tu t'es expatrié. Tu es trop loin de tes racines. Manhattan a des règles complètement dingues... à Brooklyn, on a encore des rendez-vous galants sans arrêt.

— Pourrait-on en discuter de vive voix ? J'aime t'entendre dire ce qui cloche chez moi, mais c'est plus amusant de te voir en même temps. Cette conversation est en train de dégénérer, on est « pendus au téléphone », comme dirait ma mère.

— Je te retrouve en bas dans une heure.

— Tu ne peux pas faire plus vite ? Ta ligne était occupée, sinon je t'aurais appelée plus tôt.

— Les rendez-vous galants requièrent toujours un minimum d'une heure de préparation, affirmai-je.

Je pris un ton sévère en dansant comme une folle autour du combiné.

— Sûrement, si tu le dis.

— A tout à l'heure.

A peine eus-je raccroché que je me ruai vers le dressing.

J'avais déjà pris mon bain et m'étais longuement brossé les cheveux dont j'avais admiré la nouvelle couleur quand Lombardi avait appelé. Après des tentatives prudentes, j'avais enfin augmenté la dose de henné pour virer à l'auburn. Je dois dire que c'était assez seyant. Non, magnifique !

Donna, implorai-je en silence, aide-moi, je n'ai jamais été rousse. J'ai besoin de tes conseils éclairés, Donna, moi j'ai la tête comme de la guimauve surchauffée. Je me frayai un passage entre les cintres, m'efforçant de penser en rousse.

Du vert... oui, bien sûr, toute la gamme des verts, le choix évident. Allais-je faire mes débuts de rousse en vert comme toutes celles de la terre ? Non, pour cette première, j'avais l'intention de faire une entrée remarquée sans tomber dans les bruns, noirs et autre ivoire subtil que j'avais déjà mis pour certains. Bien que Justine se fût montrée d'une générosité exceptionnelle, une fois écartés les coloris classiques, il ne restait qu'une tunique avec le pantalon assorti. La tunique avait une large ceinture et un ample col roulé, et l'ensemble en laine souple était d'une couleur fascinante : ni prune ni raisin, mais plutôt aubergine, une aubergine appétissante, un pourpre changeant avec beaucoup de noir dedans.

Je mis la tunique près du visage. Même ainsi, je vis que j'avais visé juste. Le ton donnait plus d'éclat à mes cheveux, comme seul un artiste peut le comprendre. J'approchai à une vitesse grand V l'adhésion d'un Paul Mitchell, me félicitai-je en me maquillant d'une main qui, Dieu merci, ne tremblait pas bien que mon esprit se perdît en considérations multiples. Un rendez-vous galant ! Et il avait inventé une excuse absurde pour monter son coup, ce qui lui donnait beaucoup plus de poids que s'il avait dit tout bonnement : « Et si on allait au Louvre, je n'ai rien de mieux à faire », ce qui aurait été parfaitement naturel et bien dans son style.

Regardons les faits. Après m'avoir côtoyée tous les jours pendant près d'une semaine, Mike Aaron voulait sortir avec moi sans que les autres ne le sachent. Comment interpréter ce pas, si ce n'est en y voyant une certaine marque... d'intérêt, modeste certes, mais un intérêt tout de même ?

Tandis que je tirais la fermeture de mon merveilleux ensemble aubergine, je songeais que pour commencer une vie de rousse, aujourd'hui était un grand jour. D'énormes bracelets en argent et de gros anneaux aux oreilles pour aller avec la boucle de ma ceinture. Le manteau noir sur le bras, mes bottes assorties... je me regardai dans la glace : je n'en crus pas mes yeux. Pourquoi m'étais-je obstinée à m'habiller pendant tant d'années en apprenti danseuse, rôle qui n'était plus le mien, alors que j'aurais pu avoir l'air d'une femme prête à faire des ravages ?

— Frankie, ce n'est qu'un rendez-vous, me raisonnai-je. Rien qu'un rendez-vous. Il n'y a pas de quoi se mettre dans tous ses états. Des rendez-vous, on en a tous les jours. Ça ne veut rien dire. C'est juste une façon de passer le temps.

Le son de ma voix me rendit encore plus nerveuse. Je n'ai pas l'habitude de parler toute seule.

Arrivée dans le hall, je me sentais si intimidée que je dus prendre sur moi pour ne pas mettre mes lunettes de soleil. J'en avais déjà fait assez comme ça. Apparemment fort impatient, Mike tournait le dos aux ascenseurs. Je m'arrêtai un instant, le jaugeant de la tête aux pieds. On ne voyait que lui. Ce n'était pas seulement à cause de sa taille ou de l'énergie qu'il dégageait. C'était aussi dû à des détails : la forme délicate de sa tête ébouriffée, l'arrogance de son grand nez superbe, la ligne de sa bouche assurée, les muscles de son cou trapu. Et il n'avait pas un seul appareil autour du cou ! Mon Dieu, aidez-moi !

— Je suis en retard ? demandai-je en me montrant.

— Non, en avance d'une demi-heure.

— Alors, pourquoi fais-tu cette tête-là ?

— Quelle tête ?

— Tu as l'air impatient.

— Ah bon... Oh, merde ! Salut, Jordan. Salut, April.

— Frankie ! Qu'est-ce que tu as fait à tes cheveux ? s'exclama April.

— La vache, c'est... superbe ! Et où as-tu déniché le divin ensemble que tu portes ? s'enquit Jordan.

— Désolé, les filles, Frankie n'a pas le temps de papoter. Frankie, dépêche-toi, les types du labo ne vont pas nous attendre jusqu'à la saint-glinglin.

— Quel labo ? lança April avec curiosité.

— Celui de *Zing*. Maxi Amberville m'a envoyé un fax... Elle veut que Frankie jette un coup d'œil sur les contacts pour lui dire ce qu'elle en pense.

Il m'attrapa par le bras.

— On peut venir nous aussi ? proposa Jordan, fort intéressée.

— Maxi me mangerait tout cru si je laissais les mannequins voir les planches. Vous devriez le savoir. A tout à l'heure, les filles.

— Vous ne voulez pas qu'on aille déjeuner tous ensemble dans un endroit amusant ? suggéra April. Je le dirai à Maude pour qu'elle se joigne à nous.

— Impossible, affirma Mike, on doit aller faire du repérage dans les égouts de Paris. On ne déjeunera pas aujourd'hui. Allez faire des courses toutes les deux, prenez une journée de vacances. Je vous ai assez fait travailler.

— Les égouts ? répéta April dans notre dos avec surprise.

On leur avait faussé compagnie pour s'engouffrer dans un taxi.

— Qu'est-ce que tu ne raconterais pas comme bobards pour démentir un autre mensonge ! m'émerveillai-je.

— Je m'étonne moi-même de mon imagination. Tu crois qu'elles ont deviné ?

— Non, sûrement pas, assurai-je pour le réconforter. J'ai presque failli te croire tant tu étais convaincant.

— Mais c'est vrai que les égouts de Paris sont célèbres et qu'on les visite.

— Si ça risque de te contrarier, on peut y faire un saut en sortant du Louvre, proposai-je.

— Une autre fois peut-être. Il fait tout noir là-dedans et ce doit être bourré de crocodiles comme à New York. De toute façon, ça ne compte pas les égouts, ça ne te donne pas l'aura culturelle d'une visite au Louvre.

— Mais cela prouve que tu t'intéresses vraiment à l'histoire, Mike. Sans parler de l'archéologie et du système sanitaire. Que serait la civilisation sans cela ? Ça nous ouvre trois nouveaux domaines où briller de notre supériorité. Les filles vont avoir un terrible complexe d'infériorité après ça... tu n'aurais pas dû en parler. Tu as vu la tête qu'a fait Jordan ? Elle était très impressionnée.

— Je vais devoir t'apprendre à ne pas te moquer de moi.

— De qui pourrais-je me moquer alors ?

Sans doute lui décochai-je un sourire chargé du pouvoir des rousses car Mike m'embrassa alors, me clouant le bec aussi bien que si je m'étais évanouie. Peut-être était-ce le cas d'ailleurs, car ensuite je ne me souviens de rien, hormis du moment où le taxi s'arrêta. S'était-on embrassé pendant tout le trajet ? Vu mon état — j'étais pratiquement paralysée et cherchai mon souffle bien que plus vivante que jamais —, j'ai toutes les raisons de croire qu'il en était ainsi. Quoi qu'il en soit, une chose est sûre : je ne m'étais pas fait désirer.

— Frankie. Ouvre les yeux. Il faut que je paie le chauffeur.

Gardant les yeux clos, je murmurai :

— Soudoie-le pour qu'il nous laisse seuls. Convaincs-le de nous louer sa voiture.

— Je le voudrais bien, mais il a déjà arrêté le compteur et il y a deux personnes qui veulent monter, sans parler du flic qui nous regarde d'un drôle d'œil. Il faut qu'on descende. Lâche-moi, juste une seconde, ma toute belle, ma toute folle.

— Je ne peux pas. Si je le pouvais, je le ferais. Mais je ne peux pas.

C'était la vérité. Bien que j'aie attendu treize ans cet instant, jamais je n'avais imaginé que ce serait si... il n'y avait pas de mots pour le dire. Je ne sais au juste ce que j'éprouvais, mais on ne pouvait le traduire en paroles.

— Chérie, on est au Louvre.

— Et alors ?

— On y va, tu te souviens ? On a un rendez-vous.

— Ah bon ?

J'essayais de me souvenir. Mike Aaron m'avait embrassée, Dieu sait combien de fois. Il m'avait dit « ma toute belle », « ma toute folle », il m'avait même dit « chérie », et il voulait que je me souvienne d'un truc pareil.

— Oui. Un rendez-vous galant façon Brooklyn.

— Peut-être as-tu raison, soupirai-je d'un air alangui.

J'ouvris les yeux. Un à un, je retirai mes doigts qui enserraient le cou de Mike et le libérai. Ou plutôt à moitié, le couvrant de petits baisers de l'oreille au menton, puis dans le cou, tandis qu'il cherchait son portefeuille. Rien qu'avec le cou, on pouvait l'embrasser une journée entière sans se lasser, songeai-je, m'arrachant à regret. Il me semblait que si je coupais le lien entre nous, il se passerait quelque chose de terrible, de déchirant.

Mike paraissait partager ce sentiment, car il réussit à ouvrir son portefeuille et à payer le chauffeur d'une seule main tout en me tenant de l'autre. Du taxi à l'entrée du Louvre, tout le long du chemin il me garda contre lui, me tenant des deux mains par les épaules tout en m'embrassant le haut du crâne, chose peu aisée quand on marche. Mais à Paris, tout est permis ! Arrivés à l'escalator, on dut se séparer. On réussit malgré tout à rester main dans la main. Une fois en bas, on se détacha de la foule et on s'appuya contre le premier mur pour s'embrasser encore un peu. Bientôt, il ne nous resta que deux solutions : s'arrêter ou se donner en spectacle devant tous les gens en visite dans ce lieu respectable.

— Juste un tour, chérie, chuchota Mike à mon oreille. On va juste faire un petit tour, puisqu'on est là.

D'un pas vacillant, on parvint à aller jusqu'à un plan bien éclairé indiquant les salles des différentes sections et la façon de s'y rendre.

— On pourrait essayer la crypte du sphinx, suggéra Mike. Il ne doit pas y avoir un chat. Ou le mastaba d'Akhout-Hetep, un tombeau de la cinquième dynastie. Un endroit où personne ne doit mettre les pieds.

— Ce n'est pas représentatif du Louvre. On pourrait aussi bien trouver cela dans le département des antiquités du Metropolitan, fis-je remarquer avec le brin de cervelle qui me restait. On se serait traînés jusqu'ici sans voir les grands classiques pour prouver qu'on est bien venus au cas où on nous le demande, ce qui risque d'arriver.

— Mais imagine comme on y serait bien. Une crypte, un tombeau... rien que pour nous.

Je voyais très bien ce qu'il avait en tête.

— Mike, le mis-je en garde.

— Aucune loi ne l'interdit, chérie. Il faut simplement que je t'embrasse encore un peu, chérie.

— Moi aussi, mais de là à me rouler par terre dans un bâtiment officiel, non, dis-je à regret. Et si on allait voir tout de suite la *Vénus de Milo* et la *Victoire de Samothrace* pour s'en débarrasser. C'est ça qu'on est censés voir au Louvre.

— On ferait mieux de jeter aussi un œil sur la *Joconde*. C'est le grand truc.

Au Louvre, on ne peut rien voir en deux secondes. Ces plans, qui vous donnent l'impression que tout est simple, sont trompeurs. Quand on eut fait tout le chemin de la *Vénus* par les deux escaliers qui menaient à la *Victoire*, puis emprunté un autre escalier, suivi d'une large galerie jusqu'à la *Joconde*, on en avait déjà assez. On jeta un coup d'œil sur la foule qui se bousculait devant ce qui devait être la *Joconde* et on repartit par un vaste couloir plein de tableaux qui donnait sur la Seine. D'après le panneau, la Grande Galerie menait à une sortie.

— Je comprends pourquoi je ne suis jamais venu, dit Mike. Traite-moi de béotien si tu le veux, mais franchement c'est trop grand. Quand on passe plus d'une heure dans un musée, on ne voit plus rien. Et on a déjà dépassé l'heure.

On marcha d'un pas rapide en direction de la flèche.

— Pourquoi, mais pourquoi n'ai-je pas suivi ton conseil d'aller à la crypte du sphinx ? m'écriai-je.

— Parce que tu es une dame d'une sensibilité distinguée qui m'inspire le respect.

— Moi ? Vraiment ?

— Oui, mais je ne voudrais pas que tu la cultives trop longtemps.

— Quand veux-tu que je m'arrête ?

— Je te le dirai. D'ailleurs, ce sera inutile, tu le sentiras.

— Arrête de me parler comme ça. Ça me tourne la tête et on n'est pas encore sortis.

— Ça te tourne la tête ? A t'évanouir ? Tu veux que je te porte ?

— Non, à en devenir folle. Comme ça.

Je pris sa main et y pressai mes lèvres, puis la goûtai du bout de la langue. Il fit un bond d'un mètre.

— Ne fais pas ça !

— Je voulais juste te montrer ce que j'entendais par là.

— Ce n'est pas juste... à moins que tu ne cherches les ennuis devant tous ces gardiens. Oh, Frankie, chérie, tu te rends compte ! Il est sans fin ce putain de couloir !

Lisant les noms aux murs, on passait le plus vite possible.

— Giotto, Fra Angelico, Botticelli, Bellini, Van Dyck... ne regarde pas, ne t'arrête surtout pas... sinon, on est fichus... Ils n'ont aucune pitié, ces Français ! Ils ne savent pas que certaines personnes ont mieux à faire que de regarder des tableaux ? Quelle bande de sadiques ! Une fois qu'ils t'ont coincé, ils ne te lâchent plus...

— Cranach, Holbein, Guardi, Tiepolo, Goya..., lus-je d'une voix haletante.

On allait si vite qu'on courait presque. Au bout d'un moment, ne voyant plus personne, je m'arrêtai et lui demandai :

— Tu ne crois pas qu'on a raté la sortie ?

On se regarda d'un air horrifié. On était seuls, sans même un gardien à l'horizon, à l'extrémité de la galerie qui s'étirait à perte de vue vers les zones qu'on venait de traverser. Il aurait presque fallu un télescope pour en voir la fin. Devant nous il n'y avait qu'une salle pleine de Greco et, chose insensée, la limite du bâtiment dont les fenêtres donnaient sur le jardin des Tuileries. De là partaient deux escaliers, l'un indiquant « vers les sculptures », l'autre « vers la Galerie d'Étude ».

— On doit l'avoir passée. Sinon, c'est un véritable complot. En fait de sortie, il n'y en a jamais eu ! lança Mike d'un air mécontent.

— Quel escalier veux-tu prendre ?

— Ils ne sont pas plus sûrs l'un que l'autre. On risque d'errer toute la journée. Mieux vaut rebrousser chemin, c'est la seule solution. J'ai appris ça quand j'étais scout.

J'éclatai en larmes. Il me serra contre lui pour me réconforter et dit :

— Chérie, ma pauvre chérie, je vais te porter, je te le promets.

— Non... non... ce n'est pas ça, je n'ai pas mal aux pieds.... mais je t'imaginais en uniforme de scout... tu devais être si adorable... sanglotai-je.

— Tu es exténuée, c'est tout.

— Reconnais que tu étais adorable, insistai-je entre deux hoquets.

— Sans doute. Je te donnerai de vieilles photos si tu arrêtes de pleurer.

— On est vraiment obligés de refaire tout ce chemin ? demandai-je d'un air pitoyable.

— C'est ça ou on y passe la nuit. Écoute, j'ai une idée. Puisque tu ne veux pas que je te porte, cela t'aiderait si tu me laissais te guider en regardant par terre. Le trajet te paraîtra moins long sans voir tous ces tableaux.

— D'accord. Je vais mettre la main sur les yeux... c'est comme d'avoir mal à la tête à force de voir trop de belles choses. Je crois qu'on appelle ça le syndrome de Stendhal.

Mike avait raison, le parcours paraissait nettement moins fastidieux en me concentrant juste sur sa grande main si chaude. J'avais réussi à jeter un coup d'œil sur les merveilleux Botticelli et les sublimes Tiepolo... bien d'autres aussi... Cela semblait un crime de se boucher les yeux dans la mesure où on était là.

— Il y a un panneau « sortie » ! s'exclama Mike après un bon bout de chemin.

— Je peux le regarder ?

— Non, ça te briserait le cœur. On aurait pu tourner à droite après Fragonard et descendre les escaliers à côté de la cafétéria. Ce fichu signe est mis de travers, c'est là qu'on s'est trompés.

Incrédule, je pilai net.

— La cafétéria ? Tu avais l'intention de passer sans t'arrêter ?

— Maintenant, tu comprends pourquoi je ne suis jamais devenu chef scout.

On dévora chacun deux énormes de ces divins sandwichs au jambon et au fromage avec du bon pain bien beurré, accompagnés de deux doubles cafés au lait, avant de dévaler l'escalier qui menait au monde extérieur que je désespérais presque de revoir un jour.

Comme on se tenait là, revigorés et respirant l'air frais, je me sentis soudain très intimidée. Levant les yeux vers Mike, je vis qu'il éprouvait la même chose. Maintenant qu'on n'avait plus l'excuse d'aller au Louvre ni d'en sortir, on se demandait tous les deux : « Et à présent ? »

— C'est toujours un rendez-vous galant ? lançai-je enfin du ton le plus provocant possible. Si ça l'est, c'est au type de décider ce qu'on fait. C'est comme ça que ça marche à Brooklyn et dans le cas présent on suit les règles de là-bas.

Son visage s'éclaira. Il m'entraîna vers une station de taxis.

— ... de l'Abbaye, me sembla-t-il l'entendre dire au chauffeur.

— Ça ne te suffit pas les visites pour aujourd'hui ? protestai-je.

— C'est dans un autre style sur la Rive gauche. C'est notre journée culturelle. Je croyais que les filles de Brooklyn laissaient l'homme décider.

— Elles ont le droit de consultation.

— Si tu es contre, rouquine, on n'ira pas.

— « Rouquine » ?

— Tu te figurais que je ne l'avais pas remarqué ?

— J'avais complètement oublié !

— Tu avais l'esprit ailleurs.

— C'est inimaginable ! Qu'en penses-tu ? Ça te plaît ?

— J'aime jusqu'au dernier de tes cheveux sur ta tête, j'aime ton front, tes sourcils, tes yeux, ton nez, ta bouche, surtout ta bouche, et j'aime tout le reste jusqu'à la plante de tes pieds. Brune ou rousse, ça ne change rien. Tu es superbe.

— Ça fait beaucoup de choses à aimer, marmonnai-je avec circonspection.

Me faisait-il marcher ?

— Tout juste assez. Moins, ce ne serait pas suffisant. Plus, beaucoup plus, ce serait nettement mieux.

Le taxi s'arrêta devant un joli hôtel situé dans une petite rue tranquille.

— Où est-on ? m'enquis-je.

— A l'hôtel de l'Abbaye qui doit son nom à une ancienne abbaye.

— Et que fait-on ici ?

— Comme je l'ai dit, plus de choses à aimer, ce serait mieux. Mais c'est à toi de décider.

— Mike Aaron, on est au milieu de l'après-midi ! m'exclamai-je, surprise de me scandaliser.

— L'heure te contrarie ?

— Tu veux prendre une chambre et ?...

— J'en meurs d'envie. C'est tout ce que je souhaite. Pas toi ?

— Mais...

— Quoi donc ?

— C'est toujours un rendez-vous galant ?

— Non, Frankie, ça ne l'est plus si on prend cette chambre d'hôtel. Je ne sais pas comment tu appellerais ça, toi. Moi, je dirai que c'est presque une question de vie ou de mort, émotionnellement parlant.

Béate de bonheur, j'émis un simple :

— Oh !

— Ça veut dire oui ou non ?

— Embrasse-moi d'abord, exigeai-je pour gagner du temps.

— Non, je veux que tu te décides sans baiser... les baisers, ça te rend encore plus impulsive. De plus, à chaque fois que je t'embrasse, je tombe plus amoureux de toi, et si tu ne veux pas aller dans cet hôtel avec moi, je ne veux pas être un tantinet plus amoureux que je ne le suis déjà.

— Tu n'as jamais parlé d'amour, soufflai-je.

— Tu ne pouvais pas le deviner ?

D'un ton indigné qui me sidéra, je ripostai :

— Bien sûr que non ! Tu es toujours entouré des plus belles filles qui soient, m'écriai-je. Comment se pourrait-il que tu ne sois pas en permanence amoureux de l'une ou de l'autre ?

— Il n'en est rien. Le désir, oui, l'amour, non. Je devais attendre une fille prétentieuse, têtue, aux opinions bien arrêtées, une fille impossible de mon ancien quartier, une fille dans ton genre. Non, pas « dans ton genre »... toi, rien que toi.

Il se tut et parut réfléchir. Trop étonnée pour respirer, je restai coite.

— C'est ta personnalité que j'aime, ton être... la façon dont fonctionne ta petite tête cinglée, ce qui passe pour être ton sens de l'humour, ton sens aigu des valeurs même quand tu as tort, ton côté fou-fou... tu sais qui tu es et voilà tout. J'aime ce sentiment que tu me donnes d'être un être à part entière. J'aime cette envie que j'ai de m'occuper de toi. Quand je suis avec toi, j'ai l'impression d'être arrivé à bon port... au plus beau sens du terme, comme tout le monde en rêve.

Tout arrivait si vite que je ne pouvais toujours pas y croire.

— Mais?...

— Mais quoi?

— Tu as été si désagréable quand on s'est rencontrés. Et le jour où on a déjeuné au Bistroquet, on y est allés uniquement parce que tu n'arrivais pas à mettre la main sur les filles...

— Tu ne sais pas que l'amour est un sacré truc qui fout la trouille, Frankie? J'espérais me tromper sur mes sentiments. Déjà à l'aéroport, je me suis dit que tu étais faite pour moi. Tu n'as pas peur, toi aussi?

Le regardant dans les yeux d'un air affirmant que chacun de mes mots disait vrai, je répondis :

— Pas le moins du monde. Je suis amoureuse de toi depuis l'année où tu étais en terminale. Je n'ai jamais cessé. Je pensais que c'était sans espoir, mais je l'étais toujours malgré tout.

— Vraiment?

— Oui. Au lycée, la moitié des filles avaient le culot de croire qu'elles l'étaient aussi. Moi, je savais que je l'étais pour de bon. Tu es le grand amour de ma vie.

Me serrant tout entière autant que faire se peut à l'arrière d'un taxi parisien, il déclara :

— Il y a intérêt! Pour toujours, maintenant que je t'ai trouvée. Oh, Frankie, ma pauvre chérie que j'ai négligée, mal traitée. Je ne voudrais pas te bousculer, mais ça fait treize ans que j'ai passé le bac. Tu ne crois pas qu'on devrait fêter ça?

C'est ce qu'on fit. Tout l'après-midi et très avant dans la soirée, ponctuant évidemment la chose d'intermèdes et de petits sommes, tous les deux dans un grand lit avec la vue sur un jardin, les rares bruits de la rue bourdonnant derrière les vitres de la chambre. On ne parla guère. On faisait notre premier voyage ensemble dans une contrée trop passionnante pour s'interrompre par des mots. Je ne peux vous raconter les détails, car je suis modeste sur ce genre de sujet mais... peu importe. Disons juste que lorsqu'on fit l'amour, Mike et moi, je compris que je n'avais jamais appartenu à un homme.

Je dus enfin me secouer et convaincre Mike que, égout ou pas, tout le monde allait remarquer notre absence. On prit une douche ensemble et on s'habilla, nous félicitant de ressembler tant à ce qu'on était ce matin, bien qu'on fût différents et pour toujours. Dans le taxi du retour, on resta collés l'un à l'autre en un ravissement muet. Si seulement la jeune fille de quatorze ans que j'étais avait su que ce jour viendrait, j'aurais pu l'attendre pendant toutes ces années, songeai-je vaguement. Mais aurais-je pu endurer le temps qui passe ?

Comme toujours la bande, à l'exception de Tinker, était réunie au Relais près de la fenêtre.

— Il vaut mieux que tu ne sois pas trop près de moi, m'avertit Mike en descendant du taxi. On ne tient pas à clamer la nouvelle sur les toits.

— Alors mieux vaudrait que tu ne me tiennes pas la main.

— Comment c'était ces fameux égouts ? lança Jordan quand on s'assit.

Elle rit d'une façon qui me laissa indifférente.

— En fait, on est allés au Louvre, lui répondit Mike.

— Au Louvre ? râla Maude Callender. Tu plaisantes ? Encore ? Vraiment ? Vous avez sans doute vu la *Joconde* ?

— Non, il y avait tant de touristes qu'on ne pouvait l'approcher, répliquai-je.

— Comme d'habitude, acquiesça-t-elle. Très bien trouvée comme réponse.

— Bien sûr que vous êtes allés au Louvre, se moqua April. Ça se lit sur votre visage.

— Le Louvre ne ferme-t-il pas beaucoup plus tôt que ça ? renchérit Jordan.

— Ne t'inquiète pas, Jordan, assura Maude. Je t'expliquerai plus tard.

— A leurs yeux vitreux, on voit l'effet que ça fait de regarder des chefs-d'œuvre. Tu ne trouves pas, Maude ? dit April d'une voix traînante.

— On a fait toute la Grande Galerie, riposta Mike d'un air indigné. C'est le syndrome de Stendhal.

— Vous avez fait toute la Grande Galerie et vous êtes encore là pour le raconter ? Cela ne relève pas du défi, c'est carrément un cas unique dans les annales ! s'exclama Maude. Ça, ce n'était pas très malin, Mike. J'espérais mieux de ta part.

— Mais c'est vrai, nom de Dieu ! Dans les deux sens, insista Mike.

— Comme tu le voudras, dit Maude avec un sourire narquois. Vous avez dû découvrir une fontaine de jouvence là-bas. Vous avez l'air très... fringants tous les deux. Rajeunis de dix ans, si tant est que ce soit possible à votre âge.

— Je ne suis pas d'accord avec toi, Maude, protesta Jordan. Selon moi, Frankie et Mike ont l'air... crevé, vanné... presque... exténué... Félicitations, petits veinards.

— Je n'ai pas l'intention de prendre un verre avec vous, bande de cyniques, d'esprits mal tournés, ripostai-je d'un ton cassant. La vérité, c'est que vous êtes toutes jalouses!

Jordan cria victoire :

— Ah ah! Touchée!

— Mon Dieu, vous ne respectez donc rien? lança Mike en levant les bras au ciel.

Il m'attrapa par la main et on sortit par la porte du fond qui menait au hall. Toutes riaient si fort qu'elles en pleuraient. Je n'en avais rien à fiche. J'avais envie de clamer la nouvelle à tout le monde, à commencer par les concierges, les caissiers, les serveurs, les chasseurs, les clients présents, je voulais qu'elle se répandît dans tout Paris... qu'elle se propageât à l'infini, jusqu'à ce que le monde entier sût que Frankie Severino et Mike Aaron étaient fous amoureux.

17

Justine avait collectionné tant de catastrophes, ces derniers jours, qu'elle pouvait bien déjeuner avec Dart Benedict. Elle était lasse de chercher des excuses pour le décourager. De plus, toute diversion serait la bienvenue dans son état. Elle se demandait pourquoi cet homme, à la tête d'une agence qui avait pignon sur rue, tenait absolument à la voir. Il devait vouloir quelque chose, sans quoi ne s'inquiéterait-il pas d'elle. Du moins, dans ce cas, n'était-il pas question d'abuser d'elle. Même s'il en avait l'intention, Necker et Aiden lui avaient tant donné cette impression que tout autre occasion s'effacerait dans la médiocrité générale.

Comment Necker avait-il osé lui envoyer ce meuble d'un luxe scandaleux ? C'était une telle façon de l'acheter sous couvert de lui offrir un cadeau. Tout dans le petit secrétaire trahissait le genre de largesses qu'elle pouvait espérer si elle exauçait ses vœux. Proposition fort malvenue. N'étant pas chez elle dans la journée, Justine n'avait pu le renvoyer à son expéditeur. Pour couronner le tout, il aurait fallu le remballer et l'assurer convenablement dans la mesure où il était inestimable, comme l'avait souligné Aiden.

Elle ne voulait rien devoir à Necker ! Prenant le meuble d'un raffinement insupportable, Justine le mit dans une pièce sombre qu'elle n'utilisait jamais, essayant de se convaincre que ce n'était qu'un embêtement qu'elle devrait résoudre un jour ou l'autre.

Mais l'objet refusait de lui sortir de la tête. On aurait dit que Necker, tendant une main de géant, l'avait mis lui-même dans sa maison. Dans son réduit, il semblait exister — être vivant ! — briller dans son esprit d'un éclat aussi resplendissant que si un projecteur l'éclairait jour et nuit. Justine voyait la porcelaine sur les tiroirs décorée de tendres bouquets de fleurs peintes aux couleurs vives et soulignée d'un ton vert pomme avec une pointe de turquoise dedans. La plaque du milieu ornée d'un blason, trois tours surmontées d'une couronne, était proprement inoubliable. Si Necker ne lui avait offert ce meuble, Justine aurait cherché à savoir d'où il venait. C'était la moindre des curiosités.

Si elle était tombée dessus chez un antiquaire, et qu'il le lui eût proposé à un prix avantageux, peut-être se serait-elle laissé tenter par ses lignes d'une harmonie exceptionnelle bien qu'il fût nettement plus élégant que les choses qui l'attiraient d'ordinaire. Dans ce cas, elle l'aurait mis dans sa chambre pour en profiter, s'émerveiller de sa beauté. Peut-être même se serait-elle amusée à réinventer son histoire, s'interrogeant sur les générations de femmes qui s'y étaient assises avant elle pour écrire à leur amant, adresser une invitation à un bal, confirmer une commande à leur couturier. Il avait dû être fait pour une femme de goût, une femme exigeant le luxe et la qualité. A l'évidence, le secrétaire était un chef-d'œuvre. Justine devait l'admettre. Ce n'était pas le meuble en soi qu'elle critiquait, mais celui qui le lui avait offert.

Elle n'en voulait pas ! Objet étrange, il appartenait à une autre civilisation, il représentait un mode de vie qui lui était totalement étranger. Il aurait dû se trouver dans un musée, pas dans sa maison qui n'avait rien d'un musée et qu'elle défendait jalousement. Quel que fût son charme, il avait envahi son territoire, comme le projetait Necker. Justine avait l'impression qu'il lui avait fait don d'une magnifique tiare, la maintenant à terre d'une main tandis que, de l'autre, il la lui mettait de force sur la tête, l'informant ensuite qu'elle devait la porter tous les jours, qu'elle le voulût ou non.

Necker avait abusé d'elle, abusé d'elle d'une façon insupportable, car il avait envoyé le secrétaire avant la tempête qui s'était abattue sur New York. Sans doute juste après l'appel de Gabrielle d'Angelle la prenant au piège, lui annonçant que ses trois mannequins avaient été choisies pour le concours Lombardi. Cette hâte montrait à quel point il était sûr qu'elle aurait accepté, avec quelle facilité il croyait pouvoir entrer dans sa vie en l'achetant.

Quant à Aiden, les libertés qu'il se permettait étaient comparables à celles de Necker. Seul le degré était différent. Aiden, songea Justine la mort dans l'âme, était devenu un autre genre d'envahisseur. A peine avait-elle ouvert sa porte à cet entrepreneur inconnu qu'il lui avait bousillé sa chaudière avant de la kidnapper pour la réduire en esclavage. Jamais un homme ne l'avait touchée comme lui. Irrésistible l'espace de quelques jours, la passion, incontrôlable et écrasante, avait aussitôt cédé à des questions sur sa vie privée. Il prétendait « ne vouloir aucune explication » sur ce cadeau, alors que c'était précisément ce qu'il voulait, ce qu'il attendait.

Pourquoi diable le fait qu'un homme vous fasse succomber rien qu'en vous jetant un regard oblique signifie-t-il que vous devez lui dire des choses que vous voulez garder pour vous ? N'était-ce pas aussi simple que cela ? N'était-ce pas un exemple de la mainmise de l'homme, le genre d'emprise sous laquelle elle avait toujours redouté que ne tombent ses filles en butte aux collectionneurs de jolis minois qui les poursuivaient, le genre d'emprise qui poussait les mannequins à faire des choses que refuserait une fille saine d'esprit ?

Elle n'avait pas osé revoir Aiden. Elle ne pouvait lever ses soupçons sans lui révéler l'existence de Necker. Il leur serait tout aussi impossible de passer un moment ensemble en faisant comme si de rien n'était. Pire, si elle dînait avec lui, comme il le lui avait proposé par téléphone, elle ne pourrait penser qu'à une chose : serait-il plus décent d'attendre la fin du repas pour faire l'amour ? Décent ou pas, ce n'était pas la question. Là, sur son paillasson, à la seconde où il mettrait le pied chez elle, ce serait parfait. Sa tête disait à son corps que c'était d'un charme hasardeux, ce qui lui fichait une peur bleue.

Oui, le moment était bien choisi pour voir ce que voulait Dart Benedict. Ce n'était ni un père, ni un amant, ni un ami. Bien qu'il fût puissant et qu'un tas de potins traînât sur son compte, manger un morceau avec lui ne risquait pas de la perturber. C'était le genre d'homme qui dégageait la froide, la forte indépendance dont elle se targuait encore si bêtement voilà peu.

Dart Benedict, qui planifiait les choses à long terme, était doté d'un sens de l'objectivité exceptionnel. Il était tel qu'il l'appliquait à ses fins aussi bien qu'à autrui. A la fin des années 70, du temps où il était un superbe jeune homme de vingt-cinq ans, il avait choisi pour épouse Mary Beth Bonner, une jeune fille de la bonne société, grosse, placide, fort quelconque mais très soignée, qui présentait l'avantage d'être la fille unique de ses riches parents. Habituée à la vague attention des plus mortels parmi les garçons de la haute, Mary Beth s'étonna de sa chance quand elle séduisit Dart. Il aurait pu conquérir n'importe laquelle de ses amies bien qu'il fût dans le milieu de la mode, milieu vu d'un œil très méfiant dans son monde conservateur.

En plus de sa fortune, Mary Beth comptait d'autres attributs enviables : de bonnes manières à l'ancienne, un manque total d'imagination, des pulsions sexuelles limitées, une passion pour la vie à la campagne et un sens développé de l'autodiscipline qui, si tant est qu'on pût prévoir ce genre de choses, garantissait qu'elle ne mettrait jamais Dart dans l'embarras en sombrant dans l'alcool. Plus important encore, son argent mis à part, Mary Beth était une catholique très croyante. Méthodiste, Dart se convertit pour l'épouser, sachant que Mary Beth lui assurerait le cadre qu'il estimait devoir être le sien : une vie privée construite sur un roc et dégagée de tout problème matériel.

Il avait été élevé à Philadelphie où les prétentions légitimes de sa famille, qui s'enorgueillissait de son arbre généalogique et de son statut social, s'effondraient lentement et de façon sordide à force de divorces, d'alcoolisme et de maladresses chroniques en matière d'investissements. Durant ses premières années à l'université de Pennsylvanie, Dart s'était éloigné de ses parents, cherchant le chemin le plus court qui le mènerait à la sécurité. Il jugeait de ses capacités avec son implacable clarté d'esprit.

A l'évidence, il brillait plus en dehors de tout contexte scolaire. Il avait un énorme succès auprès de ses camarades de classe les plus ambitieuses et les plus séduisantes qui se pressaient autour de lui. Elles ne le traitaient pas comme un éventuel petit ami, mais recherchaient ses conseils et estimaient son jugement qu'elles suivaient à la lettre. Une chose était certaine : il avait le don de savoir s'y prendre avec les femmes. De plus, il avait un œil sûr en matière de beauté féminine. Il appréciait avec une justesse innée la ligne souvent floue qui séparait le grand nombre de jolies, ou de très jolies filles, des rares qui étaient vraiment belles. Ayant des désirs sexuels inépuisables, il avait la prudence de les satisfaire avec les jolies filles, pas avec les beautés. Quand il passa sa licence, Dart réussit à décrocher son premier emploi dans une agence de mannequins en persuadant les deux plus belles filles de sa classe de le suivre dans ce métier tout indiqué pour lui.

Peu après son mariage avec Mary Beth, il lui emprunta un peu d'argent pour ouvrir une petite agence qu'il baptisa Benedict. Mary Beth se consacrait à la vie toute de calme et d'élégance qu'elle se créait dans le monde du cheval de Fairfield County aux abords immédiats de North Stamford. Dart faisait tous les jours l'aller et retour entre New York et la campagne. Il avait imaginé que six mois après leur lune de miel, il se replongerait avec délices dans l'affriolante gamme de plaisirs sexuels que lui offrait sans réserve le milieu des mannequins. Il manqua de clairvoyance uniquement sur ce point. Dart tint le coup moins de trois semaines avant de reprendre ses aventures à l'heure du déjeuner dans son ancienne garçonnière de New York. Pour le reste, ses projets se réalisèrent à la perfection. Bientôt, Mary Beth fut enceinte et ravie de l'être. Elle faisait ses courses à Greenwich, ne s'aventurait que rarement à New York et manifestait peu de curiosité à l'égard de son travail.

Aujourd'hui, près de vingt ans plus tard, Dart et Mary Beth Benedict comptaient depuis longtemps parmi les piliers de la bonne société du Connecticut. Ils avaient six enfants qui s'étalaient entre trois et dix-neuf ans et Mary Beth, qui adorait son mari plus que jamais, en attendait un autre. La garçonnière de Dart restait un secret bien gardé dans le petit monde des mannequins. Sur les centaines de filles qu'il y avait emmenées, aucune n'avait jamais espéré plus de la part de cet homme marié et père de six enfants que ce qu'il voulait leur donner.

Il avait une sacrée belle vie, songeait Dart en attendant Justine Loring. D'un côté, elle était équilibrée, harmonieuse, pleine de satisfactions et de dignité, le genre de vie que ses parents avaient jeté aux orties avec un tel égoïsme. Mary Beth et lui avaient fondé une dynastie de beaux enfants bien élevés. D'un autre côté, il avait si bien choisi sa femme qu'il parvenait à préserver sa liberté, ce qui restait du domaine du rêve pour les autres. La drogue... naturellement, il goûtait parfois les plaisirs de la drogue mais en connaisseur, en gourmet raffiné, heureux de partager les meilleurs trucs possibles avec ceux de ces clients qui n'en attendaient pas moins de sa part. Et quel est l'homme qui devrait se priver des femmes dans toute leur variété ? Il avait organisé sa vie autour de ses plaisirs les plus indispensables et, quand il en avait fini avec une fille, il en faisait toujours bon usage sur le plan professionnel. Tous deux gagnaient à la transaction.

Il restait pourtant un aspect de son existence à satisfaire. Son ambition avait grandi avec son succès. En dehors de ses trois départements réservés aux femmes, son agence en comptait aussi un consacré aux hommes et un autre aux enfants, plus une succursale florissante à Hollywood ainsi que des liens lucratifs avec les principales agences de Paris et de Milan. Cependant, Ford, Elite et Lunel faisaient un plus gros chiffre que Benedict. Être à la tête de la quatrième agence de mannequins au monde le rendait fou. Se trouver en quatrième position dans n'importe quel domaine était un signe d'échec flagrant, il ne le voyait que trop clairement. Cela avait un goût d'un piquant désagréable, comme de remporter la médaille d'or dans l'épreuve de luge aux Jeux olympiques. Bien que tout un chacun, dans le petit monde de ses week-ends, considérât sa situation comme une réussite éclatante dans un domaine qui avait acquis une certaine respectabilité et une énorme fascination, Dart ne pouvait échapper à cette vérité : après plus de vingt ans dans le métier, il risquait de ne jamais devenir numéro un.

C'était inacceptable, estima-t-il en se levant pour accueillir Justine. Tout simplement inacceptable.

— Justine, tu es plus belle que jamais, dit-il sincèrement.

Il aurait donné presque n'importe quoi pour la convaincre de travailler avec lui. A New York, personne ne l'égalait dans son contact rassurant avec les jeunes mannequins. Or les jeunes, les très jeunes, c'était le mot clé aujourd'hui. Dernièrement, il avait perdu plusieurs gamines des plus prometteuses au profit de Loring Management car les mères préféraient confier leurs filles à Justine plutôt qu'à lui, bien que son agence fût relativement modeste. De plus, Justine avait l'œil pour repérer les potentialités. Plus que lui parfois, il fallait se l'avouer. Elle avait engagé des filles dont il n'avait pas voulu et qui, sous sa houlette, s'étaient avérées fort lucratives, risquant même de devenir des vedettes. Il avait par exemple refusé April Nyquist qu'il trouvait trop classique comme blonde pour être vendable. Il avait pensé que le marché ne pouvait digérer plus d'une Daryl Hannah. Il se le reprochait encore.

— Tu es toujours égal à toi-même, Dart, dit Justine avec la même sincérité.

Les épais cheveux blond roux de Dart avaient des pointes de gris depuis une douzaine d'années, mais il n'en avait pas perdu un seul. C'était un bel homme dans le style sportif : grand, bronzé, rude, il semblait monter divinement à cheval, pêcher à la mouche dans les meilleurs torrents et escalader de dangereux sommets pendant ses vacances. Stupéfiant, songea

Justine tandis qu'ils s'installaient, à le regarder on croirait que ça doit être un type bien.

— J'ai été surpris, et ravi naturellement, quand ta secrétaire a appelé pour dire que tu étais enfin libre pour déjeuner. J'étais sûr qu'à cette heure tu étais partie à Paris rejoindre tes filles. Félicitations, Justine ! Joli coup pour Loring Management ! Quand j'ai appris que tu avais tout raflé, je n'y croyais pas, personne d'ailleurs. Tu nous as tous défrisés. Décrocher trois fois la timbale pour une petite agence comme la tienne. Mais quand le succès est mérité, je suis le premier à le reconnaître.

— J'ai été aussi étonnée que toi... peut-être plus.

Dart Benedict ne l'avait pas invitée à déjeuner pour la féliciter. Ça, c'était sûr et certain.

— Une chose m'intrigue... pourquoi n'es-tu pas allée à Paris ? Si ça m'était arrivé, je serais là-bas à rôder autour de mes filles.

— Mais enfin, Dart, je ne peux pas plier bagage et laisser Loring Management tourner tout seul pendant quinze jours. Frankie est plus que capable.

— La célèbre Frankie Severino. Tu as de la chance de l'avoir.

— C'est vrai, acquiesça Justine sans autre commentaire en se plongeant dans la carte.

« La célèbre Frankie Severino » ? Qu'est-ce que ça voulait dire ? Il ne connaissait pas Frankie pour ce qu'elle en savait. Elle avait juste rencontré Dart et sa femme à des réceptions où ils étaient invités tous trois. Les gens du métier ne se fréquentent guère.

— Combien de filles de chez toi vont faire les défilés en dehors de ces trois-là ? demanda Dart une fois qu'ils eurent commandé.

— Quatre ou cinq... tu connais l'histoire, elles ne se décideront qu'à la dernière minute.

— J'en ai une douzaine qui se préparent à partir pour Milan après-demain. C'est ce qui est prévu en tout cas... Justine, depuis quand les internés ont-ils pris le pouvoir dans les asiles ? Il y a cinq ans... non, tout juste deux... quand je disais que j'avais une douzaine de filles qui partaient, il y en avait bien une douzaine dans l'avion ! Aujourd'hui, les meilleures sont des putains de conglomérats, trop occupées à faire des affaires pour affronter le décalage horaire. Et quand elles ne jouent pas les présentatrices occasionnelles à la télévision, elles sont liées par leurs contrats de cosmétiques à refuser les défilés. Apparemment, elles sont si bien payées que ça leur est égal.

— N'oublie pas celles qui partent à Hollywood faire des essais.

Si Dart tenait à parler de la pluie et du beau temps avant d'entrer dans le vif du sujet, quel qu'il fût, elle le suivrait sur ce chemin.

— Ne m'en parle pas... C'est ce qui est arrivé à Elsie qui a fait fidèlement Chanel pendant trois ans. Karl lui réservait toujours la robe de mariée. Tu imagines à quel point il est ravi de la perdre à la dernière minute... il ne la reprendra jamais.

— Elsie ? Elle est sur quel rôle ?

— Un truc que Julia Roberts vient de refuser, autrement dit ça peut être un scénario sur dix. Tout ce que je sais, c'est qu'elle a laissé un message à son booker. Elle n'a pas osé me l'annoncer.

— Tu incarnes sans doute une figure de père trop forte, dit Justine avec une ironie désabusée.

— Peut-être, répondit Dart d'un air songeur. Mais n'est-ce pas précisément ce dont ont besoin les jeunes filles ? Regarde-toi, Justine. Quel âge as-tu exactement ? Dans les trente-cinq ans ? Pourtant, tu as une puissante aura de figure de mère... tu donnes l'idée de quelqu'un qui fait un pain divin et de fabuleuses soupes de tes blanches mains... toutes ces choses que personne n'a plus le temps de préparer. Avec tout le respect que je dois à ton sens aigu des affaires, c'est ce sentiment de sécurité, ce côté familial qui fait que ton agence marche si bien.

— Merci, Dart. Si c'est le cas, je ne m'en rends pas compte. C'est d'autant mieux. Il est des choses qu'on ne peut truquer.

Justine s'efforça de sourire gracieusement. De la soupe maison, tu parles !

— Tu sais, Justine, je m'inquiète un peu pour toi. Te voilà bloquée à New York alors que tu devrais être à Paris pour t'assurer que tes filles n'ont pas de problèmes. Or, de ton propre aveu, tu ne peux pas partir car Frankie est la seule de tes employés en qui tu as une entière confiance. Aucun de tes bookers ne peut s'occuper de l'agence à ta place, hein ? Tu sais ce que j'en conclus ? Côté gestion, ta boutique est drôlement fragile. Comment veux-tu te développer rapidement dans ces conditions ?

— C'est gentil de t'inquiéter pour moi, Dart, répliqua Justine avec froideur. J'ai pourtant réussi à me développer à un rythme qui me convient. A mes yeux, se sentir à l'aise et maîtriser la situation sont deux choses importantes. J'aime être le patron, je ne voudrais pas partager les commandes avec qui que ce soit. A chacun sa place.

— Je te comprends, Justine, moi aussi je voyais les choses ainsi. Mais je ne suis arrivé à rien tant que je n'ai pas engagé les gens qu'il fallait, avant même de pouvoir me le permettre, et appris à déléguer mes pouvoirs. Quand je pense que tu n'es pas allée à Paris alors que Necker en personne a choisi trois de tes mannequins... enfin, ce type a deux autres maisons de couture... tu pourrais y placer tes filles si tu voulais user de tes charmes avec lui. Jamais je n'aurais gâché une telle occasion.

Justine pâlit.

— Qu'est-ce qui te fait croire que Lombardi n'a pas choisi les filles lui-même ? demanda-elle.

— On est les meilleurs copains du monde depuis des années, Marco Lombardi et moi. De vieux, vieux copains, des vétérans des guerres de la mode, pourrait-on dire. Il était si furieux quand Necker lui a fourgué tes filles qu'il a décroché son téléphone pour me raconter ses malheurs pendant une demi-heure. Comment peux-tu savoir que notre charmant ami commun, ce fameux coquin de Marco, se conduit à peu près correctement avec elles ? Et qu'elles se tiennent bien ? Hummm ? On en connaît tous un bout sur les tentations de Paris, non ?

— Frankie me tient au courant, il n'y a aucun problème.

Justine parvint à garder un ton à moitié badin. Pourquoi cette espèce de vermine venait-il mettre son sale nez de péquenot dans ses affaires ?

— Tant mieux pour Frankie. Mais à ta place, je serais à Paris, même si je ratais quoi que ce soit à New York. D'ailleurs, je pars dans quelques jours. Ce qui m'amène à mon sujet, Justine.

— Je me demandais quand tu allais y arriver.

Elle ne se donna pas la peine de réprimer un sourire glacial.

— Puisque tu as accepté mon invitation, tu dois être curieuse de savoir ce qui la justifie.

— Peut-être un peu curieuse, Dart, mais avant tout polie. Je ne peux me permettre de décliner éternellement tes flatteuses invitations !

— Je ne me sens jamais gêné d'insister. Justine, tu connais l'importance de Benedict. Je dirige une magnifique machine bien huilée. On couvre tous les secteurs du métier et on fait une fortune en commissions. Néanmoins, je crois qu'on pourrait aller beaucoup plus loin. Il y a de quoi se développer et le moment est très bien choisi.

— Vas-y, Dart, répliqua Justine d'un ton encourageant. Allez, Benedict !

— Sois sérieuse, Justine. J'aimerais acheter Loring Management à un prix plus que correct et te signer un contrat de direction à long terme selon tes conditions. On serait gagnants tous les deux dans cette histoire. Tu te retrouverais avec un joli paquet, tu continuerais à travailler dans ton domaine, mais tu n'aurais aucune responsabilité financière. Plus de paie le vendredi, plus de souci pour ton crédit, plus d'inquiétude qu'un booker vital risque de partir en emmenant certaines de tes filles parmi les meilleures... tout cela deviendrait des problèmes de Benedict et Benedict est assez grand pour les digérer facilement. Tu serais libre de te consacrer à ce que tu fais si bien : dénicher de nouvelles têtes pour en faire des vedettes.

— On serait gagnants tous les deux ? A qui devrais-je en référer, Dart ?

— Tu dirigerais ton département. Et tu pourrais amener Frankie avec toi, naturellement.

— Mais à qui devrais-je en référer ?

— Disons qu'en dernière instance, on ferait le point tous les deux de temps en temps. Mais ton contrat stipulerait les questions précises sur lesquelles tu t'en remettrais à mon jugement.

— Donc, j'en référerais à toi. Et tu aurais le dernier mot sur certains points. C'est bien cela ?

— Oui. Je ne vais pas investir une fortune dans ton agence pour te laisser carte blanche... ce serait absurde. Mais il n'y a pas de raison qu'on ne trouve un accord satisfaisant pour l'un comme pour l'autre.

— Ça ne marcherait pas. Ça ne m'intéresse pas, Dart.

— Écoute, Justine, tu n'as pas eu le temps d'y réfléchir sérieusement. Ne me donne pas ta réponse tout de suite, penses-y. Permets-moi toutefois de te demander une chose. Tu te rends compte que tu es esclave de ta boîte ? Tu la diriges à l'ancienne, comme si tu avais un magasin de bonbons. En revanche, malgré toutes mes responsabilités, je suis assez bien secondé pour aller me reposer quelques jours avec Mary Beth dans notre propriété de Hobe Sound quand ça me chante. Et quand les enfants sont en vacances, on arrive à s'offrir de vraies vacances en famille pendant un mois, parfois même six semaines.

— Je n'aime pas me reposer, jamais plus d'un week-end.

— Ne jouons pas sur les mots, Justine. Tu comprends très bien ce que je veux dire. Tu as encore l'âge de choisir parmi une centaine de beaux partis... tu devrais te marier, avoir des enfants, t'amuser, acheter une maison de campagne, jardiner, voyager... inutile d'énoncer toutes les possibilités qui s'offrent à toi. Ce qui n'empêche qu'elles existent bel et bien. Elles sont à portée de ta main, mais tu as choisi d'épouser ton boulot. Ce n'est pas sain.

— Je pourrais aussi coudre mes robes pendant que tu y es. Je vais penser à me créer une vie, riposta Justine.

Après Necker et Aiden, elle avait droit aux conseils à la Ménie Grégoire de ce connard ! Il ne lui manquait plus que ça.

— Écoute, on sait l'un comme l'autre que mes propos ne sont pas désintéressés. J'ai vraiment besoin de tes talents dans ma boîte, déclara Dart sans se décourager. Si tu ne veux pas vendre carrément Loring Management, on pourrait trouver un autre genre d'accord. Une forme de partenariat qui te libérerait des problèmes financiers, m'apporterait le fruit de ta brillante cervelle et te donnerait un bon pourcentage sur l'ensemble des bénéfices qu'on ferait ensemble, j'en suis convaincu.

— Je regrette, Dart, mais je ne veux pas être associée avec qui que ce soit. Je tiens à mon indépendance.

— Avec tout le respect que je te dois, Justine, il te faut comprendre la fragilité d'une boîte qui repose essentiellement sur deux personnes. Qu'arriverait-il par exemple si quelqu'un se mettait en tête de proposer à Frankie le double de ce que tu la paies ? Elle gagne soixante-quinze mille dollars par an... Si tu veux mon avis, cent cinquante seraient justifiés, vu ce qu'elle vaut.

— Comment sais-tu ce qu'elle gagne ? s'écria Justine, furieuse et stupéfaite à la fois.

— Je le lui ai demandé. C'est moi qui lui ai proposé le double. Inutile de me traiter de salaud, c'était un coup strictement professionnel. J'ai supposé qu'un autre le ferait sans cela.

— Elle ne m'en a jamais parlé.

— Sans doute ne voulait-elle pas avoir l'air de te forcer à lui donner une augmentation que tu ne pouvais lui accorder. Mais elle risque de changer d'avis un jour, Justine. Comme je l'ai déjà dit, la persévérance finit par payer.

— Dart, veux-tu vraiment savoir pourquoi je ne m'associerai pas avec toi malgré les conditions très favorables que tu me proposes ?

— Bien sûr, puisque ça ne rime à rien. Or, tu es une femme sensée.

— Seule une personne très attentive à ce qui leur arrive devrait vendre les charmes de jeunes et jolies filles, une personne qui les considère comme des êtres humains dont chacun a sa valeur. Aujourd'hui, trop de filles ne parviennent pas à décrocher un contrat sans coucher avec tel type important de telle agence, ni à obtenir une confirmation sans coucher avec le client. Les photographes et les agents jouent trop au maquereau avec les nouvelles. Entre leur poids, leur physique et leur résistance, les jeunes filles qui se lancent dans ce métier sont confrontées à suffisamment de problèmes sans être forcées à coucher de tous les côtés.

— Pourquoi restes-tu dans ce métier si tu trouves ça si terrible ?

— Parce qu'il faut bien que quelqu'un s'en charge, comme tu le disais à propos de débaucher Frankie. Avec moi, les choses sont claires.

— Donc tu te considères comme une espèce de mère supérieure ? lança-t-il d'un ton acide.

— Dart, permets-moi de te donner un exemple pour illustrer mes propos. Il est une agence à New York où les filles sont divisées officieusement en trois groupes. Le groupe dit des « Intouchables », les filles qui sont assez belles pour trouver un contrat n'importe où. On leur fiche la paix, on les gâte comme des princesses, on n'exige d'elles aucun droit de cuissage. Il y a ensuite un deuxième groupe, celui des « Peut-être ». On les surveille attentivement pour distinguer celles qui ont de vraies potentialités. Si elles ont ce qu'il faut, elles deviennent « Intouchables ». Quant aux autres, elles sont reléguées dans un troisième groupe, baptisé les « Troupes ».

— D'où tiens-tu ce truc ?

— Les « Troupes », enchaîna Justine, n'auront jamais la chance d'arriver en haut de l'échelle, même si elles sont jolies. On ne le leur dit pas en ces termes évidemment, mais elles ne feront qu'une carrière banale : des catalogues, des petits prospectus, le genre de choses sans grand intérêt qui fait vivre les agences. Elles ne feront jamais de haute couture, de télévision ni de défilé, mais elles gagnent bien leur vie et permettent à l'agence d'encaisser régulièrement sa commission...

— Justine, toutes les boîtes de New York, y compris la

tienne, ont une majorité de filles comme ça. Il n'y a que les non-professionnels pour croire que les mannequins des agences sont toutes des tops. Sur les milliers de filles qui travaillent aux États-Unis, à peine une vingtaine sort du lot.

Justine poursuivit sans tenir compte de ses remarques.

— Le type qui est à la tête de l'agence dont je parle considère l'ensemble des « Troupes » comme son harem personnel. Quand il a envie de... s'en servir... il leur dit simplement où et quand se présenter. De deux choses l'une : ou elles acceptent ou on les prie de quitter l'agence. Ce ne sont pas les aspirants qui manquent, surtout à ce niveau. N'est-ce pas, Dart ? Tant que la fille n'est pas arrivée chez ce type, elle ne sait pas si elle sera seule avec lui, s'il y aura d'autres filles qui s'occuperont de lui, des types bizarres auxquels elle devra se prêter ou même d'autres filles avec qui elle devra opérer. Sans parler de la drogue... il y a de fortes chances qu'elle y touche, peut-être pour la première fois. Oh, j'oubliais un détail, cela n'a lieu qu'à l'heure du déjeuner. Le plus incroyable, c'est que le type à la tête de cette agence qui organise ces... déjeuners... est heureux en ménage, a des gosses formidables et est une référence dans ce milieu. De plus, sa femme n'a jamais rien soupçonné. Personne n'aurait la cruauté de lui en parler.

— Et tu crois vraiment à cette histoire ? Où as-tu entendu raconter toutes ces absurdités ?

— Partout, Dart, partout. C'est pourquoi je n'ai pas l'intention de m'associer avec quelqu'un d'autre. Tant qu'on n'entre pas chez quelqu'un, on ne sait ce qui s'y cache.

— Comme tu le voudras, dit-il en haussant les épaules. Reste toute seule dans ton coin si tu préfères. Mais je te conseille d'investir dans des caleçons en cachemire. Tu risques d'en avoir besoin durant ce long hiver rigoureux quand soufflera la tempête et que d'autres agences feront des descentes chez toi pour te piquer tes filles et tes bookers.

— J'ai survécu jusqu'à maintenant... dans ma lingerie en pure soie. Tu ne m'en veux pas si je file sans prendre de café ? Je dois retourner à mon magasin de bonbons.

— Au revoir, Justine. Je n'oublierai pas de toucher un mot de notre déjeuner à Marco quand je l'appellerai. Ça l'intéressera d'avoir des nouvelles d'une vieille amie.

Justine quitta aussitôt le restaurant sans lui serrer la main. A l'inflexion de sa voix quand il avait parlé de « ce coquin de Marco », elle avait compris qu'il savait tout de son aventure humiliante avec Lombardi. Les hommes de ce genre se confient toujours leurs conquêtes, se vantant de leurs exploits dans les moindres détails. De là à s'en servir comme d'une arme des années plus tard, une arme destinée à l'amadouer, à la remettre à sa place avant de lui faire sa proposition de rachat ! Un homme intelligent se serait sûrement dit que c'était la dernière des choses à mentionner ! Il se serait sûrement abstenu de la menacer alors qu'elle lui avait clairement fait comprendre qu'elle était au courant de ses déjeuners privés !

En réalité, c'était plus simple que ça. Aux yeux de Dart Benedict, il n'y avait aucune différence entre elle et les filles sur lesquelles il jetait son dévolu. Il avait agi de la même façon avec elle, l'intimidant tout en lui promettant une récompense, moyens employés pour les faire céder. Il ne voulait pas baiser son corps, mais son cerveau... c'était la seule différence. Et c'était ça, son fameux déjeuner strictement professionnel, un déjeuner qui ne l'aurait pas perturbée, où l'on n'aurait pas abusé d'elle !

Tandis que Justine se hâtait vers Loring Management, elle s'efforça d'oublier Dart Benedict. Il s'était fait un ennemi, elle aussi. C'était tout ce qu'elle y avait gagné. A partir d'aujourd'hui, elle avalerait un sandwich au thon dans son bureau en guise de déjeuner.

Dans l'après-midi, sa secrétaire posa sur sa table une lettre de Frankie qui venait d'arriver de Paris par service express.

Très chère Justine,

Il fallait que je te dise une chose. Je ne pouvais le faire par fax, craignant les regards indiscrets malgré la mention « confidentiel » et je ne voulais pas t'appeler, ne voulant pas te déranger au bureau pour parler de cela. Mais voilà, je suis si heureuse que je ne sais pas quoi faire de moi. J'erre dans cette immense suite comme une folle, essayant de me convaincre que c'est vrai... Mike Aaron et moi sommes amoureux. Oh, Justine, je n'en dors pas, je suis très agitée, je ne peux rien faire que de t'écrire — toi, la seule personne au monde à qui me confier— en espérant que ça me calme. Amoureux, tu te rends compte ? Ce matin encore, je l'ignorais, mais il est amoureux de moi ! J'ai toujours dit des choses affreuses sur son compte, comme tu le sais. En réalité, je ne faisais que masquer le fait que je l'aimais depuis le temps du lycée. L'avais-tu deviné ? Oh, Justine, il est si mer-

veilleux ! J'aimerais savoir écrire des poèmes... ou de la prose qui parvienne à exprimer ce que j'éprouve. Mike est mille fois mieux que mon rêve devenu réalité. Je ne savais pas qu'on pouvait être si heureux. Et tu avais raison à propos de ma façon de me coiffer et de m'habiller. Dans quelle mesure cela lui a-t-il permis de me remarquer ? Mystère ! En tout cas, ça n'a rien gâché. On a passé toute la journée ensemble, le matin au Louvre, puis l'après-midi à l'hôtel de l'Abbaye. Oui, Justine, c'est vrai ! Toute la bande est au courant, les filles s'en sont aussitôt aperçues quand on les a retrouvées pour prendre un verre. Quand je pense que ce ne serait pas arrivé si tu ne m'avais pas envoyée ici ! Je n'arrive toujours pas à y croire ! J'ai la situation en mains, je ne perds pas la tête, je ne mollis pas, ne t'inquiète de rien. Je t'ai envoyé par fax ce matin tous les détails concernant Tinker. Il n'y a rien eu de neuf depuis. Hormis Mike et moi. Nous. Moi et Mike. Nous deux. Je ne sais pas ce qu'il en adviendra... même si tu ne crois pas en un Dieu, prie pour moi, Justine chérie. Prie que cette histoire ne soit pas qu'une simple idylle passagère. Je crois que je ne m'en remettrais pas... surtout après cet après-midi. J'espère qu'un jour tu seras aussi heureuse que je le suis. Tu me manques tant ! Je t'embrasse très fort,

Frankie.

Justine lut la lettre quatre fois avant de la reposer. Puis elle s'approcha de la fenêtre, colla le front à la vitre et hocha doucement la tête, comme devant le berceau d'un bébé qui dort, un signe où se mêlaient l'émerveillement, l'appréhension, l'impuissance, l'affection et l'espoir. Je vous en prie mon Dieu, faites que ça marche, faites que ça marche.

18

— Je m'efforce de rationaliser la chose, déclara April à Maude, les mots se bousculant sous l'émotion. J'essaie de l'accepter, de me dire que ce n'est pas la fin du monde, que je n'ai jamais pensé gagner, que la publicité dans *Zing* sera formidable pour ma carrière, mais je suis si déçue que je ne sais pas quoi faire...

April s'effondra au bord du lit de Maude et éclata en larmes.

Peu après leur réveil ce matin-là, Frankie était allée voir Jordan et April dans leur chambre pour leur annoncer qu'à l'avenir elles verraient peu Tinker qui serait prise par ses leçons de tango et ses séances avec Lombardi. Bien qu'elle eût tenté de minimiser l'idée encore prématurée que Tinker avait remporté le concours, Frankie n'avait pas réussi à les convaincre que la compétition était encore ouverte. Jordan avait accueilli la nouvelle avec calme. Encore en peignoir, April avait repoussé Frankie et s'était ruée chez Maude qui, assise sur son lit, les rideaux tirés, lisait l'*International Herald Tribune* à la lueur de la lampe de chevet avant de s'habiller, pour s'épancher dans son giron.

— On devrait mettre Marco Lombardi dans une chambre de torture ! s'écria Maude avec véhémence. Pauvre petite, ne sanglote pas comme ça. Oh, je sais ce que tu éprouves, je le sais bien. Je sais à quel point c'est important pour toi. Je t'ai dit que mon article était basé sur ta victoire, tu te souviens ? Ça ne change rien, je reste sur mes positions. Et si le résultat me contredit, je montrerai clairement que c'était truqué. Tu trembles. Tiens, enroule-toi dans l'édredon. Voilà, c'est mieux. Allez, mouche ton nez. Tu as pris ton petit déjeuner au moins ?

— Je venais de le finir quand Frankie est arrivée.

— Tu veux un peu de café pour te réchauffer ? Il est encore

chaud et il fait glacial ici. Ce n'est jamais bien chauffé dans ce pays !

— Non, merci, répondit April.

Grâce à la compassion de Maude, ses larmes s'apaisèrent.

— Lombardi ne t'a même pas laissé une chance de décrocher ce contrat. A Jordan non plus, d'ailleurs. Tu devines ce qui a dû se passer, naturellement ? poursuivit Maude d'un ton apaisant. Tinker a dû céder à ses avances quand elle est soi-disant allée apprendre à défiler, c'est la seule explication. Peut-être même a-t-elle pris les devants. Qui sait de quoi elle est capable ? A ce stade pourtant, on pourrait penser que Lombardi ferait semblant de ne pas avoir pris sa décision, qu'il jouerait le jeu de la compétition, se réservant d'annoncer plus tard le nom du vainqueur. Quelle impudence... Ce qui m'échappe, c'est qu'il ne comprenne pas qu'après le défilé personne ne croira qu'il ait pu la choisir à ta place.

— Il n'en a rien à foutre, je ne vois pas d'autre explication, affirma April d'un air songeur. Jordan ne sera pas spécialement déçue, elle n'y a jamais cru parce qu'elle est noire. Elle me l'a dit dans l'avion et elle n'a pas changé d'avis depuis. Quand je pense que je m'inquiétais que Necker l'ait emmenée à Versailles. C'est de Tinker que j'aurais dû me méfier. Mais je ne vois pas pourquoi on n'aurait pas eu notre chance, toutes autant qu'on est, si on avait joué franc jeu !

— Mon chou, Jordan n'avait aucune chance, elle a raison. Mais ça aurait dû être toi.

Maude contempla le visage d'April avec compassion et adoration. Sa beauté ne demandait pas quartier, elle était sans pitié contrairement à d'autres moins exceptionnelles. Il lui paraissait indécent que la perfection d'April ne réunît pas tous les suffrages tant elle sonnait juste.

— Tu crois que ?...

Maude ne finit pas sa phrase.

— Quoi donc ? Que voulais-tu dire ?

— Que Lombardi a peut-être dit vrai, que Tinker lui a juste inspiré de nouvelles idées pour ses modèles, Dieu sait pourquoi, et qu'il travaille avec elle tous les jours uniquement pour cette raison. Ce qui expliquerait pourquoi il ne s'est pas donné la peine de prendre des gants... rien n'est décidé dans son esprit et nous, on en tire des conclusions trop hâtives, April ! Après tout, Tinker prend juste quelques heures par jour de ces cours de tango à la noix et le tango n'est pas le plus court chemin qui mène au défilé ! Je crois que toute cette histoire est loin d'être finie... tu as encore toutes tes chances, j'en suis convaincue !

— Tu le penses sincèrement ou tu le dis pour me remonter le moral ?

— Jamais je ne te donnerais de faux espoirs, April. Je suis sûre que rien n'est décidé. Et une fois sur le podium, tu emporteras le morceau.

— Oh, Maude, je t'adore ! Tu es la seule personne qui raisonne dans cette affaire.

April se jeta dans les bras de Maude qu'elle étreignit. Toute à sa joie retrouvée, elle l'embrassa sur la joue avec exubérance.

— April, tu ne peux pas savoir comme j'aime ça.

Celle-ci la regarda d'un œil inquisiteur.

— Tu aimes ça ? Tu aimes t'entendre dire que tu es un génie ?

— J'aime que tu m'embrasses. Même sur la joue. C'est la première fois que je sens tes lèvres sur moi.

— Ah.

— Ne t'écarte pas ainsi, April. Tu devais bien savoir qu'on en arriverait là tôt ou tard, non ?

— Je n'y ai pas songé, répondit April d'une voix tremblotante.

Toujours assise sur le lit, elle serrait l'édredon autour de ses épaules.

— Pas une fois, pas une seule fois ? Cela ne t'a jamais traversé l'esprit ? demanda Maude avec douceur.

— Disons... peut-être me suis-je... un peu interrogée, je ne suis pas si bête... après t'avoir confié ce que m'inspiraient les hommes, j'ai pensé à la façon dont tu vivais et j'ai supposé que tu... enfin, je n'en savais rien, mais... tu vois ce que je veux dire. Sans doute à cause de ta façon de t'habiller, sinon je n'aurais pas imaginé...

— Malgré tout, tu as passé toutes tes journées à découvrir Paris en ma compagnie. Tu comprends ce que cela signifie ?

— Cela signifie que je n'ai pas peur de toi et que tu n'as pas baissé dans mon estime à cause de tes choix. Quels qu'ils soient, ajouta April en pouffant d'un rire nerveux.

— Je le sais et j'en suis heureuse. Mais il y a autre chose, une chose que tu te refuses à comprendre. Écoute-moi, April, ne détourne pas la tête comme une petite fille. Tu n'es pas une petite fille, pas du tout. Tu es une femme, une vraie femme qui se demande comment ce serait avec une autre... Tu te poses la question sans arrêt, mon chou. C'est vrai, non ? April, y penser est la chose la plus naturelle qui soit. Tu m'as dit que tu n'aimais pas les hommes. Tu as essayé, mais ça n'a pas marché parce que ça te dégoûtait. Peut-être es-tu vierge, April. Tu n'en es pas moins un être comme les autres, avec un corps comme tout le monde. Il n'y a donc qu'une seule alternative.

— A t'entendre, ça paraît très logique, protesta April.

— Ça l'est, April. Ce qui ne l'est pas, c'est qu'une femme telle que toi n'ait aucune vie sur le plan sexuel. C'est cruel, une véritable punition. Tu as l'impression d'être un paria, ce qui est absurde. Ce doit être un supplice pour toi. Combien de temps crois-tu que ça puisse durer ?

— Je ne supporte même pas de penser à tout cela. C'est si embrouillé, je ne sais plus où j'en suis...

April se réfugia dans le silence. Elle baissa la tête pour cacher ses joues empourprées, contemplant ses mains qui tremblaient. Pourtant, elle resta perchée sur le lit de Maude.

Lui caressant la tête, celle-ci dit d'une voix émue :

— April, April... bien sûr que tu ne sais plus où tu en es. Tu ne le sauras pas tant que tu ne te résoudras pas à faire l'amour avec une femme, une fois, rien qu'une fois, pour voir si c'est ça qui te plaît. Idéalement, il faudrait que ce soit une femme d'expérience, une femme qui sache que tu es vierge et qui ne s'attende pas à un miracle... qui ne s'attende à rien... Combien de personnes connais-tu qui répondent à ce portrait ?

April se mit à rire. Maude sentit qu'elle se détendait un peu. Elle continua à lui caresser délicatement les cheveux tout en parlant avec calme.

— On pourrait m'accuser, à juste titre, d'être opportuniste. Mais tu sais que tu te le dois pour savoir à quoi t'en tenir. Sinon, tu serais déjà partie, tu ne crois pas ? Tu as presque pris ta décision, mon ange. Cela arrivera tôt ou tard, tu en es consciente. Ne le fais pas sur une impulsion avec une inconnue, juste pour t'en débarrasser comme avec ces garçons. La première fois, ce doit être avec une personne sur qui tu puisses compter, une personne que tu connaisses aussi bien que moi, une personne à qui tu t'es confiée, une personne qui te comprenne. Oh, April, ma douce April si troublée, je te promets d'être très tendre, très douce. Je ne te bousculerai pas et si tu veux t'arrêter, je m'exécuterai, sans question ni récrimination comme avec les hommes. Je te fais la promesse solennelle que je respecterai tes souhaits. Cela ne changera rien à mes sentiments à ton égard. Tu ne peux rester dans l'ignorance jusqu'à la fin de tes jours. Laisse-moi t'aimer, ma chérie. Il te faut simplement avoir le courage d'accepter.

Timide, April se tourna vers Maude sans la regarder en

face. Puis elle effleura sa joue d'un baiser furtif, trop gênée pour dire un mot, pas même le « oui » qui lui brûlait les lèvres. Combien de nuits avait-elle passé dans son lit à penser à Maude Callender ? Combien de temps avait-elle passé à s'interroger sur cette femme fascinante qu'elle sentait toujours plus proche ? Elle n'osait imaginer que cela pût arriver... non, pour être honnête, elle y songeait. Elle songeait vaguement — idée effrayante aussitôt repoussée — qu'une chose de ce genre pouvait être possible. Du moins... pas impossible. Pourtant, elle n'avait pas peur. Elle se sentait cajolée, adorée, elle éprouvait une telle curiosité qu'elle en avait la gorge sèche, les bras et les jambes qui tremblaient, les seins qui la picotaient.

Repoussant l'édredon, Maude la prit par les épaules et lui embrassa délicatement les cheveux.

— Viens te coucher, April, murmura-t-elle. Appuie-toi contre l'oreiller et ferme les yeux. Ne pense qu'à ce que tu ressens, c'est la seule chose qui compte. Tu es si tendue... détends-toi, je vais juste t'embrasser le visage.

Prenant sa tête entre ses mains et posant les lèvres sur son front, elle l'embrassa avec douceur. Inlassablement, ses lèvres tracèrent un chemin qui s'agrandit petit à petit jusqu'à atteindre les jolies oreilles, la ligne sublime de la mâchoire, la naissance des cheveux. Elle sentit April se détendre et l'entendit soupirer de soulagement à l'idée que le sort en était jeté. Pourtant, elle se limita aux contours du visage. Cette retenue lui donnait beaucoup plus de plaisir que si elle avait dévoré April de toute la violence de son émoi.

Ce faisant, elle s'écarta à plusieurs reprises pour contempler d'une joie stupéfaite les traits résolument inexpressifs. Elle ne pouvait croire que le visage qu'elle vénérait s'abandonnait à ses caresses. Quand les lèvres d'April s'entrouvrirent enfin de leur plein gré, Maude les frôla d'un doigt qu'elle passa et repassa dessus le plus délicatement du monde jusqu'à ce que la bouche, comme animée d'une vie propre et cherchant quelque chose dont April n'avait pas conscience, fît la moue. Elle l'embrassa alors, déposant de doux baisers sur le pourtour de la bouche offerte sans jamais la couvrir de la sienne.

Elle sentit April tendre timidement les lèvres, mais elle ne voulait pas lui abandonner sa bouche. Pas encore, pas avant de l'avoir poussée à la lui réclamer. Bientôt, plus vite qu'elle ne l'imaginait, elle sentit les mains se joindre derrière sa tête pour l'attirer jusqu'à ce que leurs bouches s'unissent, la jeune fille lui rendant ses baisers et gémissant d'un plaisir indicible alors qu'elle goûtait les lèvres de la femme. Maude tenait à ce qu'April se montrât entreprenante la première. Comme elle l'embrassait longuement, bien qu'avec chasteté, elle sentit la langue de la jeune fille remuer, presque imperceptiblement tout d'abord, puis avec une audace redoublée. Elle la laissa faire jusqu'à ce qu'April devînt de plus en plus exigeante, jusqu'à ce qu'elle la poussât à réagir. Alors, incapable de se refréner, Maude la dévora. Puis elle s'humecta les doigts qu'elle glissa sous le déshabillé et la chemise de nuit de la jeune fille à la recherche du petit bout pointé de son sein.

Pendant un long moment langoureux, Maude continua à dévorer la langue d'April et à tourmenter le bout de son sein, rien que le bout, sachant que les deux sensations, dégagées de toute autre, étaient très fortes. Elle se concentra sur sa respiration, l'entendant accélérer avec volupté lorsque, renversant la tête en arrière, April murmura :

— Ne t'arrête pas.

Puis elle tenta en vain de forcer son sein gonflé entre les doigts de Maude.

Non, elle n'irait pas plus vite. Elle ne la laisserait pas faire quoi que ce fût pour en finir, comme autrefois avec les hommes. Elle préférait devenir folle de désir plutôt que de céder à sa demande.

Enfin, Maude perçut le signe qu'elle attendait : une légère pression sur le haut de sa tête indiquant, sans un mot, qu'April voulait qu'elle lui mangeât les seins. Elle fit semblant de ne pas comprendre, jouant encore plus délicatement avec le mamelon.

— Je t'en prie, je t'en prie... soupira April.

— Que veux-tu, ma chérie? murmura Maude. Dis-moi ce que tu veux, dis-le-moi.

— Suce-moi, suce-moi les seins! supplia April.

D'un coup d'œil, Maude vit qu'elle n'en était plus à rougir. Mais, sous l'effet des sensations inconnues qui l'envahirent, April changea d'avis avant que Maude ne pût s'exécuter. Elle se redressa dans le lit où, passive, elle était étendue. Puis, saisissant Maude de ses deux bras, elle l'immobilisa.

— Déboutonne ton pyjama, ordonna-t-elle. Je veux tes seins, je les veux tout de suite.

Dès qu'apparut la superbe poitrine de Maude, April se jeta dessus avec voracité. Elle la pétrit de ses doigts ardents et maladroits à la fois, la dévora à pleine bouche, gauche et néanmoins dominatrice dans son avidité soudain révélée, la léchant et la mordant avec une telle violence qu'elle s'en étonna.

— Je veux que tu te mettes sur moi, ordonna April avec dureté.

Elle se glissa pour que Maude changeât de position. Quand elle vit les seins se balancer au-dessus de sa tête, April se sentit submergée d'un désir inconnu. Elle les pressa l'un contre l'autre pour les prendre tour à tour à une rapidité stupéfiante, s'abandonnant tout entière à la réalisation d'un fantasme qu'elle entretenait en secret depuis toujours. Les gros seins de Maude la grisaient. Elle s'émerveillait de leur volupté, de leur fermeté, du caractère sombre et planturcux des mamelons bien mûrs. Vibrant d'une invention lascive, elle les tétait, tirant dessus, tour à tour impérieuse et taquine, faisant preuve d'une avidité et d'une audace inouïes. Elle se prit pour un bébé, puis pour un homme, jusqu'au moment où elle comprit soudain qu'elle était une femme, une femme brûlant de désir.

— Maude, Maude ! s'écria-t-elle. Et maintenant ?

— Tu veux autre chose ? Dis-moi quoi, dis-moi quoi.

— Maude, je t'en prie, je ne sais comment le dire.

— Si.

— Je t'en supplie. Je n'en peux plus.

— Que veux-tu que je fasse ?

Maude se montrait implacable. C'était le seul moyen pour qu'April apprît à se connaître.

— Entre mes cuisses... ta main, ta bouche... je veux tout ! Vite !

— Non, pas vite, jamais vite, pas la première fois, murmura Maude. Enlève ta chemise de nuit et mets-toi sous les couvertures.

Tandis qu'April s'exécutait aussitôt, Maude retira son bas de pyjama.

— Tu as eu mes seins, mais je n'ai pas eu les tiens, reprocha-t-elle à April avec une dureté feinte. Ce n'est pas juste. Alors que j'en mourais d'envie depuis si longtemps, que j'en rêvais quand je te voyais les afficher sans soutien-gorge sous tes pulls moulants à me rendre folle... ne bouge pas, laisse-moi te regarder... tes seins sont aussi durs que les miens et j'ai à peine joué avec le premier... tu étais faite pour ça, chérie, faite pour ça.

Quand Maude s'attaqua aux ravissants petits seins d'April, elle se glissa pour les dévorer tout en la caressant. Entre deux baisers, d'une main hésitante, respectueuse, elle s'aventura vers le ventre plat de la jeune fille, attentive à la moindre protestation. Au lieu de cela, April se cambra et repoussa les couvertures pour découvrir son corps nu dans toute sa splendeur. Des poils soyeux, aussi dorés que ses cheveux, recouvraient son pubis.

— Oui, oui, plus bas, je brûle d'impatience ! gémit April.

Elle se redressa et força Maude à abandonner ses seins en hurlant :

— Ta bouche, Maude, je veux ta bouche !

April écarta les jambes et ouvrit ses lèvres humides de ses mains.

— Là, colle ta bouche sur moi, ordonna-t-elle.

Maude avait rarement entendu un ton si dominateur. A ces mots, elle renonça à sa générosité pour obéir.

Elle se mit sur April qu'elle dévora de sa bouche brûlante. Ce faisant, elle glissa deux doigts en elle avec délicatesse, se rappelant qu'elle était vierge. April hurla de plaisir et enfonça les doigts de Maude en elle avec violence. Puis elle s'écarta pour les enfoncer toujours plus loin en haletant.

— Plus fort, plus fort ! Avec trois doigts ! Et continue à me sucer !

Maude se concentrait avec une intensité qui effaçait tout le reste. Elle ne pensait qu'au plaisir d'April. Alors qu'elle lui donnait ce qu'elle voulait depuis si longtemps sans le savoir, elle avait l'impression de découvrir le plaisir. April était insatiable, consumée de désir. A chaque fois que Maude tentait de ralentir le rythme pour faire durer les choses, April la poussait à continuer comme si elle chevauchait un cheval. Comme elle se cambrait et bandait les cuisses, Maude sentit qu'elle approchait de la jouissance. Alors, ensemble, elles accélérèrent la cadence jusqu'au moment où April se figea pendant une longue seconde avant de hurler en s'abandonnant dans sa bouche.

Quand elle retrouva enfin son calme, Maude releva sa tête et la regarda en face, ne sachant quelle serait sa réaction. Serait-elle honteuse, de nouveau timide, déconcertée ? Tout était possible. Les yeux d'April brillaient sous ses paupières mi-closes et elle passa la langue sur ses lèvres souriantes.

— Donne-moi juste le temps de me reprendre, ma chérie, juste un instant et je... je vais te prendre... te prendre pour de bon. Je te serai reconnaissante jusqu'à la fin de mes jours. Jamais je ne te remercierai assez.

— Écoute, chérie, c'est inutile, je t'assure... ne t'inquiète pas de moi.

— Tu ne comprends pas. J'en ai envie, j'en meurs d'envie, je brûle d'impatience... je veux juste reprendre mes forces, c'est tout. Je vais te prendre, puis tu me reprendras ou on le fera ensemble. Ce n'est qu'un début, Maude. Je dois rattraper le temps perdu ! Allez, viens, embrasse-moi... j'en deviens folle rien que d'y penser.

Non seulement elle est à la hauteur, mais elle ira bien au-delà de ce que je peux lui offrir, et très bientôt. Elle est insatiable. Je ferais mieux de me servir avant que ça ne se sache, avant que d'autres femmes n'éveillent sa curiosité. Ou est-ce déjà fait ? Elle va avoir un succès fou quand on rentrera à New York. Elle n'a pas besoin de moi, mais elle ne le sait pas encore.

Bouleversée, Maude s'approcha des lèvres d'April, de son corps encore si brûlant qu'une caresse la mènerait à la jouissance.

19

Tous les matins, Jacques Necker se réveillait, convaincu qu'il se sentirait plus reposé s'il se forçait à ne pas fermer l'œil de la nuit. Les horribles cauchemars qui le tourmentaient se diluaient avant son réveil, lui laissant l'impression qu'on l'avait roué de coups. Il était affreusement déprimé, mais n'avait aucun souvenir de ses rêves. Pourtant, depuis une semaine ils semblaient faire partie de sa vie, aussi réels que sa réussite, aussi puissants que sa fortune.

Les relents de la nuit étaient à peine dissipés qu'il s'obligeait à se préparer avant de se rendre à pied à son bureau. A l'approche de la collection de printemps, il trouvait quelque réconfort à se jeter à corps perdu dans le travail. Il ne se contentait pas de prendre les décisions importantes qui régissaient le sort de son vaste empire. Il surveillait aussi fiévreusement des détails qu'il confiait d'ordinaire aux gens payés pour s'en occuper. Il harcelait les responsables de la présentation au Ritz pour savoir où en étaient les choses : il se demandait si les dizaines d'arbres en fleurs commandés suffiraient, exigeait une explication sur les décors peints encore en chantier, insistait pour changer le menu, allait jusqu'à goûter les vins, comme si le succès de la collection Lombardi était son seul sujet de préoccupation. Il travaillait toujours plus tard, rendant fous ses associés à force de modifier des décisions déjà prises, repoussant le moment où il devrait quitter ces lieux où sa parole faisait la loi pour rentrer chez lui.

Si sa femme, la pauvre Nicole, était encore là, il aurait droit à une distraction obligatoire chaque soir, songeait Necker en faisant la grimace. Car elle consacrait presque toute son énergie à organiser au moins une fois par semaine de somptueuses réceptions et à se rendre à celles qu'on donnait. Il se rappelait l'ombre qui assombrissait son visage lorsqu'ils se retrouvaient en tête-à-tête plus d'un soir dans la semaine. Quand son agenda n'était pas rempli un mois et demi à l'avance, elle se sentait aussitôt abandonnée. Pire, insignifiante. Le sachant, Necker ne s'était jamais refusé à se préparer pour assister à l'une de ces énièmes soirées malgré la tension de ses journées. C'était le moins qu'il pût faire, estimait-il depuis longtemps, dans la mesure où il ne lui offrait plus en guise d'amour qu'une affection de routine et ne lui avait pas donné d'enfant pour remplir sa vie.

Même si Nicole était encore là, il ne lui parlerait pas de ses cauchemars. Ils avaient perdu l'habitude de se confier des choses intimes depuis fort longtemps, moins de deux ans après leur mariage quand il comprit que son monde se résumait à des essayages, des déjeuners, des entretiens avec les fleuristes et les traiteurs alors que le sien était lié aux affaires.

Quelques semaines à peine après la disparition de Nicole, Necker commença à recevoir deux fois plus d'invitations à dîner que du temps où il était marié. Il les refusa systématiquement, conviant à l'occasion de vieux amis chez lui pour éviter de passer pour un ermite. Il ne voulait pas se remarier, mais sentait qu'il était la proie des femmes du Tout-Paris. Chacune avait sa candidate, l'une des nombreuses veuves ou divorcées encore pleines de charme qui présentaient les qualités requises pour devenir la seconde *Madame** Necker.

Il était impensable, se disaient entre elles les femmes de son monde, qu'un homme d'à peine cinquante-cinq ans à la tête d'un empire colossal, un homme particulièrement séduisant et vigoureux, plus jeune que son âge par beaucoup de côtés, pût rester un jour de plus sans une nouvelle compagne.

Jacques Necker arrivait à se montrer si indifférent en ces circonstances, parfois même à la limite de l'inconvenance, qu'hormis quelques-unes de ses amies de longue date les plus optimistes, elles avaient renoncé à s'occuper de son avenir. Parfois, dans les rares moments où il s'avouait sa solitude, il se demandait pourquoi il ne cédait pas à la pression de ces marieuses, choisissant une femme fort agréable pour meubler les vides de son existence en s'affairant à des problèmes de décoration et aux multiples soucis de la vie domestique que seuls connaissent les nantis, une femme énergique qui trouverait indispensable de posséder des choses aussi banales qu'un yacht, un château et une villa à Saint-Jean-Cap-Ferrat, une femme qui organiserait des safaris et des séjours aux sports d'hiver, qui le pousserait à se libérer à tout prix pour « profiter de la vie ».

Il n'avait pas l'intention d'être condamné à reproduire la vie qu'il menait avec Nicole. Année après année, toujours les mêmes réceptions, les mêmes conversations à propos de rien avec les mêmes trois cents personnes. Jusqu'au jour où il avait appris l'existence de Justine, il était, si ce n'est content, du moins résigné à consacrer ses rares moments de loisirs à collectionner des œuvres, lire des livres d'histoire de l'art et se rendre souvent à Zurich, Amsterdam, Milan ou Londres pour voir les dernières expositions des musées et des galeries ou pour assister aux derniers des salons annuels des antiquaires où des marchands du monde entier présentaient leurs plus belles pièces.

Seuls ses appétits sexuels, qui étaient loin d'être éteints, prouvaient qu'il n'était pas devenu une pièce d'antiquité lui aussi. Il ne pouvait se résoudre à entretenir une maîtresse, préférant les services efficaces, bien que froids, que lui fournissaient les call-girls les plus sélectes de Paris. Il déchargeait son surcroît d'énergie en disputant presque tous les soirs des matchs de squash acharnés à son club où il restait souvent dîner avec l'un de ses nombreux partenaires.

Le coup que Justine lui avait porté en ne venant pas le terrassa pendant plusieurs jours. Un matin, alors qu'il allait au bureau, il se demanda soudain pourquoi il n'avait pas pris de nouvelles de sa santé, chose la plus naturelle qui fût au bout d'un certain laps de temps. Sitôt arrivé, il appela Frankie et s'enquit des résultats du traitement sur l'otite de Miss Loring.

Trop surprise par sa question pour inventer un mensonge, elle répondit :

— Je n'en suis pas sûre.

— Comment cela ? Vous ne vous appelez pas tous les jours ?

— A vrai dire, non, avoua Frankie qui se reprenait. Justine a près de soixante-dix autres mannequins dont elle s'occupe. Elle sait où on est, que les filles sont occupées... elle compte sur moi pour la tenir au courant en cas de problème. Je n'ai donc pas besoin de faire le point avec elle tous les soirs.

— Miss Severino, j'ai parfaitement confiance en vous. Mais il me semble qu'à moins d'une semaine de la collection de printemps de Lombardi, Miss Loring devrait trouver plus important d'être ici plutôt qu'à New York.

— Je ne vois pas ce qu'elle pourrait faire de plus que moi, répliqua Frankie avec audace. Tinker n'a pas une minute à elle de la journée, comme vous le savez. Quant à April et Jordan, Lombardi a dit qu'il ne voulait pas les voir tant qu'il ne peut les intégrer à l'ensemble des mannequins. Il m'a expressément demandé de ne le déranger sous aucun prétexte. D'après ce que m'explique Tinker, il travaille comme un fou sur de nouveaux modèles, assisté par toute son équipe qui s'évertue à le suivre. Les ateliers de Marco sont bourrés d'ouvrières qui œuvrent jour et nuit. Je ne vois pas ce que ferait Justine, si ce n'est d'attendre elle aussi.

— C'est une question de dignité, s'entendit répondre Necker d'un ton ampoulé. Par son absence, Miss Loring ne témoigne pas de son intérêt pour l'importance du contrat Lombardi. Je suppose qu'elle s'organisera pour venir au défilé.

— Mais certainement ! Peut-être même plus tôt, assura Frankie avec calme.

— Vous trouvez toutes à vous occuper ? s'enquit Necker qui s'efforça à un ton plus cordial.

— Maintenant que les filles en ont fini avec le photographe de *Zing*, elles tuent le temps plus qu'autre chose... les boîtes de nuit ont très vite perdu de leur intérêt pour nous. Maude Callender, la journaliste de *Zing*, et April ont visité tout Paris et Jordan passe sa vie dans les musées. Hier, elle est encore restée une bonne partie de la journée au musée des Arts décoratifs. C'est devenu son endroit préféré à Paris.

— Votre petit groupe semble bigrement féru de culture.

— Que faire d'autre, *Monsieur** Necker ? Les filles n'osent succomber à la cuisine française, trop riche pour elles, il n'y a pratiquement rien à acheter dans les magasins, sauf les invendus de l'hiver qui sont en solde. Elles ne peuvent même pas faire les boutiques ! Elles ont déjà vu les films américains à New York, les autres sont en français comme les programmes de la télévision. Il fait trop froid pour se promener ou s'asseoir dans les jardins, on ne trouve même pas une salle de gym digne de ce nom... C'est à se demander comment les femmes restent en forme ici ! Si on n'avait pas la ressource des musées, que nous resterait-il ? Toute la haute couture s'affaire cette semaine dans la fièvre des derniers préparatifs, mais mes filles ne sont pas encore sur la sellette en dehors de Tinker.

— Effectivement, je n'y avais pas pensé. Et vous faites aussi partie de la brigade culturelle ?

— Je mets un point d'honneur à passer le plus de temps possible dans les anciennes abbayes.

— C'est un excellent but sur lequel concentrer son énergie.

— Merci, répondit Frankie avec une modestie affectée. On peut y consacrer une vie entière.

Après avoir raccroché, Necker pianota des doigts sur la table. Terrassé, il était incapable de rassembler ses pensées. Frankie Severino, cette impossible créature, se permettait de lui mentir, allait jusqu'à se plaindre. Et il ne pouvait rien y faire. Cela dépassait l'humiliation, la honte, la déception même. C'était douloureux, une douleur qui lui faisait l'effet d'un terrible coup à l'estomac. L'impression était si forte qu'il tenta de la localiser pour l'apaiser, si forte qu'il fut surpris de ne pas se plier en deux en marchant.

En cet instant, des dizaines de milliers de personnes travaillaient pour lui, fabriquant des produits qui allaient des textiles aux parfums, des personnes pour qui sa parole était d'or alors qu'il ne parvenait pas à arracher la moindre bribe de vérité à cette idiote de fille qui manifestement la connaissait. Il n'arrivait même plus à se convaincre que Justine comptait venir pour le défilé, pas plus qu'il n'avait jamais cru un traître mot de cette histoire d'otite. C'était aussi peu plausible que d'imaginer Frankie traîner dans les abbayes. Peut-être April et la journaliste visitaient-elles Paris. De tout le tableau tracé par Frankie, une seule chose sonnait juste : les quelques mots sur Jordan au musée des Arts décoratifs.

Celui-ci regorgeait de superbes meubles et d'objets, des pièces entières présentées comme elles l'étaient autrefois. Soudain l'image de la jeune femme errant dans les salles, examinant d'un regard fasciné ces décors évocateurs sans pouvoir les approcher à cause du cordon de velours qui les protégeait du public, toucha chez Necker un point sensible qui lui permit d'oublier un instant les mensonges de Frankie, qui refoula la douleur.

Il pouvait faire plaisir à Jordan le temps d'un après-midi. Le pragmatisme avec lequel elle avait exposé sa condition de Noire lui avait donné une idée de sa maturité et de son indépendance. Après ses explications sur la prudence avec laquelle elle naviguait en ce monde, il supposait qu'elle ne devait sans doute pas entrer seule chez un antiquaire admirer des choses qu'elle ne pouvait s'offrir. Seul un touriste blanc spécialement sûr de soi osait braver les imposantes portes des grands antiquaires français, seuls ceux qui avaient les moyens de se sentir à l'aise n'importe où et qui connaissaient suffisamment bien ce genre de commerce pour comprendre qu'on était libre de « jeter un coup d'œil » sur les plus belles pièces sans avoir l'intention d'acheter. Ceux-là aussi se faisaient souvent accompagner par un client de la maison. L'intimidation qu'inspiraient les grands antiquaires permettait aux marchands des puces de s'enrichir.

Necker fit appeler Jordan par sa secrétaire. Sans détour, il en arriva au but.

— J'ai appris par Miss Severino que vous appréciez le musée des Arts décoratifs. Je le connais bien, mais il m'est pénible d'avoir des gardiens qui rôdent autour de moi comme si j'allais voler quelque chose à la seconde où ils vont tourner le dos. Ça vous amuserait d'aller voir des boutiques qui ont de très belles choses où vous pourriez ouvrir jusqu'au dernier tiroir, retourner tous les objets en porcelaine, examiner la moindre charnière ? Une boutique où l'on n'espère pas que vous achetiez quoi que ce soit ?

— J'en serais ravie !

— Je peux passer vous prendre à trois heures. Qu'en dites-vous ?

— C'est parfait !

Après s'être mis d'accord avec Jordan, Necker réfléchit un moment, puis appela l'hôtel des Kraemer pour prendre rendez-vous. Malheureusement, fait rarissime, les trois *Messieurs** Kraemer étaient absents cet après-midi, lui annonça une secrétaire. Ils étaient à des ventes aux enchères dans trois villes différentes. Mais *Monsieur** Jean, leur premier assistant, se ferait un plaisir de lui être agréable, de faire les honneurs de la maison à *Monsieur** Necker et à son hôte, *Mademoiselle** Dancer.

D'habitude, il ne prenait pas la peine de s'annoncer. Cette fois-ci, il appela à l'avance car il se dit que s'il se présentait à l'improviste avec une Noire d'une beauté renversante, les Kraemer risquaient de manifester à l'abord une très légère surprise ou une certaine curiosité malgré leur remarquable sang-froid. Il voulait à tout prix épargner cela à Jordan lorsqu'elle était en sa compagnie. Malgré la perspicacité dont elle faisait preuve face aux usages de ce monde, il se sentait très protecteur à son égard... protecteur et tendre à la fois. Il tenait à ce qu'il ne lui arrivât rien que de très agréable, s'aperçut Jacques Necker qui se demanda si elle n'était pas devenue une fille de remplacement à ses yeux.

C'était étrange que Jacques Necker l'eût appelée juste au moment où Jordan se sentait abandonnée. Tinker s'était laissé emporter sur son petit nuage de gloire. April et Maude n'étaient jamais libres, et rarement dans les parages. Quant à Frankie et Mike, ils vivaient leur vie les yeux dans les yeux, les petits veinards... Elle n'avait personne à qui se raccrocher en dehors de cette vieille Peaches Wilcox. Tout sauf ça ! En société, elle était amusante mais, quand elles se croisaient dans le hall, elle lui lançait un bref sourire en guise de fin de non-recevoir. Le genre de grimace indulgente que fait une femme célèbre quand on ne la reconnaît pas. Jordan ne lui en tenait pas rigueur. Elle était ainsi, voilà tout.

Jordan avait prévu d'aller faire les antiquaires cet après-midi. Elle comptait parcourir la Rive gauche qui regorgeait de simples petites boutiques où étaient exposées en vitrine des pièces dignes de tenter le diable. Elle se sentait si à l'aise à Paris. Jordan se voyait l'objet d'une telle admiration sans la moindre note de racisme qu'elle s'était permis d'explorer plusieurs des boutiques les plus modestes, découvrant que les antiquaires n'aimaient rien tant que de bavarder.

Tels les meilleurs des hôtes, ils donnaient l'impression de lui ouvrir leurs portes juste pour faire sa connaissance et papoter. Ils étaient si discrets que Jordan ne se sentait pas obligée d'acheter quoi que ce fût. Elle s'était malgré tout offert un service de charmantes assiettes à dessert, quatre ravissantes tasses à chocolat avec les soucoupes assorties et un pot, deux vases et une douzaine de gravures de botanique. Curieusement, quand la conversation se terminait par un achat, après le marchandage qui faisait partie de la transaction, les antiquaires ne paraissaient ni contents ni mécontents.

Tout cela était si agréable que Jordan avait caressé l'idée de s'installer à Paris. Travailler ici jusqu'à ce qu'elle soit trop âgée pour poser, mettre de l'argent de côté, puis ouvrir un petit magasin d'antiquités. Hélas, alors qu'elle nourrissait ce rêve, elle découvrait à la lecture des journaux la forte vague de violence toujours croissante contre les émigrés d'Afrique du Nord, le pourcentage toujours plus important de Français qui imputaient aux Noirs tous les maux du pays.

Elle avait plus de chances chez elle, se disait Jordan alors même qu'elle appréciait, quand elle se promenait, cet hommage particulier qu'accordent les Européens aux jolies femmes sans distinction de race.

Lorsque la voiture de Necker s'arrêta devant l'*hôtel particulier** de Kraemer, Jordan s'étonna :

— Il n'y a pas de vitrine ?

— Les Kraemer sont trop connus pour faire de la publicité, ne serait-ce qu'en exposant leurs richesses. C'est le genre d'endroit où on ne va pas par hasard. Ce qui n'empêche qu'on est très bien reçu si on sonne à la porte.

— En ce sens, ils sont comme les autres antiquaires.

Masquant sa surprise, il s'enquit :

— Vous avez fait des achats ?

— Très modestes, de toutes petites choses sur la Rive gauche. Je n'avais guère de place dans mes bagages et je n'en ai déjà plus. Je me demande s'ils ont vraiment envie que j'achète... c'est une idée que je me fais ou sont-ils un peu déçus quand je prends quelque chose ?

— Non, vous avez raison. Imaginez que vous passiez votre vie à rechercher certaines pièces que vous finiriez par découvrir à l'endroit le plus inattendu, que vous ayez ensuite à convaincre quelqu'un de vous les vendre puis, après vous être donné tout ce mal et y avoir pris grand plaisir, que vous deviez revendre ces trésors pour gagner votre vie. Je trouve que c'est une torture très raffinée. Mais les antiquaires ont choisi cette voie et les Kraemer s'y emploient depuis trois générations. Naturellement, ils ont gardé beaucoup de leurs merveilles pour eux. Ils sont obligés, sinon ils en mourraient de chagrin. J'ai dit un jour à Philippe Kraemer qu'il était aussi masochiste qu'un danseur qui décide d'exercer toute sa vie son art dans la souffrance. Il s'est contenté de se moquer de moi. A dire vrai, il a l'œil. Je suis sûr qu'il a de plus belles pièces que les miennes.

— Et les mannequins qui se laissent mourir de faim et passent leur temps à souffrir le martyre sur leurs hauts talons tout en faisant mine de s'amuser ? Toute médaille a son revers, vous ne croyez pas ? Quels sont les mauvais côtés de votre métier ?

— Je n'y ai jamais pensé. Peut-être n'y en a-t-il pas, répondit Necker avec surprise.

— Quelle chance vous avez ! Un mètre de tissu en vaut un autre, un flacon de parfum aussi. Vous ne vendez pas de pièces uniques, sauf dans vos maisons de couture. Et si l'un de vos stylistes ne fait pas l'affaire, on peut toujours le remplacer, j'imagine. C'est la marque qui compte pour vendre un parfum.

— En effet. C'est pourquoi je lance Lombardi. Vous ne voulez pas entrer ?

— Je parle pour ne rien dire comme un antiquaire, répliqua Jordan, toujours souriante.

Le chauffeur lui ouvrit la portière de la voiture. Elle portait un pantalon et une veste stricts et bien coupés sur un pull-over à col roulé d'un brun profond. Avec son étonnante couleur de peau, la tenue formait un contraste aussi saisissant qu'une femme au teint très pâle dans du satin noir.

Monsieur* Jean, l'assistant des Kraemer qui connaissait si bien la maison qu'ils pouvaient la lui confier quand besoin était, les accueillit :

— *Monsieur** Necker, *Mademoiselle**, soyez les bienvenus. Entrez, je vous en prie, il fait froid.

— Jordan, je vous présente *Monsieur** Jean, dit Necker en anglais. *Monsieur** Jean, je vous présente *Mademoiselle** Dancer qui est un amateur en matière d'antiquités.

— Je suis ravi de faire votre connaissance, *Mademoiselle**. Puis-je vous offrir un thé, un verre ?

— Non, merci. Peut-être plus tard. Jordan, y a-t-il une chose que vous aimeriez voir tout particulièrement ?

— Non... j'aimerais juste faire un tour, répondit-elle, subjuguée.

Jamais elle n'avait imaginé que tant de meubles sans prix et de trésors exquis pouvaient se trouver dans une maison, rien que dans l'entrée... sans prix, façon de parler, puisqu'ils étaient tous à vendre. Elle n'avait fréquenté que des boutiques de trois sous ; les antiquaires qu'elle avait rencontrés auraient été béats devant la moindre paire d'appliques des Kraemer.

Pendant une heure, Jordan et Necker errèrent dans les neuf salons de Kraemer et Cie. Peu à peu, Jordan se sentit plus à l'aise. Ces fauteuils, faits pour Versailles, étaient présentés de façon à ce que les acheteurs éventuels pussent s'y asseoir. Quelle était la femme qui aurait acheté un fauteuil sans l'essayer ? Cette pendule Louis XVI en dorure et marbre blanc avec ses trois cadrans et ses trois porte-bougies était faite pour qu'on s'en servît tous les jours, qu'on y lût l'heure, qu'on l'allumât comme n'importe quelle lampe. L'encrier Boulle en marqueterie, dans lequel on percevait l'habileté politique dans tout son éclat, avait un but précis, tout comme le stylo à bille dans son sac.

Découvrir ce que pouvaient s'offrir les nantis de ce monde risquait-il de gâcher le plaisir de ses modestes trouvailles ? Jordan allait-elle comparer ces chères tasses à chocolat à l'encrier Boulle noir et or et leur trouver piètre allure ? Non, pas plus que ses tenues préférées comparées aux robes du soir à dix mille dollars qu'elle portait à la dernière collection de Bill Blass. Dans son esprit, l'un n'avait rien à voir avec l'autre.

Jordan se renversa, presque allongée dans une profonde causeuse, et ferma à demi les yeux, savourant l'odeur du parfait entretien qui flottait dans les pièces bondées : un mélange de bois et de cire, d'une fragrance indéfinissable. Peut-être étaient-ce les roses dans les petits vases en verre posées ici et là. Dans son dos, Necker examinait les bords travaillés d'une table. Ainsi concentré, il dégageait une telle intensité qu'il donnait l'impression du mouvement réfréné de force. A ce moment-là, s'ouvrit une porte cachée dans la moulure du mur et un homme vêtu d'un uniforme sombre traversa la pièce. Quand il vit Necker, il s'arrêta.

— *Monsieur** Necker ! s'exclama-t-il en français. *Monsieur** Jean vous a-t-il dit que le *bonheur du jour de Madame** de Pompadour avait bien été livré à *Madame** Loring ? J'ai eu le plaisir de le convoyer moi-même à New York... quatre jours à attendre que ce blizzard se dissipe, quelle histoire ! Mais je peux vous assurer que je n'ai pas quitté la précieuse caisse des yeux, sauf pendant le vol naturellement, jusqu'à ce que *Madame** Loring en personne signe le reçu. J'ai bien insisté là-dessus. J'espère qu'il lui aura plu, *Monsieur**. Quelle superbe œuvre d'art !

— Oui, bien sûr, merci beaucoup, répliqua Necker d'un ton qui mettait fin à la conversation.

Le courrier disparut aussi soudainement qu'il était arrivé, laissant derrière lui un silence très différent de celui qui avait précédé son entrée.

Justine et Necker ! C'était donc ça, songea Jordan qui retint son souffle sous l'effet du choc. Voilà pourquoi on les avait choisies toutes les trois pour venir à Paris. Un secrétaire qui était celui de la maîtresse de Louis XV... cela valait des millions de dollars ! Il devait être fou amoureux d'elle... cela expliquait toutes les questions qu'il lui avait posées sur Justine au petit Trianon. Submergée par la douleur, elle s'efforça à respirer calmement. Pourquoi était-elle si bouleversée, pourquoi cette terrible douleur lui brisait-elle le cœur ? Qu'est-ce que ça pouvait lui faire que Justine et Necker... oh non, non ! C'était impossible ! Elle était jalouse comme jamais de sa vie. Jalouse de Necker ? Ce n'était qu'un homme à qui elle avait pu parler sans détour, un homme bon, honnête, gentil qui l'avait écoutée avec intérêt. Se pouvait-il que ce fût... son pouvoir, sa richesse, ses biens ? Si seulement, si seulement ! Non, c'était l'impression de sa grande main sur son bras, la façon dont ses cheveux gris bouclaient sur les tempes pour se perdre dans le blond, le timbre même de sa voix, un timbre si différent, tellement plus agréable qu'aucun autre, son sourire enfantin si rare, son air mélancolique quand il croyait qu'elle regardait ailleurs. C'était aussi... oh, merde... c'était tout de la tête aux pieds et elle était la pire des idiotes. Ma fille, cette fois tu es tombée en plein dedans, mais il faut t'en sortir. Dieu merci, elle avait résisté à la tentation de lui en fiche plein la vue en parlant français. Il ne lui restait plus qu'à faire semblant de ne pas avoir saisi un traître mot de ce qu'avait dit le courrier. Rien n'était plus difficile que de feindre l'ignorance alors qu'elle était sous le choc, jalouse de surcroît. Sans parler d'autres émotions encore plus inacceptables qu'elle se devait de réfréner en attendant de se réfugier dans sa chambre d'hôtel.

— Je crois qu'il est temps de partir, annonça Jordan.

Elle se leva d'un mouvement fluide. Necker resta cloué sur place.

— Que de merveilles... quel bel après-midi !

— Quand vous le voulez... acquiesça Necker qui se reprit.

Il l'escorta d'un pas pesant jusqu'à l'entrée où ils saluèrent *Monsieur** Jean avant de regagner la voiture.

— Henri, ordonna-t-il au chauffeur, au Ritz, s'il vous plaît... l'entrée de la place Vendôme.

— « Au Ritz » ? répéta Jordan, surprise.

Ne l'avait-il pas emmenée là où il l'avait promis ? Cet horrible après-midi n'était-il pas terminé ?

— Un verre nous fera du bien, dit-il d'un air résolu.

— Sûrement... il me faut un remontant pour contrebalancer l'effet de tous ces beaux meubles français. La beauté me donne soif.

Vas-y, parle à tort et à travers, car je ne croirai plus jamais un mot de la bouche de Jacques Necker. Et ça ne va pas me tuer de passer encore quelques instants en sa compagnie !

Une fois dans le hall du Ritz, ils allèrent au bar aux banquettes tout de velours ambre, qui donnait sur un jardin hivernal aux hauts murs couverts d'un treillage de bois blanc où s'enchevêtraient des feuillages et des fleurs fausses bien que très bien imitées.

— Asseyons-nous dans le coin, proposa Necker en prenant Jordan par le coude. Que prenez-vous à cette heure ? Du champagne ? Je vous en prie, ne me demandez pas de thé.

— Ça me paraît très bien.

S'enfuir lui aurait paru très bien, lui dire au revoir, je ne suis pas celle que vous croyez.

Le serveur apporta deux flûtes. Necker leva la sienne.

— A vous, dit-il d'un ton cérémonieux.

— C'est calme ici, remarqua nerveusement Jordan après un moment de silence. Où sont les gens ?

— Ils se préparent pour le dîner. Ils seront là d'ici une demi-heure. L'hôtel n'est pas encore très plein. Tous les journalistes de mode sont à Milan. Malgré tout, dans une heure, vous ne vous entendrez plus parler. Jordan, j'ai pensé que...

— Très mauvaise idée, l'interrompit-elle aussitôt. Il ne faut jamais penser quand on peut boire. Je peux avoir une autre flûte, s'il vous plaît ?

— Bien sûr. Moi aussi, je vais en prendre une. *Monsieur**, deux autres flûtes et donnez-nous quelques cacahuètes. Jordan, je sais que vous parlez français.

— Comment... qu'est-ce qui vous le fait croire ?...

— Ne dites rien. Écoutez-moi. J'ai vu votre réaction aux mots du courrier. Vous avez tout compris. Je voyais la surprise se peindre sur votre visage. Mais votre instinct vous a dicté d'agir avec tact, de faire semblant de rien. Ensuite, vous avez voulu partir le plus vite possible. Vous savez que j'ai envoyé un secrétaire à Justine, ne prétendez pas le contraire.

— Cela ne me regarde pas, affirma Jordan. Vous ne me devez aucune explication, je n'ai rien à savoir et je ne veux rien savoir. Je n'en soufflerai pas mot, jamais. Je vous en donne ma parole.

— Jordan, je vous en prie, soyez mon amie. J'ai besoin de quelqu'un à qui parler d'elle.

— Écoutez, *Monsieur** Necker...

— Combien de fois dois-je vous demander de m'appeler Jacques ?

— Je n'ai aucune intention de parler de Justine, si c'est la raison pour laquelle vous m'avez amenée ici. Je le regrette, sincèrement. Croyez bien que je suis votre amie, Jacques, mais je ne veux en aucun cas en entendre parler. Vous finiriez par m'en vouloir, ça ne rate jamais. Quoi qu'il se passe entre vous, vous regretteriez tout ce que vous pourriez me confier. Disons que je me suis trouvée au mauvais endroit au mauvais moment et que j'ai appris une chose qui ne me regarde pas. Restons-en là.

— Je ne peux vous reprocher d'en arriver à des conclusions trop hâtives.

Jordan but quelques gorgées de champagne et contempla le jardin, s'efforçant de rester impassible. Elle n'avait rien à ajouter. Jacques Necker lui prit des mains le verre qu'il posa sur la table ronde. Puis il tourna son visage vers lui pour l'obliger à le regarder en face.

— Justine Loring n'est pas ma maîtresse, Jordan. C'est ma fille.

— C'est impossible! s'écria Jordan.

Immobile, Necker garda les yeux rivés sur elle. Il offrit à son regard incrédule son visage jusqu'à ce que la ressemblance, qu'avait aussitôt remarquée Frankie, la frappât. La douleur qui lui glaçait le cœur se dissipa. Pourtant, elle ne se sentait pas soulagée. Elle n'éprouvait qu'un grand vide qu'elle n'avait jamais connu. Se rendant enfin à l'évidence, elle finit par dire :

— Oui. Oui, je vois. Bien sûr. Si j'avais ouvert les yeux...

— Vous voulez bien que je vous parle maintenant? Je vous en prie, Jordan, je vous en conjure. Personne ne le sait en dehors de Justine et, j'en suis presque convaincu, de Frankie Severino. Mais elle fait semblant de rien depuis le début et je ne peux l'obliger à trahir Justine. J'en deviens fou, Jordan. Je ne me reconnais pas. Je ne peux dormir sans faire des cauchemars atroces, j'agis de façon irrationnelle, je suis complètement désespéré, je n'en peux plus. J'ai besoin de vous, de vous parler. Vous vous souvenez quand vous m'avez demandé si j'avais des enfants et que je vous ai répondu que ma femme et moi n'en avions pas eu? Ce n'était qu'une partie de la vérité... je vous en prie, Jordan, puis-je vous en parler?

Jordan observa Necker. Il lui apparut soudain comme un être dans une situation difficile, un homme qui la suppliait du regard de lui accorder une oreille attentive, la moindre des indulgences. Peut-être lui en voudrait-il à cause de ce qu'il tenait tant à lui confier, mais elle devait prendre ce risque. Elle ne pouvait se défiler devant une personne qui souffrait tant, voilà tout.

— Quelle est donc l'autre partie, Jacques? Que s'est-il passé? demanda-t-elle avec douceur.

— Jusqu'à ces derniers mois, j'ignorai l'existence de Justine, déclara Necker en poussant un grand soupir. Je ne savais pas que j'avais une fille, je n'en savais rien! Helena, la mère de Justine, me l'avait caché. Je l'ai abandonnée quand elle était enceinte, abandonnée à son sort. Jamais, je n'aurais imaginé qu'elle avait gardé l'enfant. J'étais un jeune con qui ne valait pas cher, une honte, un sale petit lâche écœurant... on avait tous les deux dix-neuf ans, ce qui n'est pas une excuse. Helena voulait que je sois tenu à l'écart de la vie de son enfant. Qui pourrait le lui reprocher ? Quand elle a appris qu'elle était mourante, elle a décidé de m'envoyer des photos de mon unique enfant. Et quelles photos, Jordan ! Des albums qui remontaient à la naissance de Justine, des albums de sa vie entière jusqu'à la fin de sa carrière de mannequin. Helena s'était offert une belle revanche.

— Une revanche ? Comment savez-vous qu'elle ne vous donnait pas une deuxième chance, une toute dernière chance ?

— Parce que Helena a monté Justine contre moi. Elle l'a braquée, sa vie durant sans doute. Bien entendu, j'ai aussitôt essayé d'entrer en contact avec Justine, mais elle n'a rien voulu entendre. Elle m'a renvoyé toutes mes lettres sans les ouvrir. Ça aussi, je l'ai compris. J'ai alors organisé le concours Lombardi et mandé Gabrielle d'Angelle à New York. Je savais que Justine, étant à la tête d'une agence, serait obligée d'y participer. Il était impossible qu'elle se défile. Dans les contrats qu'elle a signés, elle était censée vous accompagner... je suis impardonnable d'avoir été si bête ! Je comprends aujourd'hui que cette idée de concours était la pire des initiatives. Qui a bien pu me la mettre en tête !

— Le diable en personne, répliqua Jordan avec un sourire. Affirmer que Justine réagit mal aux pressions, c'est peu dire. Vous aussi, sans doute.

— Effectivement. A la dernière minute, elle a prétendu qu'elle était malade et a envoyé Miss Severino à sa place.

— C'est donc ça, cette fameuse otite...

— Elle ne viendra pas, Jordan... jamais, s'écria Necker. Elle ne veut rien avoir à faire avec moi, strictement rien.

— Rien ?

— Rien.

— Moi, je ne pourrais me tenir à une telle décision, avoua Jordan, songeuse. Quant à Justine ? J'ai rarement vu quelqu'un qui a tant de volonté et si sa mère l'a influencée depuis l'enfance, je comprends qu'elle résiste, jusqu'à présent du moins. Elle peut se montrer très entêtée. Personne ne la prend à la légère, croyez-moi. Mais toute cette histoire est complètement folle ! Dingue ! Cela ne peut continuer ainsi, vous devez faire quelque chose ! Vous êtes son père ! Pourquoi n'êtes-vous pas à New York pour vous expliquer avec elle entre quatre yeux ?

— Comment réagirait-elle, selon vous ? Ça a été ma première impulsion... puis la deuxième, la troisième... Cela aurait-il marché ? Justine ne supporte pas l'idée que j'existe, le fait que j'existe. Je ne peux la forcer à m'accepter pour père, c'est beaucoup trop tard.

— Je n'en suis pas si sûre... peut-être... ce n'est pas certain, mais peut-être une confrontation aurait-elle été positive. Savoir qu'on a un père, même si on le prend pour un salaud indigne, et le voir en chair et en os sont deux choses différentes. Justine n'aurait pu vous résister au-delà d'un certain point. Vous êtes fort convaincant, Jacques. Selon moi, si vous aviez forcé sa porte quand vous l'avez appris, ça aurait fini par marcher. Mais vous avez gâché cette chance, perdu l'occasion.

Pour adoucir son propos, Jordan se permit de poser la main sur la sienne, puis la retira aussitôt... Encore une erreur de ce genre et je peux m'en aller, se reprocha-t-elle avec colère. Elle réfléchit un moment avant de poursuivre :

— Je ne crois pas qu'il soit trop tard... il ne s'est écoulé que quelques mois. Vous ne devriez pas vous mettre dans un tel état. Cette situation ne peut durer. Elle est trop contre nature.

Écoutant à peine ses derniers mots, Necker dit précipitamment :

— Je vais la laisser tranquille. Si seulement je pouvais la voir une fois pour lui parler, si elle l'acceptait. Ensuite, je la laisserais tranquille.

— Vous voulez juste la voir ? C'est tout ? Je ne vous suis pas.

— La voir et lui parler. Je sais si peu de choses d'elle. J'ai fait faire une enquête sur elle, bien entendu, mais je n'ai découvert que les faits. Pourquoi une jolie femme de trente-quatre ans vit-elle seule, sans mari, sans enfant ? Quelle est ma part de responsabilités là-dedans, Jordan ? Peut-être est-ce entièrement de ma faute !

— Holà ! Attendez, n'allez pas si vite, Jacques. Vous avez une sacrée imagination ! Essayez de voir les choses sous un autre angle. Écoutez-moi. J'envie Justine. Elle a réussi toute seule et brillamment, à monter, après sa carrière de mannequin, une agence fort respectée, elle a une formidable personnalité, beaucoup d'amis et une vie intéressante. Je n'ai jamais pensé qu'elle était malheureuse ou insatisfaite. De plus, elle est jeune et belle. Des tas de femmes échangeraient bien leur place contre la sienne. Je suis sûre qu'elle pourrait se marier demain si elle le souhaitait et tomber aussitôt enceinte, si ce n'était déjà fait. Justine obtient ce qu'elle veut. Avez-vous jamais envisagé ces hypothèses alors que vous cultiviez un sentiment de culpabilité dû aux peines imaginaires d'une personne dont vous ne savez rien, même si c'est votre fille ?

— Non.

Necker lui sourit, presque malgré lui, bien qu'incapable de cacher son soulagement.

— Rien ne vaut le point de vue d'une femme intelligente pour qu'un homme se sente un peu bête... très bête même.

— Ce n'est pas vrai, affirma Jordan.

Elle était contente de voir le sourire effacer la détresse dans son regard. Elle essaya en vain d'imaginer le gamin paniqué qui avait abandonné une fille enceinte. Il y avait une telle force en lui, même quand il l'implorait, quand il se voyait contraint de se tourner vers elle parce qu'elle se trouvait là. Il fallait être bien seul pour confier ses plus grands secrets à une fille qu'il connaissait à peine et qui ne lui était rien ! Très seul. Plus seul qu'on ne devrait l'être. Aussi seul qu'elle en ce moment, auprès de lui... ou ce rôle de confidente lui était-il plus pénible que d'être vraiment seule ?

— Jacques, j'ai une idée, dit-elle sans réfléchir. Ne faites plus rien de loin, cela n'aurait aucune chance d'aboutir le temps que ça arrive jusqu'à elle. N'en parlez pas à qui que ce soit. Attendez que la présentation de la collection Lombardi soit passée, que la tension soit retombée. Puis allez à New York. Vous arriverez à voir Justine d'une façon ou d'une autre. Ça marchera, je le sens.

— C'est un bon conseil, acquiesça-t-il après réflexion. Je vais le suivre, mais à une condition...

— Écoutez, vous n'êtes pas obligé de suivre mon conseil ! Je ne vous le donne que pour ce qu'il vaut, s'exclama Jordan. Je n'ai pas à vous imposer de condition pour vous pousser à faire ce qu'il faut... d'après moi, du moins. Je ne suis pas votre conseiller, je ne suis qu'une amie.

— Je ne l'entendais pas ainsi. Je veux juste pouvoir vous parler encore, vous parler quand je me sens découragé... c'est la condition... enfin, ne disons pas la condition, mais plutôt... la faveur ? Puis-je vous voir quand j'ai besoin de vous ?

— Eh bien...

Elle n'avait pas le courage de le lui refuser. Pourtant, elle savait qu'elle n'aurait pas dû accepter. Il lui serait déjà assez difficile de l'oublier. Difficile ? Ce serait tout bonnement impossible... Qui faisait-elle marcher dans cette histoire ? Débrouille-toi, ma vieille, débrouille-toi !

Prenant son hésitation pour un accord, Necker reprit :

— Merci. La discussion est close. Bon, que diriez-vous d'un chinois ? Frankie m'a confié que vous redoutiez toute la cuisine française. Je vous promets de la cuisine chinoise basses calories.

— Rien ne vous oblige à m'inviter encore une fois, répliqua Jordan.

Nom d'un chien de nom d'un chien, elle n'était pas fichue de décliner une invitation à dîner ! On aurait dit un rongeur fou qui emmagasinait des noisettes empoisonnées pour l'hiver.

— Mais je le peux si je le souhaite ?

— Vous le pouvez, céda-t-elle avec un soupir. Je vous le permets. Distinction de taille, Jacques. Je vous l'expliquerai à table.

20

A notre arrivée, Peaches Wilcox avait lancé l'idée d'organiser une soirée pour nous. Je n'y avais pas cru. Elle n'avait pas l'air d'être le genre de femme à recevoir trois superbes créatures deux fois plus jeunes qu'elle, encore moins à donner une fête en leur honneur. Je m'étais trompée. Le cocktail est prévu pour ce soir.

Quand on a autant d'argent qu'elle, peut-être ne se sent-on pas menacée par la jeunesse ni par la beauté. Peut-être a-t-on l'impression d'être comme Élisabeth II et sait-on inconsciemment que, quels que soient les hôtes, on est la reine d'Angleterre et qu'eux ne le sont pas. Une conviction aussi profonde pourrait se rapprocher de mon sentiment d'être très spéciale, sentiment qu'on pourrait traduire en ces termes : Mike et moi sommes amoureux et tous les êtres au monde qui ne connaissent pas cet état ne vivent qu'à moitié, bien que sans le savoir, fort heureusement pour eux.

Bien sûr, je n'oublie pas Tinker, qui est amoureuse elle aussi. Du moins, le prétend-elle. Mais comment comparer son nouveau béguin pour ce Tom Strauss avec l'amour non payé de retour que je nourris pour Mike depuis mes quatorze ans ? Bien entendu, je jubile. Auriez-vous le courage de me le reprocher ? Justine, qui m'a appelée après avoir reçu ma lettre, s'est extasiée sur un ton qui m'a mis du baume au cœur. Elle connaît vaguement Mike, elle l'a toujours beaucoup aimé et admire son travail.

Alors qu'elle ne tarissait pas sur sa joie et son bonheur, ce qui n'est pas son genre, je vous jure que je l'entendais préparer le mariage dans sa tête, décidant quel blanc cassé particulièrement seyant je devrais porter et commençant à s'inquiéter à l'idée que j'allais la lâcher dès que j'aurais mis au monde notre premier enfant.

Question qui n'a pas encore été soulevée. Malgré tout, je n'ai pas dit à Justine qu'il était inutile de s'en soucier. Je dois avouer que moi aussi j'y ai pensé. Puis j'y ai mis le holà pour suivre la tactique du prends-les-choses-comme-elles-viennent qu'on a apparemment adoptée, Mike et moi. On a dû conclure cet accord tacite à un moment où je n'étais pas moi-même, car ça ne me ressemble pas, mais alors pas du tout, du tout ! J'ai découvert que je ne peux escompter être moi-même ces temps-ci. Il m'est de plus en plus difficile d'aligner deux idées et il est devenu aussi impossible de tenir les filles sous surveillance, pour ne pas dire sous les verrous, que de conduire des chats.

Naturellement, j'ai dû rapporter ma conversation avec Necker à Justine, lui dire qu'il espérait sa venue pour la collection. Vu son silence soudain quand elle a appris la nouvelle, je me suis bien gardée d'ajouter que je l'avais assuré de sa présence. Bon, d'accord, je suis lâche. De toute façon, je savais que Necker ne me croyait pas. Ne peut-on considérer qu'un mensonge efface une omission ?

Alors que la collection de printemps approche, je m'efforce de voir Tinker tous les jours pour savoir où elle en est. Les pauses durant son cours de tango sont le seul moment où on peut l'attraper, car il n'est pas question de l'interrompre dans le saint des saints de l'atelier de Lombardi. Pas question non plus de traîner dans les parages quand elle passe à l'hôtel aux heures les plus incongrues pour se changer et prendre un bon bain chaud. De ce côté-là, l'atelier de Tom laisse beaucoup à désirer apparemment. Ce qui n'empêche qu'à peine libérée de chez Lombardi, toujours très tard, Tinker se rue chez son peintre. Je n'ose imaginer sa réaction si je dérangeais leur tête-à-tête.

Ce Tom Strauss ne me dit toujours rien qui vaille, bien qu'il ne réponde pas au profil courant du chasseur de mannequin dégénéré. Ce n'est ni un play-boy, ni l'enfant gâté d'un richard, ni un milliardaire vieillissant. Il n'est pas non plus photographe, assistant, agent, styliste ni dans le cinéma. Il n'a pas ni Porsche, ni particule, ni un associé fortuné qui meurt d'envie de l'inviter à dîner chez lui. En d'autres termes, ce n'est pas le cauchemar habituel que votre mannequin à peine débarqué de son Amérique natale finit toujours par dénicher sous un pavé de Paris, même s'il semble impossible de croire qu'il n'a pas l'intention de l'exploiter d'une façon ou d'une autre. C'est leur lot à tous. Sans arrêt. Serait-il aussi fou d'elle si elle ne faisait pas ce métier? Toutes ces femmes tellement sexy se seraient-elles jetées aux pieds de Picasso s'il avait été peintre en bâtiment?

Le studio de danse de la Senora Varga se trouve dans une ruelle presque inaccessible au sortir d'une autre venelle entre la place de la Madeleine et la gare Saint-Lazare. Dieu merci, il nous reste une voiture et un chauffeur à notre disposition. La Senora, une petite femme mince comme un fil, doit avoir au moins cinquante-cinq ans. On dirait qu'elle n'a jamais quitté Buenos Aires. Elle porte une jupe noire moulante, qui lui arrive à mi-mollet, fendue étonnamment haut sur sa cuisse musclée, et un chemisier assorti éclatant. Ses cheveux de jais, séparés par une raie de milieu, sont relevés en un chignon classique orné d'épingles anciennes serties de bijoux.

Bien qu'elle se tienne exceptionnellement droite, elle arrive à peine à l'épaule de son élève. Quand elles dansent sous la conduite de Tinker, je vois que celle-ci se donne bien au-delà de ses capacités, ou plus exactement son manque de capacités. Elle n'a pas l'ombre d'un don. A mes yeux d'expert, alors même que la Senora recule, l'impulsion du pas suivant dans ses muscles dirige Tinker sans qu'elle ne s'en aperçoive. Malgré ses efforts, la Senora Varga est une danseuse trop puissante pour se contenter de suivre un cavalier aussi maladroit. De plus, elle n'a sans doute jamais appris à une femme à mener.

Bien entendu, elles dansent le tango américain. Pour arriver à danser le tango argentin, il faudrait travailler régulièrement pendant six mois, même en étant un bon danseur. Je ne peux m'empêcher de me demander comment cette danse va modifier la démarche de Tinker. J'ai des doutes. D'accord, c'est spectaculaire, arrogant et maniéré. Mais comment cela va-t-il se traduire sur le podium?

Chaque jour, la pâleur habituelle de Tinker s'accentue. Son talent miraculeux à attirer l'œil, qui vibre quand elle danse, s'efface dès qu'on est ensemble pendant les trois minutes auxquelles j'ai droit quotidiennement. Je vois alors une fille fragile, agitée, à la détermination aveugle, qui ne dort pas assez, une fille surexcitée à qui on demande trop et qui en fait trop. Assez curieusement, elle n'a jamais été aussi belle. Ces yeux *moonriver* sont plus étincelants que jamais, presque fiévreux. Et elle est grisée par les vêtements que fait Lombardi. On n'a pas eu le temps d'en parler en détail. La brève pause qu'accorde la sévère Senora à son élève ne nous le permet pas. Tinker est cependant convaincue qu'il est très inspiré. J'espère qu'elle a raison, qu'elle n'est pas tout simplement amoureuse de son image comme de Tom Strauss.

Je vais le rencontrer au cocktail donné par Peaches ce soir. Wilcox, une vieille amie des Necker, a apparemment invité un monde fou pour découvrir toute l'équipe qui participe à la collection de Lombardi : de Necker jusqu'aux petits amis des mannequins. A cette occasion, Mike et moi allons faire notre première apparition en public. Je brûle d'impatience.

Jamais Peaches Wilcox n'aurait cru que cette folie révoltante pouvait durer. Elle s'était fait violer dans sa propre chambre par Marco Lombardi, il l'avait humiliée, maltraitée... pourtant, elle avait envie de lui, plus que jamais. Le moindre détail de la scène qui s'était déroulée quelques semaines plus tôt l'obsédait. Elle se surprenait sans arrêt à se plaindre, non pas du viol, mais de sa colère qui l'avait poussée à refuser qu'il lui donnât du plaisir. A chaque fois qu'elle se répétait ses dernières paroles : « Je vais m'occuper de toi maintenant. Avec ma bouche, comme tu aimes », elle voulait se punir de s'être dérobée.

Peut-être cette dernière extase l'aurait-elle libérée de lui, peut-être lui aurait-elle inspiré assez de dégoût à l'égard de sa faiblesse, de son avilissement, pour mettre fin à son désir insatiable. Mais être demeurée inassouvie... tu n'as pas fait le bon choix, ma vieille, se reprochait-elle. Tu as sauvé ce qui te restait de dignité et tu t'es condamnée à la frustration. Peaches McCoy Wilcox de l'État souverain du Texas n'appréciait pas de se réveiller au milieu de la nuit en proie à la terrible déception d'avoir failli, à quelques secondes près, jouir dans son sommeil.

Peaches cherchait le moyen de renouer avec Marco sans perdre la face quand la soirée qu'elle avait promise à Frankie et Mike lui revint en mémoire. C'était la réponse à son problème. Même si elle s'était juré de plus le revoir, elle se devait de convier Marco à une fête organisée en l'honneur des filles, d'autant qu'elle invitait Jacques Necker.

Peaches et les Necker fréquentaient le même monde à Paris. Elle n'avait pas honte de dire qu'elle avait jeté son dévolu sur Jacques, à peine refroidi le corps de Nicole. Il aurait fallu être une imbécile pour s'en priver. Ses efforts, pas plus que ceux d'une vingtaine de femmes de sa connaissance, n'avaient abouti à rien. Oui, ce grand Suisse blond, très sexy de son point de vue, aurait été un parfait second mari. Elle l'aurait bien vite soigné de sa boulimie de travail. Jacques devait être un passionné quand on arrivait à le mettre dans son lit, son instinct infaillible le lui disait. Il en alla autrement. Avec philosophie, Peaches ajoutait : dommage pour lui qu'il eût décidé de jouer les moines dans son palais alors que la vie offrait tant de possibilités. Mais on ne pouvait faire de généralités sur les Suisses, contrairement aux Français ou aux Italiens. Peut-être était-il vraiment amoureux de Nicole.

S'arrachant à l'idée qu'elle allait revoir Marco sans plus tarder, Peaches consulta une dernière fois la liste de ses invités. Elle comptait une cinquantaine de personnes : tous ses proches amis français qui n'étaient pas aux sports d'hiver; ceux de ses meilleurs amis américains déjà rassemblés à Paris à l'approche de la collection; Dart Benedict, ce cher homme, qui venait d'appeler pour annoncer son arrivée; sans oublier naturellement les trois filles, le fameux Tom Strauss de Tinker, Frankie, Mike et Maude. Jordan et April, à qui Peaches avait proposé de venir accompagnées, avaient répondu qu'elles préféraient venir seules. Il ne lui avait pas semblé utile de leur trouver des cavaliers. Il était assez difficile de leur pardonner leur jeunesse, elle n'allait pas en plus se donner la peine de les caser.

Décidément, si elle pouvait se permettre de le dire elle-même, Peaches était une femme remarquable. Elle avait passé des heures avec ces jeunes filles, toutes beaucoup plus belles qu'elle ne l'avait jamais été au faîte de sa gloire, sans faiblir. Elle avait observé l'insouciance avec laquelle elles mouvaient leurs jambes et leurs bras tout aussi interminables, la désinvolture — qui touchait à l'arrogance, selon elle — avec laquelle elles acceptaient la grâce et la beauté qui leur étaient données. Et malgré cela, elles lui étaient presque sympathiques.

D'ailleurs, leur beauté ne tarderait pas à se faner et elles n'auraient jamais les moyens de l'entretenir correctement. Il y avait de fortes chances qu'elles grossissent après s'être privées des années d'un repas digne de ce nom et qu'elles se lancent dans l'immobilier, comme la plupart des anciens mannequins qu'elle connaissait. On pouvait compter sur les doigts des deux mains ceux qui travaillaient encore à vingt-huit ans. Or Tinker, la plus jeune, en avait déjà dix-huit. Peaches faisait ses calculs : dans dix ans Peaches serait encore en pleine forme, si Dieu et le Dr. H. le voulaient. Une fois franchi le cap des quarante-sept ans, celui des cinquante-sept n'avait pas l'air si terrible à condition de se surveiller de plus en plus. Dans un cas comme dans l'autre, la jeunesse était loin.

Oui, l'avenir de Jordan, April et Tinker était tout tracé : avec un peu de chance, elles joueraient les mères de famille au fin fond d'une banlieue quelconque et il ne leur resterait qu'un tas de pages de magazines jaunies pour se rappeler leurs jours de gloire, si tant est qu'elles veuillent s'en souvenir. Bien sûr, une surprise était toujours possible. L'une d'elles risquait de faire un beau mariage. Ce qui n'était pas si facile qu'il y paraissait, songea Peaches avec le plaisir d'une personne qui y est arrivée.

A choisir, de toute la bande de Loring Management, celle qu'elle enviait le plus était cette vieille Frankie dont le parcours professionnel ne dépendait pas de son physique. Elle avait du charme, de l'allant et une personnalité étourdissante qui lui permettrait d'être encore séduisante bien après que le temps l'aurait marquée.

Que serait-elle prête à donner, si on allait jusque-là, pour se réincarner sous les traits d'une jeune beauté telle qu'April ou Tinker ?

Des trois filles, Jordan était sans aucun doute la plus belle. Aussi belle et aussi jeune fût-elle, Peaches n'aurait malgré tout pas donné un sou pour se réincarner dans la peau d'une Noire. Non, pas question, même si on y ajoutait le talent. Trop de choses jouaient contre vous, c'était trop dur. Elle n'était pas raciste, réaliste tout simplement, rumina-t-elle tout en composant le menu : caviar, foie gras frais, mousse de crabe, saumon fumé norvégien... non, elle ne s'adresserait pas au service d'étage, mais au directeur des banquets. Elle comptait sur l'occasion pour rafraîchir la mémoire de Marco et lui rappeler ce qu'il avait failli perdre.

Dans toutes les réceptions qu'elle donnait, il y avait toujours un moment, comme un déclic, après lequel elle se sentait en droit de se détendre. Il avait lieu une fois qu'elle avait présenté suffisamment d'invités les uns aux autres, domaine où elle excellait, pour qu'ils se mêlent et bavardent tranquillement. C'était généralement l'heure où la plupart de ses hôtes déferlaient à un rythme trop soutenu pour espérer être présentés à leur tour, à moins qu'elle ne tînt, pour une raison spéciale, à entraîner quelqu'un d'un groupe à un autre.

A cet instant précis, elle considérait que la soirée était bien partie : on pouvait compter sur les gens pour se présenter seuls, un tel faisait la connaissance d'un tel, une personne prise dans une conversation pouvait se défiler vers un autre coin de la pièce. Elle avait rempli son rôle d'hôtesse et son personnel veillait à ce qu'il ne manquât rien à boire ni à manger. Aussi libre que ses invités à partir de ce moment-là, Peaches s'amusait à aller d'un groupe à l'autre sans jamais se faire harponner, recueillant au passage des potins croustillants, des renseignements et des compliments de différentes sources.

Cette fois, cela ne risquait pas de se produire. Marco Lombardi étant, à son insu, son seul invité d'honneur, le déclic important se ferait quand il comprendrait qu'il devait gagner son pardon.

Le reste n'avait pour but que d'enrober la chose, songea Peaches en finissant de s'habiller. Après avoir consacré la journée à tous les soins de beauté possibles et imaginables, elle était radieuse, les talents conjugués des spécialistes les plus onéreux rehaussant son éclat tapageur. Presque toutes ses amies françaises, pour ne pas dire toutes, seraient en noir, tout comme les Américaines de passage. C'était toujours, surtout à Paris, le meilleur moyen d'éviter les impairs.

Peaches décida de trancher dans son dernier tailleur blanc intemporel de chez Saint Laurent. Bien que façonnés sur son superbe corps bien ferme pour la modique somme de vingt-cinq mille dollars, la veste et le pantalon de fin lainage soulignés de revers et de poignets en satin blanc étaient si stricts qu'elle pouvait arborer tous ses diamants... non, pas tous, estima Peaches qui retira à contrecœur sa broche préférée, grosse comme un zinnia. Elle avait autour du cou cinq colliers de diamants de différentes tailles conçus, au fur et à mesure de la collection, de façon à s'emboîter l'un dans l'autre pour ne faire qu'un. De superbes diamants brillaient à ses oreilles et trois larges bracelets à chacun de ses poignets. Des centaines et des centaines de carats de tous les diamants les plus rares et les plus précieux, de ceux garantis sans l'ombre d'un défaut. Peaches savait qu'aucun de ses invités ne l'examinerait à la loupe, mais c'était le minimum, selon elle. Au doigt, elle ne portait qu'une bague, sa bague de fiançailles carrée de quarante-deux carats.

C'était trop, direz-vous? Bien sûr que oui! s'extasia Peaches qui décocha son fameux sourire des grands jours dans la glace et secoua d'un air approbateur sa tête d'un blond teint du jour. C'était sa soirée, non? Elle rangea prestement la broche en entendant les premiers invités.

Peaches avait supposé que les filles arriveraient ensemble, pour se soutenir ; que les Français, comme d'usage, seraient à l'heure et les Américains en retard. Elle fut ravie et étonnée de voir débarquer presque en même temps nombre des uns et des autres en un groupe tout de somptueux noir vêtu, paré de bijoux et bien décidé à s'amuser. La réception commençait en une confusion excitante, le rêve de toute hôtesse. Pendant une demi-heure, des conversations animées résonnèrent dans son grand salon. Des gens, qui ne s'étaient pas vus depuis quelques mois, se retrouvaient avec plaisir, s'embrassaient, riaient, se mettaient au courant du dernier scandale en date et vidaient les coupes de champagne aussi vite que les présentaient les nombreux serveurs. Soudain, le silence s'abattit sur la pièce bondée. Pensant voir les filles faire leur entrée, Peaches se tourna vers la porte. Jordan se tenait seule sur le seuil, Jordan qui avait imposé cet hommage à l'assistance par l'éclat de sa présence.

Peaches se reprit, afficha un sourire et approcha de la jeune fille qui, impardonnablement, était aussi en blanc : elle portait une minirobe de satin blanc sans manche d'une simplicité extrême avec des escarpins de satin noir et avait un gardénia piqué dans les cheveux. Pour tout bijou, elle n'avait que de petites boucles d'oreilles en jais. Contemplant son élégance insoutenable, Peaches songea que son compatriote, Lyndon Baines Johnson, avait dans ces cas-là la réputation de dire qu'il en était sur le cul.

Entraînant Jordan dans la pièce pour la présenter aux autres invités, il lui semblait qu'elle devait ressembler à un petit remorqueur étincelant tirant un yacht aux lignes racées. Elle remarqua au passage que Jordan saluait les Parisiens dans un français qui suscitait chez tous l'approbation immédiate que réservent les Français à ceux qui parlent bien leur langue.

A la seconde où elle vit entrer Jacques Necker, Peaches abandonna Jordan sans autre cérémonie.

— Jacques, je n'osais croire que tu viendrais ! Le pire des ermites de Paris ! J'en suis folle de joie.

Elle l'embrassa sur les deux joues et renversa la tête en arrière pour le dévisager avec une convoitise à peine déguisée.

Il la regarda avec un sourire indulgent.

— Suis-je reclus au point que tu puisses imaginer que je n'assiste pas à une soirée en l'honneur de mes mannequins ?

— Tu as décliné la plupart de mes invitations, répliqua-t-elle en faisant la moue.

— Les tiennes comme celles des autres... pour être juste. Tu es radieuse, Peaches, je suis ravi de te voir.

— Viens que je te présente certains des Américains qui sont là... tous de futurs défenseurs de Lombardi, ajouta-t-elle en le prenant par le bras.

— Je te remercie de veiller à mes intérêts, répondit Necker qui embrassa la pièce du regard. Mais je crois que je vais d'abord aller à la rescousse de Jordan. On dirait que ces hommes vont la manger tout cru.

Peaches, qui se retrouva seule un instant à l'entrée de son grand salon, regarda Jacques Necker fendre la foule, saluant d'un geste ses connaissances, pour se diriger droit vers Jordan.

— « Aller à la rescousse de Jordan » ? marmonna-t-elle, offensée et surprise à la fois. Pour la sauver de quoi, bordel ?

— Depuis quand parles-tu seule à tes réceptions ? demanda Dart Benedict qui la saisit par la taille et la fit virevolter.

— Dart, chéri ! Bienvenue !

— Mon Dieu, Peaches, tu n'as jamais été si en beauté ! Mary Beth m'a recommandé de ne pas oublier de te saluer. Quoi de neuf, ma belle ?

— Ceci, cela... sans oublier le reste.

Peaches lui fit un sourire au sous-entendu le plus subtil possible. Même si c'était vrai, elle ne pouvait répondre : « Rien. »

— Hummm, un veinard est tombé sur toi. Si tu crois que je ne vais pas le découvrir, tu te trompes. Alors, dis-moi, où sont les invités d'honneur ? Je suis dévoré de curiosité.

— Il en manque encore deux. Quelle grossièreté, tu te rends compte ! Par contre, là-bas, c'est Jordan Dancer, qui se taille son petit succès.

— Hummm... la touche du *politically correct*. Necker a du flair, reconnut Benedict. Selon moi, il y a de la place pour un, maximum deux autres top models noirs dans le métier.

— Jordan pourrait devenir l'un d'entre eux ?

— Il faudrait que je l'observe de près pour te répondre. Pour ce qui est d'attirer les foules, elle remportera le prix quand elle le voudra. Marco est déjà arrivé ?

— Je n'ai pas fait attention, répondit vaguement Peaches. Allez, viens, je vais te présenter.

— Ne te donne pas cette peine, chérie, je connais la plupart des gens. Je vais me débrouiller.

Dart Benedict disparut en direction de Jordan, comme Peaches s'y attendait. La curiosité professionnelle était une chose qu'elle comprenait. Très vite, elle se trouva prise dans la nouvelle vague d'invités. Maude Callender, dans une redingote de velours noir et un chemisier blanc à jabot garni de dentelle, était la seule qui lui semblait assez dépaysée pour la présenter à deux, trois groupes avant de la laisser seule.

Tandis qu'elles allaient de l'un à l'autre dans la pièce bruyante, Maude lança :

— Les filles ne sont pas là ?

— Uniquement Jordan.

— Je me demande bien ce qui est arrivé à April, ajouta Maude, perplexe. Elle a dit qu'elle allait faire des courses, mais elle devrait être rentrée depuis des heures.

— Et Tinker ?... Ne savent-elles pas lire l'heure ? Les invités d'honneur doivent toujours arriver les premiers. Nom d'un chien, tout le monde sait ça !

— Pourquoi Frankie ne les a-t-elle pas rassemblées ?

— Elle n'est pas là non plus, répondit Peaches, fort contrariée. Comme chaperon, elle se pose un peu là !

— Elle a d'autres choses plus importantes en tête, Peaches. Vous ne lui en tiendrez sûrement pas rigueur.

— Qu'est-ce qui est plus important ?

— Mike Aaron, bien sûr. Vous tombez de la lune ou quoi ?

— Oh, Maude, ne dites pas de bêtises. Mike peut avoir n'importe quelle...

— Vous êtes prête à parier que ce n'est pas vrai ? lança Maude. Tiens, Lulu, te voilà ! J'ai plein de choses à te raconter... Peaches, je vais rester avec Lulu, ne vous inquiétez pas de moi...

Au passage, Peaches prit sur un plateau une flûte de champagne qu'elle vida. Elle regarda alentour : il lui semblait être dans un rêve. Qui étaient tous ces gens bruyants d'une élégance criarde qui gesticulaient, cancanaient, se baisaient la main, s'embrassaient sur la joue, mangeaient et buvaient ? Que trouvaient-ils tous de si amusant ? Et pourquoi les avait-elle invités ?

— Mrs. Wilcox, je suis Tom Strauss. Tinker m'a dit de la retrouver ici. Merci de m'avoir invité.

— Alors, c'est vous, l'homme mystérieux ! s'exclama Peaches qui se reprit après ce moment de doute. Il est bien temps ! On mourait d'envie de vous voir. Hummm... je comprends pourquoi Tinker a disparu si vite.

— Vous allez me faire rougir, répliqua Tom avec un large sourire.

Comme tout un chacun, il aimait cette façon typiquement américaine qu'ont les femmes de badiner.

— J'en doute, lança Peaches avec une ironie désabusée. Vous voulez sans doute savoir où se trouve votre dulcinée?

— Elle m'a promis qu'elle serait là à l'heure pour une fois. Lombardi la fait travailler si tard que je ne la vois pour ainsi dire pas. Et quand elle arrive, elle pleurniche de fatigue. Elle s'endort en se faisant un bain de pieds. C'est pitoyable.

— Ne vous inquiétez pas, ils ne vont sûrement pas tarder... vous êtes bien placé pour savoir que les artistes s'emballent.

— Bien sûr. A moi aussi, ça m'est arrivé des centaines de fois de travailler jusqu'à l'aube, mais je n'avais pas besoin de me lever tous les matins pour suivre des cours de tango.

— Si elle gagne, ça en aura valu la peine.

— Et sinon, Mrs. Wilcox? Excusez-moi, je n'aurais pas dû dire cela. Je ne devrais même pas y penser.

— Appelez-moi Peaches. Sinon, elle saura qu'elle s'est donnée à fond pour y arriver. Ce n'est pas ce que vous faites, vous?

— Si, je fais tout ce que je peux. Tiens, voilà Jordan Dancer. La vache! Je comprends pourquoi elle rend Tinker si nerveuse. Quand elle est sur son trente-et-un qu'est-ce qu'elle en jette. Qui est le type plus âgé qui tourne autour d'elle?

— Qui tourne autour d'elle?

— Oui, un grand blond aux tempes grisonnantes qui tourne autour d'elle d'un air protecteur, comme on dit.

— Vous ne voulez pas parler de Jacques Necker?

— Si, c'est lui. J'aurais dû le reconnaître à la description de Tinker. Ça ne me dit rien qui vaille pour elle, ça, si je ne me trompe.

— Vous vous imaginez des choses, Tom. C'est hors de question.

Peaches se retourna pour regarder dans la même direction.

— Pourquoi? J'espère que vous avez raison. Qui prendra la décision au bout du compte? D'après ce que je comprends, personne ne le sait. Mais il me semble que le type qui est à la tête de l'affaire aura son mot à dire.

— Tom, réfléchissez une seconde. Un homme d'affaires impitoyable bâtirait-il l'image d'une nouvelle maison de couture sur une Noire, fût-elle ravissante?

— Vous avez sans doute raison... ce qui ne l'empêche pas de tourner autour en attendant.

— Oui, effectivement, acquiesça Peaches, comme pour elle-même.

— Peaches, on est absolument désolés d'être en retard !

— Oh, Peaches, on ne trouvait pas de taxi !

Elle se tourna vers Frankie et Mike qui, bras dessus bras dessous, irradiaient d'un bonheur aussi flagrant qu'une annonce sur papier gravé.

— Je suis contente de ne pas avoir parié avec Maude, remarqua Peaches. Depuis quand êtes-vous ensemble, Mike ?

— Je croyais que tout le monde était au courant. Tu devrais traîner plus souvent au Relais. Apparemment, tous les bruits partent de là, ajouta Mike en riant.

— Sauf que ce n'est pas un bruit, si je comprends bien ? s'enquit Peaches.

— Ça ne m'en a vraiment pas l'air. Et d'après toi, chérie ? demanda-t-il à Frankie.

Hésitant devant l'œil furieux de Peaches, celle-ci répliqua :

— Je ne saurais répondre à cette question.

— Très malin de votre part, Frankie, dit Peaches avec son accent traînant du Sud. A l'heure qu'il est, je serais riche si j'avais touché une prime sur toutes les pauvres filles que je connais qui se sont imaginés avoir mis le grappin sur Mike Aaron. Je lui donne généralement deux mois avant de se désintéresser de la question, maximum quelques semaines de plus. Moi, j'ai tenu trois mois. Pas vrai, Mike ? J'ai toujours considéré ce record comme un compliment de taille, vu ta réputation de te débiner.

— Cela remonte à sept ans, Peaches, dit Mike tranquillement. Tu n'étais pas une salope à l'époque. Et je n'étais pas amoureux. Je ne l'ai jamais prétendu, si tu te souviens bien. Viens, chérie, allons prendre un verre.

Emmenant Frankie avec lui, il s'éloigna.

Peaches se mordit les lèvres. Cette sacrée soirée s'annonçait comme la pire de sa vie. Tout le monde s'amusait. Quant à elle, plus ça allait, plus elle la trouvait insupportable.

Tandis qu'elle regardait Mike et Frankie se retirer, Peaches vit une fille s'arrêter dans l'embrasure où elle prit la pose. Ce devait être un mannequin car elle mesurait plus d'un mètre quatre-vingt-dix dans ses chaussures à semelles compensées exagérément hautes, mais un mannequin comme elle n'en avait jamais vu. Son visage était d'une pâleur mortelle, son rouge à lèvres d'un rouge sang qui semblait noir, ses yeux charbonneux et ses cheveux d'un blond platine, qui n'avaient pas plus de dix centimètres de long, partaient dans tous les sens comme si on les avait électrisés au lieu de les couper. On pouvait compter les côtes de son torse étonnamment long sous sa robe qui ressemblait à la chemise de nuit en loques d'une putain. En satin et mousseline noirs, très fine et très échancrée, déchirée ici et là, elle dégageait la poitrine jusqu'au haut des seins et l'ourlet se perdait en lambeaux en haut de ses cuisses. On voyait ses superbes jambes sans fin presque jusqu'à l'aine et les rubans d'un porte-jarretelles rouge vif soulignaient la peau blanche entre le haut des bas et le slip de dentelle, tous deux noirs. Elle avait l'air totalement débauché, dépravé... et divin.

Le silence s'abattit sur la pièce alors que tous les visages se tournaient vers elle.

D'une voix d'une douceur incongrue dans cette bouche carnivore, la fille dit :

— Oh, Peaches, j'ai honte d'être si en retard, mais ce coiffeur de génie n'en finissait pas.

Tous les yeux rivés sur elle, elle traversa la pièce en se pavanant jusqu'à son hôtesse. On aurait dit une martienne, fascinante dans son côté vampire, son charme décadent, une Shanghai Lil New Age.

— April !

— J'ai changé de look, chéric. Je ne supportais plus de jouer les petites filles sages. Ça te plaît ?

Sa hanche saillante en avant, ses jambes dénudées très écartées, le cou et la tête renversés en arrière comme en pleine jouissance, April prit la pose.

— Je trouve ça merveilleux ! Tu ne croirais jamais le prix de cette robe, presque aussi cher que ces chaussures sublimes.

Le silence céda au brouhaha : des dizaines de voix s'élevèrent de concert, chacune donnant son opinion. Seuls restèrent muets Maude, paralysée par cette vision Frankie et Mike, qui s'étaient arrêtés net pour revenir auprès de Peaches, et Dart Benedict qui s'était aussitôt approché d'April, la tournant vers lui.

— April, dit-il précipitamment, je suis Dart Benedict. Tu es La Nouvelle ! Génial ! Absolument génial ! Félicitations ! Mais tu es allée un poil trop loin, chérie, juste un poil. Je vais t'aider à perfectionner ce style sublime. Mon correspondant de Paris peut t'avoir la couverture de *Elle,* du prochain *Vogue* français, de l'italien, peut-être même de l'américain le mois prochain et presque tout ce que tu veux, mais il faut faire vite. Je peux passer te prendre demain matin à la première heure.

— Mais... et Justine ?... Enfin, c'est impossible, non ?

— Bien sûr que non. Tu es ton propre maître, April. Justine t'a uniquement pour Lombardi. Il faut que tu perces maintenant, j'entends tout de suite. Elle n'a pas le doigté pour s'occuper de toi comme je...

— Ne parle pas à ce type, April, intervint Frankie qui l'écarta d'un coup de coude. Il n'a pas le droit de te faire des propositions. Tu fais partie de Loring Management. De plus, quand le défilé Lombardi sera fini, tu risques d'être sous contrat pour quatre ans...

Bousculant Frankie, Dart, qui se glissa entre elle et April, la coupa :

— Dans les jours qui viennent, je vais rendre April célèbre. Loring Management n'en a pas le pouvoir. April, tu n'es pas une esclave. Justine n'est même pas là. Quant à vous, Frankie, malgré vos compétences, vous ne pouvez avoir mes contacts. April, demain à neuf heures ?

— Eh bien... oui, pourquoi pas ? acquiesça April avec fièvre. On peut toujours se faire une idée. Quelqu'un sait-il où est Maude ?

— Ici, répondit celle-ci en rejoignant le petit groupe.

— Chérie !

April prit Maude par les épaules, puis la regarda un long moment dans les yeux avant de l'embrasser sur la bouche.

— C'est ton œuvre, j'espère que tu en es consciente. Sans toi, je n'aurais jamais eu le courage.

Maude, qui n'arrivait toujours pas à croire qu'April eût abandonné son inestimable beauté classique, s'écria :

— Je ne t'ai jamais dit de changer de look !

— Tu vas t'habituer, chérie. Je suis toujours la même, je vais te le prouver, répliqua April en riant.

Agressive, provocante, elle l'embrassa de nouveau.

— Ça te rappelle quelque chose ? Écoutez, vous autres, disputez-vous ma peau tant que vous le voulez, lança-t-elle avec désinvolture à Dart et Frankie. Maude et moi, on va boire une coupe de champagne. Viens, chérie, allons prendre un verre.

— Doux Jésus ! murmura Frankie.

— Je ne savais pas qu'April était homosexuelle, dit Dart Benedict d'un air songeur. Intéressant. Très malin de la part de cette chère Maude de l'avoir deviné.

Sachant que l'arrivée saisissante d'April et ce deuxième baiser brûlant, que chacun avait vu d'assez près pour en rester bouche bée, avaient fait de cette soirée un triomphe qui ferait le tour de Paris et que son téléphone n'arrêterait pas de sonner le lendemain, Peaches s'exclama :

— Ce doit être un truc dans l'eau.

— Peaches, mon ange, bien sûr qu'elle l'était ! Elle ne le savait pas, c'est tout, protesta Dart. Le moment est parfaitement choisi, parfaitement ! Elle est bizarre et fascinante à la fois, d'une sexualité plus que trouble, menaçante sur les bords et d'un érotisme insoutenable, elle va plus loin que le funkie, elle est tout sauf une Cosette, c'est parfait pour aujourd'hui... on est tous à la recherche d'une nouvelle direction, une image qui ne soit pas une resucée de Cindy ni de Claudia, cette bergère goy. April va avoir un tel succès que j'en suis scié le premier !

— Je me demande ce que va dire Marco quand il la verra. Enfin, s'il daigne nous honorer un jour de sa présence, ajouta Peaches, incapable de cacher sa vive impatience.

Faisant signe de loin à Marco qui, Tinker à son bras, fendait la foule pour le rejoindre, Dart annonça :

— Il vient d'arriver.

Sous l'œil attentif de Peaches, Mike et Frankie, les deux hommes s'étreignirent chaleureusement. Tom Strauss, qui passait inaperçu, se tenait derrière Mike.

— Tu te rappelles la fille dont je t'ai parlé au téléphone ? lança Marco à Dart. *La voilà* !* Je te présente Tinker Osborn, ma muse, ma ravissante muse. Qu'en dis-tu, mon vieux ?

— Tu as un goût très sûr, je t'en croyais incapable, répondit Dart.

Il prit la main de Tinker qu'il effleura de ses lèvres. Puis il la garda et s'adressa à elle comme s'ils étaient seuls :

— Je comprends pourquoi il parlait avec un tel enthousiasme. On se demandait tous s'il allait s'arrêter de travailler à temps pour t'amener à la soirée. Je comprends qu'il n'ait eu aucun empressement à partager une telle beauté avec tout ce monde. Marco, tu ne peux plus te montrer si possessif.

— Dart, quand un homme rencontre une femme qui a le pouvoir de le faire rêver, il veut la garder près de lui. Et quand cette femme l'inspire... alors là, il ne la lâche plus, s'il le peut ! Bas les pattes, mon pote, dit Marco qui prit Tinker par la taille avec autorité. Je t'ai juste parlé d'elle, je ne te l'ai pas offerte.

— Dans ce cas, tu n'aurais jamais dû nous présenter. Tinker, je viens de proposer à April de nous voir demain pour faire la couverture de plusieurs grands magazines, ce qu'elle a accepté. Je crois pouvoir faire la même chose pour toi. Veux-tu nous retrouver à neuf heures ? Je veux que tous les gens de mon bureau de Paris te voient pour réfléchir à la meilleure façon de te lancer.

— J'ai mon cours de tango à dix heures, mais d'accord, je...

D'un mouvement vif, Tom Strauss contourna Mike et arracha le bras de Marco qui enserrait la taille de Tinker. Puis il l'attrapa par les épaules et le secoua comme un prunier.

— Si tu la touches encore une fois, espèce de petit merdeux, on s'expliquera entre quatre yeux!

A brûle-pourpoint, Marco lui donna un violent coup de poing dans le ventre. Tom lui décocha aussitôt un méchant droit à la mâchoire. La lèvre en sang, Marco vacilla tandis que Mike et Dart tentaient de séparer les deux hommes. Conjuguant leurs efforts, ils réussirent à les arrêter alors que Frankie se ruait à l'autre bout de la pièce vers Necker à qui elle parla à l'oreille d'un ton pressant.

Quand Marco et lui furent enfin calmés, Tom dit d'un air résolu :

— Tinker, je vais chercher ton manteau, on rentre à la maison.

— Tom! Comment oses-tu te conduire ainsi! Comment as-tu pu faire une chose pareille? Tu es complètement cinglé?

— On s'en va, insista-t-il.

— Mais, mais... je viens d'arriver! bredouilla Tinker, furieuse.

— Quand tu rentres à la maison, tu manques toujours de t'écrouler tellement tu es fatiguée d'être restée sur tes jambes toute la journée. Tu n'as plus mal tout d'un coup?

Les larmes lui montant aux yeux devant la dureté de son ton, Tinker répondit avec lassitude :

— Non. Je souffre, c'est vrai. Je souffre sans arrêt. Ce qui ne veut pas dire pour autant que je n'ai pas envie de m'amuser un peu. Oh, Tom, tu m'as gâché la soirée! Moi qui avais promis à tout le monde qu'ils allaient faire ta connaissance.

— Ils s'en remettront. On rentre.

— Tom, vous ne pouvez pas me ravir l'une de mes invitées d'honneur, intervint Peaches d'un ton cassant.

— La demoiselle ne veut pas partir, dit Dart Benedict à Tom. Vous n'avez pas fait assez de grabuge comme ça?

— C'est le petit fiancé, Dart, lança Marco avec mépris. Tu devrais savoir qu'ils sont toujours jaloux.

Couvrant les bruits de la réception, la voix de Tinker s'éleva en un cri perçant au bord de l'hystérie :

— Arrêtez, tous autant que vous êtes! Arrêtez, arrêtez!

— Tout va bien, Tinker.

Jacques Necker, qui surgit derrière elle, mit son bras sous

le sien d'un geste protecteur. Frankie se tenait à ses côtés. Devant une telle autorité, Marco et Dart se turent.

— Vous autres, vous tous, je vous suggère de me laisser Tinker quelques instants. J'aimerais savoir si elle tient le coup avec son lourd emploi du temps.

Il regarda Dart droit dans les yeux.

— Mr. Benedict, April, Tinker et Jordan sont toutes sous contrat avec moi jusqu'à la fin du défilé Lombardi. Je ne veux pas qu'elles soient distraites par vos manœuvres de détournement. C'est clair ?

— *Monsieur** Necker, je vous assure...

— Vous m'avez bien compris, Mr. Benedict. Pas de détournement. Si vous voulez continuer à travailler avec mes sociétés. Bon, Tinker, on va aller dans l'autre pièce bavarder tranquillement tous les deux.

Peaches jeta un coup d'œil sur les combattants abandonnés après le départ de Tinker. Les lèvres pincées de rage, du sang au col, Marco se refusa à la regarder.

— Je ferais mieux d'aller jouer mon rôle d'hôtesse, bredouilla-t-elle.

Tournant les talons, elle se replongea dans la foule, toujours fascinée, qui contemplait la scène.

— C'est la cavalerie qui vient à la rescousse ? lança Dart avec sarcasme en levant un sourcil vers Frankie. Joli coup, mais ça ne marche qu'une fois. Necker lui-même ne peut être partout.

— Maude s'en voudra à mort d'avoir raté ça, Benedict, dit Mike. Je vais la mettre au courant. Les lecteurs de *Zing* vont se passionner pour ta tactique de racolage.

— Ne faites pas de faute à mon nom ! Allons boire un verre, Marco.

— Il ne reste plus que nous, dit Frankie. Tom, je suis Frankie Severino. Je vous présente Mike Aaron.

— Salut. Je suis désolé, mais je ne pouvais pas rester là à regarder ces deux salauds traiter Tinker comme de la viande. Elle ne s'en rendait même pas compte... merde, ça sera toujours comme ça... de la bave enrobée sous des flatteries avec tout le monde qui essaie de l'exploiter ?

— Ils sont spécialement répugnants, bien que hélas assez représentatifs, répondit Mike, très préoccupé. Ce n'est pas toujours aussi dramatique, n'est-ce pas, Frankie ? Frankie ? Où diable est-elle passée ? Oui, bien sûr, elle aussi est fâchée contre moi. Peaches est une sacrée bonne femme, vous devez le lui reconnaître à sa décharge. Hé, Tom, beau droit, mon pote! Non merci, pas de champagne, apportez-nous deux doubles scotchs sans glace.

J'en avais mon compte! La coupe était pleine! Je foutus le camp et me jetai sur un téléphone pour appeler Justine. Écoute, lui dis-je, April est devenue une espèce de salope intergalactique, je n'ai rien pu faire pour l'en empêcher. De toute façon, elle va bien finir par arrêter son cirque. Par contre, Dart Benedict est ici qui fait des propositions aux filles et si tu ne te bouges pas le cul pour prendre le prochain Concorde, il va mettre le paquet. La seule chose qui l'a arrêté, pour le moment du moins, c'est ton paternel. April et Tinker étaient toutes prêtes à retrouver Dart demain. Comment je m'y suis prise? J'ai dit à Necker que Dart essayait de nous piquer nos filles, c'est tout. Un père n'a pas besoin d'en savoir plus, non? Il a réparé les dégâts. Sans parler du petit ami de Tinker qui a voulu tuer Lombardi, sans succès malheureusement. Tu as aussi un problème avec Tinker. Il y a quelque chose qui ne tourne pas rond chez elle. Jordan est la seule qui me donne l'impression d'être solide. On peut partager la suite, je t'attends demain. Je t'enverrai une voiture. Fais tes bagages.

J'étais si furieuse que je lui raccrochai au nez sans la saluer, ni attendre sa réponse. Je savais qu'elle serait là demain. Il était temps! Allait-elle continuer encore longtemps à me faire porter ses responsabilités?

Quand j'eus fini de m'en prendre à mon patron, je m'aperçus que la fête battait son plein et que je devais y retourner. D'abord, j'avais besoin de m'asseoir un moment, de me calmer, de me faire la leçon. Alors, comme ça, Peaches et Mike avaient eu une histoire sept ans plus tôt... ça encore, c'était supportable. Mais toutes les filles dont elle avait parlé? Et le pire, c'est qu'il n'avait pas nié! Lui-même m'avait avoué qu'il avait eu beaucoup de femmes dans sa vie sans en aimer aucune. Je ne pouvais être condamnée à être l'une parmi tant d'autres qu'il avait plantées là. Il me fallait croire que je représentais autre chose pour Mike, que j'étais la dernière, celle qu'il cherchait. Sinon, je risquais de tout gâcher. Nous deux c'était tout, pour moi en tout cas. Mais j'étais bel et bien redescendue de mon petit nuage.

Après m'être donné ce sage conseil, je pleurai comme une

madeleine pendant cinq bonnes minutes comme dans le temps, un déluge qui me secoua des pieds à la tête. Puis je rectifiai mon maquillage et retournai à la fête. Dire que ce matin je brûlais d'impatience en l'attendant !

21

Justine regarda le combiné dans sa main d'un œil noir comme si elle pouvait, par la seule force de sa volonté, effacer le flot de paroles qu'il venait de recracher. Cherchant à gagner du temps, elle s'efforça de se concentrer sur l'idée que Frankie lui avait raccroché au nez. Et quand je dis raccrocher, elle lui avait balancé ce fichu téléphone en pleine gueule, oui! C'était purement et simplement un acte de rébellion inadmissible, la preuve d'une grossièreté flagrante. Voilà les remerciements qu'elle recevait, elle qui avait tout fait pour cette garce! Donnez du boulot à une fille, promouvez-la, laissez-la s'insinuer dans vos bonnes grâces, consentez à ce qu'elle devienne votre bras droit, goupillez-lui un voyage à Paris, offrez-lui une nouvelle garde-robe, permettez-lui de conquérir un homme qui ne l'aurait jamais regardée sans cela, et à tous les coups vous vous retrouvez face à une ingrate venimeuse qui joue les grandes dames, si imbue d'elle-même qu'elle se met à vous donner des ordres en se prenant pour une duchesse... « Fais tes bagages »... « Je t'enverrai une voiture »... Voyez-vous ça!

Malgré sa formidable mauvaise foi, Justine n'arriva pas à tout canaliser sur Frankie, bien que ce fût fort réconfortant. Elle dut bien se résoudre à analyser les nouvelles qu'elle venait de recevoir. Qu'April fût une salope d'un genre étrange n'avait aucune importance. Que Tinker eût des problèmes, Frankie ne faisait que le soupçonner. Et Lombardi était toujours entier.

Le seul point noir était donc Dart Benedict.

Justine appela sa secrétaire par l'interphone :

— Phyllis, réservez-moi une place sur le prochain Concorde. S'il n'y en a plus, dites-leur que je resterai debout ou dans une cage comme un chien au fond de la soute à bagages.

Dart Benedict. Il fallait s'y attendre! Que pouvait faire

cette ordure à Paris à quelques jours des collections, si ce n'est d'essayer de lui piquer ses filles ? Combien de celles installées à New York avait-il déjà contactées qui n'avaient pas encore eu le courage de lui avouer qu'elles désertaient le navire ? Et qu'en était-il de ses bookers ? Lesquels s'affairaient-ils à recopier tous ses dossiers sur ordinateur qui renfermaient des informations inestimables, s'apprêtant tranquillement à filer en douce ? Avait-elle encore une agence ou allait-elle s'effondrer ? Et tout cela n'était-il pas sa faute ?

Si elle n'avait pas dit à Dart qu'elle était au courant des ignobles orgies qui se déroulaient chez lui à l'heure du déjeuner, si elle était rentrée dans son jeu, faisant semblant d'être flattée par sa proposition, si elle lui avait dit qu'elle allait en parler à ses conseillers financiers, puis qu'elle reprendrait contact avec lui, rien de tout cela ne serait arrivé.

Dart se serait montré sous son meilleur jour pendant des mois... elle aurait pu faire durer la situation presque indéfiniment si elle avait fait preuve d'un peu de jugeote. Mais non ! Il avait fallu qu'elle lui prouvât qu'elle était aussi forte que lui, qu'elle était trop indépendante pour devenir son associée, qu'elle le provoquât. Elle ne devait pas tourner rond ce jour-là. Dart n'avait rien à voir là-dedans, toute cette histoire était liée à Aiden. Or le combat qu'elle menait contre lui était lié à Necker. Et voilà que celui-ci s'était de nouveau immiscé dans sa vie. S'il fallait en croire cette salope prétentieuse de Frankie — ce qui ne faisait pas l'ombre d'un doute —, Necker lui avait rendu un fier service.

Bon, le moment était venu de considérer les options qui s'offraient à elle. D'un œil froid, critique, objectif. C'est l'heure du choix, se dit-elle. Sur ce, elle écrivit ces mots en haut d'un bloc neuf.

Première option, inscrivit-elle, puis elle le souligna. Très perplexe, elle resta un long moment devant la page blanche. Non, peut-être serait-il plus facile de noter les possibilités qu'elle n'avait pas pour que l'option numéro un s'imposât à elle.

— Vous avez la dernière place sur le Concorde de demain, annonça Phyllis par l'interphone. Et cinq filles, qui ont des problèmes de confirmation que ne peuvent résoudre leurs bookers, demandent à vous voir.

— Dites-leur d'attendre une demi-heure. C'est le branle-bas de combat ici, répondit-elle, penchée vers la feuille de papier.

Options impossibles.

1. Rester à New York jusqu'à la fin de la collection en se mettant la tête dans le sable.

2. Empêcher les filles d'écouter Benedict. Les jeter aux oubliettes.

3. N'avoir aucun contact avec Necker durant mon séjour à Paris. Devenir invisible.

4. Ne pas partager la suite avec Frankie pour ne pas l'entendre radoter sur Mike Aaron.

5. Prier.

Ce n'était pas une longue liste, remarqua Justine en la regardant. Prier et ne pas partager la suite avec Frankie étaient les deux seules lignes qu'elle pouvait barrer. A son grand dam, elle devait admettre qu'elle était très impatiente d'entendre les radotages enamourés sur Mike. Quant aux prières, c'était toujours une bonne idée, pour le cas où.

Quelle était l'option qui allait se présenter, claire, brillante, évidente ? Elle déchira en quatre la feuille qu'elle jeta dans la corbeille à papier. Sur la suivante, elle écrivit deux mots :

Appeler Aiden.

Que lui restait-il d'autre à faire ? se dit Justine d'un air impuissant. Si elle ne pouvait diriger son agence, du moins pouvait-elle tenter de mener sa vie, d'autant qu'elle ne pouvait laisser passer un jour de plus sans lui parler. Elle n'avait aucune raison, alors que le monde s'écroulait autour d'elle, de se refuser d'entendre le son de sa voix.

Elle composa le numéro de son téléphone portable, puis dit à Phyllis de faire entrer les filles une par une. Elle démêlait un conflit avec la deuxième, quand Phyllis annonça qu'Aiden Henderson la rappelait.

— Josie, veux-tu m'excuser un instant, c'est mon impossible entrepreneur. Je vais devoir être un peu désagréable avec lui, expliqua Justine.

Lorsque Josie se fut retirée, Justine décrocha le combiné.

— Salut, lança-t-elle d'un ton jovial.

Sans prétendre cacher son soulagement, Aiden dit :

— Si tu n'avais pas appelé aujourd'hui, je serais venu te chercher par la peau du cou. Tu te rends comptes de l'effet que ça aurait fait ?

— Je craignais une chose de cet ordre et j'ai une réputation à défendre, répliqua Justine avec désinvolture en se détendant.

— J'ai toujours l'intention de mettre ma menace à exécution, si on ne se voit pas ce soir.

— Tu essaies de m'intimider.

— Exactement.

— Alors, je me rends. Dans le zen, ça veut dire que je gagne. C'est pourquoi je t'ai appelé la première, ça fait partie de la tactique zen par téléphone.

— Je suis bon perdant. Où veux-tu dîner ?

— Maintenant que la chaudière marche, on pourrait dîner chez moi... dans la cuisine.

— Ce sera plus pratique, acquiesça-t-il. Qu'est-ce que j'apporte ?

— Je n'ai rien dans le frigo. C'est la première des règles quand on mange zen. Apporte ce qui te tente... comme dit le proverbe : « Quand l'étudiant a faim, la nourriture arrive. » Pourquoi ne pas prendre du homard à la cantonaise, du porc aigre-doux, du riz frit aux légumes, peut-être aussi quelques rouleaux impériaux, de ces petits travers de porc et de la moutarde forte ? Sans oublier des tonnes de sauce au canard !

— Comment sais-tu que la vraie cuisine chinoise est la dernière en matière de gastronomie ? C'est comme si c'était fait. Sept heures, ça te va ?

— Pourquoi pas six heures et demie ?

— Je peux être là à six heures.

— Formidable. A tout à l'heure.

— Au revoir.

Assise à son bureau, Justine pleurait de joie. Des larmes coulaient sur ses joues sans qu'elle ne s'en aperçût. Elle fit rentrer Josie.

— Justine ! s'exclama celle-ci. Il a été si dur que ça avec toi ?

— Non, je l'ai remis à sa place, répondit-elle en reniflant. Mais tu connais les entrepreneurs... tous des ordures, du premier au dernier.

— Ouais, je le sais. C'est ce que dit ma mère. On ne peut pas faire avec et on ne peut pas faire sans.

— Exactement.

— Tu as même pensé aux beignets renfermant une devise ! C'est au moment où les restaurants chinois ont cessé d'en servir que les choses ont dérapé. Aiden, côté traiteur, tu es très doué.

— Il faut ce qu'il faut !

— Alors qu'en penses-tu ?... Je n'ai pas arrêté de parler de tout le dîner et toi, tout ce que tu as fait, c'est d'opiner de temps en temps. Tu es pire qu'un psy. Eux, au moins, ils ne mastiquent pas.

— Tu veux avoir mon avis sur la question, mes conseils, ou quoi ?

— Bien sûr que j'attends un minimum de commentaire, répondit Justine d'un ton exaspéré.

Elle lui avait tout raconté, jusqu'au dernier de ses secrets. Or pour toute réaction, elle avait eu droit à un sourcil levé et un hochement de tête peu compromettant.

— Bon, je suis obligée d'aller à Paris. Mais que va-t-il se passer avec Necker une fois que j'y serai ? Qu'est-ce que tu ferais, toi ?

— Tu tiens vraiment à le savoir ? La vérité pure et simple, du genre qui n'est-pas-agréable-à-entendre ? Sans oublier que je n'ai pas vécu ta vie et que je n'ai pas connu ta mère ?

— Oui.

— Pour commencer, je ne me serais pas mis dans ce bourbier. J'aurais laissé les erreurs de mes parents à leur place, autrement dit dans le passé, et j'aurais répondu aux lettres de mon père. Je l'aurais vu et je me serais fait mon opinion sur lui sans livrer les batailles de ma défunte mère à sa place.

— Prôner la sagesse ! Réaction typiquement masculine ! s'écria Justine, indignée.

— C'est toi qui me l'as demandé, remarqua-t-il avec douceur.

— Qu'entends-tu par « les erreurs » de ma mère... tu lui reproches d'être tombée enceinte ?

— Ne sois pas idiote. Je ne lui reproche pas non plus de ne pas lui avoir parlé de toi au départ. Il l'a abandonnée. Que pouvait-elle faire d'autre ? Par la suite en revanche, quand elle a su ce qu'il était devenu, je crois qu'elle aurait dû essayer de vous réconcilier.

— Pour l'argent ? demanda Justine, incrédule.

— Pour l'aspect humain, chérie. Tu aurais eu un père dans ta vie quand tu étais enfant. Elle aurait ravalé sa fierté aussi vite que possible et ne t'aurait pas gardée rien que pour elle, son petit trésor, te laissant à l'écart de la vie de Necker pour se venger.

— Mais il fallait que ma mère se venge d'une façon ou d'une autre, Aiden. Tu ne tiens aucun compte de la nature humaine. Elle a renoncé à tant de choses, elle a fait un choix courageux et difficile en m'élevant toute seule.

— Selon moi, sa vengeance n'était pas juste pour toi. Si ta mère n'était pas morte, tu ne saurais toujours pas que tu as un père.

Voyant qu'il ne reconnaissait aucun des mérites de sa mère, de plus en plus irritée, Justine s'écria :

— Quelle injustice ! Quelle façon dénaturée que de la présenter sous ce jour ! Tu ne la connaissais pas. Tu ne comprends pas qu'elle s'est consacrée à moi ?

— Qui prétend qu'une mère doit « consacrer sa vie » à ses enfants ? Une grande part, d'accord, mais pas toute. Justine, j'ai l'impression que ta mère a trop bien réussi sa carrière pour ne pas y avoir pris de plaisir. Je sais combien tu aimes ton boulot. Je suis sûr qu'elle te ressemblait sur ce point. Elle avait toute une vie professionnelle qui n'était pas liée à toi. Je crois que ta mère était têtue, trop pour ton bien.

— Tu ne vois pas comme elle s'est sacrifiée pour me donner tout !

— Justine, je comprends pourquoi elle a agi ainsi, répondit Aiden qui resta sur ses positions. Mais réfléchis un instant. Si elle avait pu se résoudre à te partager avec ton père, elle aussi se serait libérée. Peut-être se serait-elle mariée, aurait-elle eu d'autres enfants ? Alors qu'elle a pris une décision qui lui empêchait d'avoir une vie normale, épanouie. Une chose est sûre en tout cas. Pour toi, il aurait mieux valu avoir un père. Et compte tenu de tous ces malheurs, ton bonheur seul compte pour moi.

— Tu mises sur une inconnue de taille... tu supposes que Necker aurait voulu de moi à l'époque, du temps où sa femme était de ce monde. J'aurais pu être très gênante pour lui.

— Et toi, tu supposes qu'il n'aurait pas voulu de toi, cet homme qui n'a pas d'enfant ? Ta mère aurait dû lui permettre de savoir que tu existais. S'il n'avait pas réagi, elle n'aurait pas eu à te parler de lui.

— Tu me rends folle ! hurla Justine.

— Je te dis simplement ce que je pense, comme tu me l'as demandé.

— Je ne supporte pas ta façon si logique, si raisonnable, si rationnelle d'assembler les faits. C'est une réaction typiquement masculine. Tu ne laisses aucune part à l'aspect humain, tu n'as aucune imagination, aucune passion ! lui reprocha Justine. Si le monde était entre les mains de gens comme toi, il n'y aurait ni drame, ni tragédie, ni conflit. Tu résoudrais tout avec un tel bon sens, un et un feraient toujours deux.

— Ce qui est le cas. Toujours. Aussi incroyable que ça paraisse.

— Je ne veux plus parler de ça avec toi. Tu n'as pas connu ma mère, tu ne peux comprendre quelle femme merveilleuse elle était. Tu ne vois que le mauvais côté des choses. De plus, tu ne m'as toujours pas donné de conseil sur la conduite à adopter à Paris, ce que je t'ai demandé.

— C'est à toi de décider. Une personne capable de renvoyer un secrétaire de *Madame** de Pompadour peut prendre une décision sur un sujet aussi dérisoire que le sort d'un père inconnu.

Justine écarquilla les yeux.

— Comment sais-tu à qui il était ? s'étonna-t-elle.

— J'ai fait des recherches sur le blason. Je n'ai pas pu résister. La femme qui avait le meilleur goût de toute l'histoire de France a commandé ce meuble.

— Je me demande... tu crois qu'elle s'en est servie ?

— Elle avait beaucoup de *châteaux**. La *marquise* de Pompadour avait la passion d'acheter, elle avait autant de choses que trois reines réunies. Mais j'ai la forte impression qu'elle avait ce secrétaire dans sa chambre.

— Vraiment ?

— Il s'en dégageait des vibrations de ce genre quand je l'ai touché. Étrange.

— Vraiment ?

— Ouais. Et il y a plus étrange encore. Quand je réparais les tuyaux de ta salle de bains, je suis passé par ta chambre et il y avait un endroit exactement de la bonne taille pour l'y mettre, un endroit qui réclamait une petite place où t'asseoir pour m'écrire des lettres d'amour en pleine nuit.

— Pourquoi diable voudrais-je faire une chose pareille ?

— A cause de ta délicatesse. Voilà la scène. Tu te réveillerais au beau milieu de la nuit, tu me verrais dormir comme un bienheureux à tes côtés et tu aurais cette terrible envie de me dire combien tu m'aimes. Mais tu penserais que j'ai besoin de dormir car je dois me lever très tôt le matin. Le seul moyen serait donc de l'écrire en me laissant le billet à côté de ma mousse à raser.

— Quelle imagination touchante.

— Ce n'est pas de l'imagination, Justine, assura Aiden d'un ton solennel. Je peux te montrer l'endroit exact dans ta chambre. Et si tu peux me jurer qu'il ne réclame pas un petit secrétaire, je... je...

— Tu quoi ?

— Je te ferai un autre Tequila Sunrise. Sur-le-champ.

— C'est très tentant, répliqua Justine.

Elle se radoucit à le voir assis là, vibrant d'ardeur et d'espoir. Si... sensationnel. Oui, c'était le mot. Et superbe. D'une beauté à vous faire fondre. C'était le nez cassé qui faisait cet effet-là. Et les yeux, comment pouvaient-ils être plus bleus que les siens ? Et viril, d'une virilité à vous faire défaillir. Et à croquer... non ! Elle n'allait pas suivre ce chemin une fois de plus, pas ce soir. C'était elle qui avait appelé la première, se rappela-t-elle avec sévérité. Une femme devait avoir sa fierté. La fierté était une chose importante, essentielle. Les hommes respectaient les femmes qui en avaient.

— Je n'ai pas fait mes bagages et je pars demain, dit Justine d'un ton ferme. Je ne peux pas boire et faire mes bagages en même temps.

— Combien de temps te faut-il ?

— Aucune idée ! Pour aller à Paris avec tout le monde de la mode qui sera là... je ne peux pas me contenter de jeter des trucs dans une valise comme on fait dans les films. Je dois faire preuve de coordination, d'organisation, prendre surtout du noir naturellement, babilla Justine. Puis je dois préparer les chaussures, la trousse de maquillage... la laque... les vitamines... les antihistaminiques...

— Je vais te dire ce que je vais faire, je vais venir te donner un coup de main. Je t'aiderai à te concentrer. Je dresserai une liste pendant que tu choisis ce que tu veux emporter. Je te surveillerai sur le plan de la coordination. Je plierai les vêtements pour qu'ils ne se froissent pas. Je barrerai les choses sur la liste au fur et à mesure que tu les mettras dans la valise. Tu auras fini en une demi-heure.

— De ma vie, je n'ai jamais, au grand jamais, fait mes bagages en si peu de temps, pas même pour partir en week-end.

— Mais tu n'as jamais, au grand jamais, eu une si bonne raison d'en finir au plus vite. Car dès que cette valise sera bouclée, je vais te faire l'amour.

— Oh.

Les questions qui se bousculaient dans son esprit se figèrent. La fierté était une espèce de péché, non ?

— Tu n'en as pas envie ?

— On ne peut pas commencer par ça ? proposa Justine.

Elle lui envoya un baiser en riant. Quoi qu'elle fût, la fierté n'était plus ce qu'elle était.

— Et faire les bagages ensuite? ajouta-t-elle.

Aussitôt, Justine se leva de table, puis se dirigea vers l'escalier en prenant Aiden par la main.

— Ça me paraît logique, acquiesça-t-il tandis qu'ils montaient les marches quatre à quatre. Tu as raison, j'ai tendance à être lourd. Peut-être un et un ne font-ils pas forcément deux. Dis donc, il fait bon dans ta chambre. Je crois que je vais me déshabiller.

— Je me sens beaucoup mieux maintenant qu'on a parlé, même tu te refuses à me dire ce que je dois faire.

Elle lança ces mots de la salle de bains où elle se dévêtait de ses mains qui tremblaient d'émotion. Avec la grâce d'une sirène, elle se glissa ensuite dans le lit d'où elle lui fit signe de la rejoindre.

— Non, je ne te donnerai pas de conseil, affirma Aiden qui s'exécuta sans autre cérémonie.

Puis il la regarda dans les yeux avec une tendresse si brûlante, si sincère, qu'elle en frissonna et baissa les paupières.

— Pour parler d'autre chose, tu crois que tu pourrais envisager de m'épouser?

— Je crois que... peut-être... que oui, admit Justine.

Elle enfouit son visage au creux de son cou pour lui cacher sa surprise.

— J'entends, l'envisager, ajouta-t-elle.

— Combien de temps te faudra-t-il pour décider?

— C'est déjà fait.

Elle réussit à garder un ton insouciant, alors que des années de méfiance à l'égard de la gent masculine s'effondraient en un instant et que les défenses qu'elle cultivait si bien faisaient place à la certitude de faire le bon choix.

— Justine!

— Je te le dirai plus tard.

Elle eut un sourire exaspérant, savourant une dernière seconde d'hésitation. Aiden avait édifié une forteresse au beau milieu de son cœur qui se refusait.

— Quand cela?

— Le bon moment finira bien par arriver... peut-être quand on se connaîtra mieux, peut-être quand Rufus sera prêt à te partager.

— Justine!

Il l'attrapa d'un air menaçant.

— C'est oui ou non?

— D'accord, d'accord! Oui. T'es content?

— « Content ? » s'écria-t-il. Serait-il trop banal de dire que je suis le plus heureux des hommes ? Cela expliquerait-il vaguement ce que j'éprouve ? Tu veux que j'essaie de trouver d'autres mots ? Parce que si c'est le cas, je vais y réfléchir et...

— En fait, ça ne me dérangerait pas si tu le répétais. Le premier truc, sur le bonheur, ça me paraissait parfait, juste ce qu'il faut... serait-il trop banal de dire « moi aussi » ? Ou que dirais-tu de ça ? lança Justine avec un grand sérieux soudain. Je t'aime autant que la vie. C'est assez banal aussi.

— Je n'ai pas besoin de fantaisie, assura Aiden.

Il avait les larmes aux yeux, la joie le prenant au dépourvu.

22

— J'ai pensé que vous aimeriez savoir que Miss Loring arrive à Paris, déclara Frankic dès qu'on lui eut passé Jacques Necker à son bureau.

— Vous cn êtes sûre ?

— Elle m'a appelée pour me le confirmer juste avant le décollage du Concorde. Elle sera là ce soir, elle assistera donc à la répétition demain.

— Je suis ravi d'apprendre qu'clle va mieux, dit-il tout net.

— Moi aussi.

Frankie se demanda pourquoi il accueillait la nouvelle avec une telle froideur. Elle était si contente de pouvoir enfin lui annoncer l'arrivée de Justine qu'elle l'avait appelé sitôt après avoir su que Justine était partie. Et voilà que Necker prenait un ton strictement professionnel au lieu de paraître joyeux, soulagé, anxieux, surexcité, toutes réactions qu'elle avait imaginées.

— Je vous remercie d'avoir parlé à Tinker hier, risqua Frankie.

— Sincèrement, j'étais stupéfait de voir la façon dont elle a laissé Lombardi abuser d'elle. Se servir d'elle pour l'inspirer est tout à fait justifié, mais il n'a pas le droit de la faire travailler si longtemps, avec des cours de tango tous les jours pardessus le marché. Ne pouviez-vous y mettre le holà, Miss Severino ?

— J'ai essayé, Mr. Necker, croyez-moi. Mais Tinker a plus de volonté que vous ne le supposez et je ne peux pas l'enfermer pour l'empêcher de travailler autant qu'elle le veut. Il ne s'est pas passé un jour sans que je ne lui demande si elle allait bien, ce qu'elle me soutenait chaque fois.

— Vous auriez dû m'appeler malgré tout.

— Je ne pensais pas que vous vouliez être dérangé...

Et il ne savait rien de Tom, se dit Frankie. Ou le savait-il aussi ?

— Laissez-m'en juge.

— Oui, Mr. Necker. Je m'en souviendrai dorénavant, assura Frankie.

Après avoir raccroché, Jacques Necker resta immobile, le regard dans le vague. Il ne se faisait aucune illusion. Si Justine venait maintenant, au tout dernier moment, c'était à cause de la menace que représentait Dart Benedict. Mais elle allait être là, dans sa ville, à sa portée, et une dizaine d'occasions de la voir se présenteraient entre la répétition et le défilé. Elle devait le savoir aussi bien que lui.

Comment devait-il s'y prendre? Sa fille ne soupçonnait pas à quel point il se reprochait le passé. Tout ce qu'elle savait de lui tenait au jugement accablant de sa mère. Il s'était montré trop entêté pour se laisser décourager, se méfier. Ou du moins admettre que Justine devait être très montée contre lui.

Non, il avait foncé tête baissée et commis la plus grosse des imprudences, la pire des maladresses : il en avait trop fait. Depuis le jour où il avait conçu le concours Lombardi, chaque fois qu'il avait tenté de faire un pas vers sa fille, il était allé trop loin. Il avait accumulé les erreurs ! Ce fichu secrétaire, il devait être fou ! Il savait tant de choses sur Justine aujourd'hui, tant de choses qu'il n'aurait jamais sues sans Jordan.

D'après tout ce qu'elle lui avait dit, il imaginait la susceptibilité de Justine, son besoin de s'affirmer seule, son farouche attachement à son indépendance. Elle défendait ses idées, ses idéaux, elle était inflexible, loyale, elle avait un sens de la justice qui la rendait obstinée à l'excès. Il la comprenait car il était comme elle. Ou était-ce le contraire ? Pouvait-on hériter des traits de caractère, des défauts autant que des qualités, sans qu'il n'y eût aucun contact entre un père et sa fille ? Peu importait... Maintenant qu'il ne se mettait plus à sa place, il comprenait que sa poursuite tyrannique, son piège, si on appelait les choses par leur nom, n'avaient fait qu'empêcher toute autre approche.

Il ne pouvait commettre une autre erreur. Il la laisserait tranquille. Il ne ferait pas une seule tentative de rapprochement. Si un événement imprévu ne les amenait pas à se rencontrer, il ne ferait pas le moindre geste vers elle, ne lui enverrait même pas de fleurs à l'hôtel.

Justine avait eu des mois pour le juger. Elle savait

jusqu'où il pouvait aller. Pourtant, elle n'avait pas eu envie de lui donner sa chance. Elle n'avait même pas eu la curiosité de lire ses lettres. Si c'était là ses sentiments à son égard, il ne pouvait rien y faire. La balle était dans son camp. Si tant est qu'elle la renvoie jamais.

A peine arrivée au Plaza, Justine ne perdit pas une seconde. Elle fit monter ses bagages et mit la main sur April à qui elle demanda de venir aussitôt dans sa suite. Trop surprise d'entendre sa voix pour oser répondre qu'elle s'apprêtait à aller souper avec Maude, celle-ci s'exécuta.

— Ça alors ! s'exclama Justine en l'embrassant. Peut-être ne t'aurais-je pas reconnue si je t'avais croisée dans la rue, mais ça me plaît bien.

— Vraiment ! Je croyais que tu serais horrifiée, souffla April, soulagée.

Son nouvel air fanfaron s'évanouit devant l'autorité de Justine.

— Pas du tout. Certaines beautés comme la tienne sont parfois si fortes qu'elles en sont aveuglantes. Je te voyais devenir la prochaine grande blonde, la blonde classique par excellence. Tu n'as plus rien de classique maintenant. Tu as réussi à te donner un look très personnalisé, qualité essentielle pour un top model. Disons simplement que j'aurais préféré y penser moi-même.

— Maude trouve que j'ai l'air bizarre, laissa échapper April.

— Elle n'est pas du métier, répliqua Justine d'un ton cassant. La vérité, c'est que tu n'es pas une simple blonde, tu es une blonde brûlante, musquée, ce qui est le mieux de tout. Il faut juste que tu changes de coiffure. Sinon, tu es magnifique. Tes cheveux sont presque dans le genre punk, ce qui s'est déjà vu. On veut aller de l'avant, pas le contraire, non ? Laisse-moi comprendre ce qu'a fait ce coiffeur.

Justine passa les doigts dans ce qui restait de la sublime chevelure d'April, les tirant ici et là sans rien changer à ses frisottis de bande dessinée.

— T'a-t-on fait une permanente après la couleur et la coupe ? Non ? Juste une mise en plis ? Coup de chance. Tu as assez de bouts cassés comme ça. Frankie, regarde dans ma trousse de maquillage. Tu y trouveras du gel et un peigne.

Une fois Frankie revenue, les trois femmes allèrent dans

l'une des salles de bains où April s'assit sur le couvercle du siège des toilettes tandis que Justine lui mouillait les cheveux avant de mettre du gel pour réparer les dégâts.

— Tu vois, April, tu ne dois pas jouer sur tous les tableaux. Sinon, les gens ne sauront plus où regarder. Tes yeux et ta bouche sont de la dynamite, je vais donc aplatir un peu les cheveux. Un style masculin, comme du temps de Fred Astaire... j'ai toujours adoré ce beau mec.

Elle lui fit une raie de côté très accentuée, puis la coiffa tout en arrière. Les cheveux étaient assez longs pour former une banane qui tombait juste, par petites touches, derrière les ravissantes oreilles d'April, soulignant la forme du crâne. Combiné avec la coiffure à la garçonne d'un modernisme sévère, le maquillage outré d'April atteignait à une sophistication choquante.

— Regarde-toi dans la glace, lui dit Justine. Non, celle en pied. Sinon, tu ne te rendras pas compte de l'effet d'ensemble.

— Mon Dieu ! C'est divin... mais tu ne crois pas que c'est trop... trop... garçon manqué ?

— Tu n'as jamais paru plus féminine, répliqua Justine, sincère. Une coiffure masculine sur une fille avec une superbe bouche accentuée comme la tienne et ces immenses yeux à la Dietrich ont un côté élégant et provocateur que tu n'aurais jamais avec des boucles ni des cheveux longs. C'est un peu Berlin années 30, je le reconnais, mais pas garçon manqué. Ambigu, voilà... c'est ambigu et suggestif. Bon, dis-moi, qu'est-ce que c'est que cette histoire avec Dart Benedict ?

— Il m'a fait des propositions à la soirée. Il m'a assuré que si je ne perdais pas de temps, il m'aurait la couverture des différents *Vogue*.

— Quoi de plus facile ? Dans deux jours, après la collection, le portier de l'hôtel pourra te l'obtenir, parce que c'est *Vogue* qui viendra te chercher. Mais je pense que tu ne serais pas heureuse dans cette agence.

— C'est ce que dit Maude. Elle a entendu des choses étranges sur son compte.

— Toutes vraies, et ce n'est pas tout. Si tu veux des détails, je peux te les donner. Une fois le défilé terminé, je te représenterai uniquement si tu le souhaites. En attendant, j'aimerais que tu gardes tes distances avec Dart.

— Justine, je n'ai pas l'intention de te quitter ! Jamais ! Sans Loring Management, je ne serais pas là. Je serais toujours en pleine crise, une bonne à rien qui fait tout de travers.

— Ce n'est qu'une question de maquillage, April. Ne nous emballons pas, répliqua Justine, perplexe devant l'emportement d'April.

— Ah... ouais... bon... je laisse à Frankie le soin de te mettre au courant. Salut, Justine. Merci pour la coiffure. Il faut que j'y aille. Maude m'attend.

April fila tandis que Frankie se tenait les côtes de rire.

— Arrête, tu veux ! Qu'est-ce qu'il y a de si drôle à la fin ?

— Mon Dieu, lâcha Frankie qui haletait entre deux éclats de rire, mon Dieu aie pitié de nous ! Elle s'est révélée devant cinquante personnes mais elle a peur de te le dire.

— Révélée ? Dans le sens de « révélée à soi-même » ? April ? April est homosexuelle ?

— Pour le moment, en tout cas.

— Avec... Maude ?

— Qui veux-tu que ce soit ?

— La vache ! J'ai raté tous ces grands moments. Tu aurais pu me prévenir quand tu m'as appelée.

— Je voulais te le laisser découvrir toute seule. Ça aurait été dommage de te gâcher le plaisir de toutes ces surprises.

— Hummm... J'ai dû avoir un pressentiment de génie. C'est sûrement pour ça que j'ai eu cette idée de coupe à la garçonne.

— Tu as déjà repris les rênes à ce que je vois, remarqua Frankie du ton le plus sarcastique possible.

— C'est pas ce que tu voulais ?

— Oh, Justine, je suis si heureuse de te voir, je ne sais pas si je dois rire ou pleurer.

— Ni l'un ni l'autre, ma belle, je t'en prie. Bon, je m'attaque à Jordan ?

— A quel propos ? C'est la seule qui ne m'ait posé aucun problème.

— Il est trop tard pour s'occuper de Tinker, je suppose ?

— De toute façon, elle n'est pas là. Elle est chez Tom.

— Chez Tom ? C'est un homme ou une femme, celui-là ?

— Un type adorable. Ils sont, je cite : « fous amoureux ».

— Ça a commencé quand, cette histoire ?

— Le lendemain de notre arrivée.

— Frankie, je commence à m'interroger sur tes qualités de chaperon.

— Je t'avais prévenue que ce n'était pas mon fort, même si j'ai fait de mon mieux.

— On ira voir Tinker demain matin. En attendant, on va commander à dîner dans la chambre.

— Pour que tu puisses tout savoir sur Mike ? dit Frankie avec empressement.

— Dans un deuxième temps. D'abord, je vais tout te raconter sur Aiden.

— Aiden ?

— Mon futur mari, annonça Justine avec dignité. Aiden Henderson.

— Tu ne connais personne de ce nom.

— Je le connais depuis près de deux semaines.

— N'importe quelle fille de n'importe quelle planète pourrait peut-être se fiancer avec un type qu'elle connaît depuis quinze jours. Mais pas toi, Justine. Ce n'est pas ton genre. C'est moi qui ai décroché la perle rare, pas toi. Arrête de me faire marcher.

Pour la première fois depuis son arrivée, Frankie observa Justine de près. Les changements qui lui avaient échappé, son expression lumineuse, sa façon de prononcer « Aiden », une légèreté inconnue qui semblait émaner de son amie, tout cela frappa Frankie : c'était la vérité, incroyable mais sûre et certaine.

— Justine !

— Hé oui ! Moi non plus, je n'y crois pas.

— Mais... mais... comment c'est arrivé ?

— Il a cassé ma chaudière et... c'est compliqué... disons qu'une chose en a entraîné une autre... Le destin !

— Ah, le coup de la vieille chaudière cassée ! Pourquoi ne pas l'avoir dit tout de suite ? C'est l'appel du mâle dans toute sa splendeur ! Ou peux-tu en rejeter la faute sur la *bossa nova* ? Bon, d'accord, d'accord ! Je t'écoute !

— Je me demande depuis quand cet ascenseur ne marche plus, observa Justine.

Frankie et elle montaient les quatre étages qui menaient au studio de la Senora Varga.

— Depuis que je viens et sans doute depuis dix ans. Pas étonnant que la Senora soit en acier. On est arrivées. Ne sonne pas, elle laisse la porte ouverte pour que j'entre discrètement et que je me fasse oublier en attendant qu'elle accorde une pause à Tinker.

Les deux femmes s'assirent sans se faire remarquer. Elles regardèrent un moment les deux danseuses, puis la Senora, qui s'aperçut de leur présence, libéra Tinker à contrecœur avec quelques mots d'éloge.

— Justine ! Tu as pu venir ! s'écria Tinker. Je suis si heureuse de te voir, tu n'imagines pas à quel point. C'est si excitant, je n'ai jamais été si agitée. Tu m'as vue danser ? C'est mon dernier jour aujourd'hui. Qu'en as-tu pensé ? Je fais des progrès, je n'aurais jamais cru en être capable. Et attends de voir les modèles ! Marco a effectué la plupart des finitions et on a fait une dernière répétition pour les accessoires rien que pour moi. Oh, Justine, il se passe tant de choses que je n'ai pas fermé l'œil la nuit dernière. Tom a essayé de me donner un steak, mais je ne pouvais rien avaler, pas une bouchée, juste de la soupe et du pain, rien d'autre. C'est sans doute à cause des endorphines, ça coupe l'appétit. Je ne pensais qu'aux filles, Karen, Carla et Helena, à l'idée de travailler avec elles ce soir à la répétition. Savais-tu que Necker a fini par les avoir toutes ? Claudia, Kate et Linda aussi. Presque tous les tops, Justine, les vrais. Il les a payés trois fois plus cher. Sinon, elles auraient refusé de présenter la collection d'un inconnu, même pour GN. Ça va être tellement excitant, être là avec elles, être la première à monter sur le podium pour ouvrir le défilé. C'est une lourde responsabilité, bien sûr, mais Marco est sûr que je peux y arriver. Et il le faut, Justine, il le faut, car le défilé est conçu ainsi. Ma première robe, attends de la voir. Contrairement à la tradition, Marco commence par les robes du soir. C'est une mousseline sublime couleur corail, cinq épaisseurs de tissu froissé de différentes tailles, très flamenco comme genre. Elle tourbillonne, tourbillonne... Elle est échancrée jusque là dans le dos et jusque là sur le devant. On voit tout ! Heureusement que je suis plus mince que jamais. De très fines bretelles et une longue cape faite de centaines de roses en organza d'un superbe jaune pâle, très très pâle... comme s'il y avait un projecteur braqué sur moi... au bout du podium, je la retire... non... non... qu'est-ce que je raconte ? Pas là, pas avant d'arriver juste avant la fin, face aux photographes. Et je ne la traîne pas comme on faisait autrefois. Je la soulève et je la jette derrière moi le plus loin possible pour montrer à quel point elle est légère. Je me suis entraînée des dizaines de fois...

— Assieds-toi, Tinker, dit calmement Justine.

— Je ne peux pas, c'est moins dur quand je reste debout ! Si je m'assieds, je risque de ne plus pouvoir me lever et la Senora Varga tient à me donner une dernière demi-heure de cours avant de me laisser rejoindre Marco. Elle est très perfectionniste. Je voulais apprendre une autre danse, pas seulement le tango, mais elle ne l'a pas voulu. Elle a prétendu que je n'étais pas prête. Ce qui est bête, c'est que je ne pourrais jamais le danser avec un homme car je ne sais que mener. C'est ridicule, non? Idiot, complètement idiot... ça ne me servira à rien sur une piste de danse. Et le plus bête, c'est que plus personne ne danse le tango. C'est vrai, non?

Justine, qui se leva, posa une main ferme sur les épaules de Tinker.

— Assieds-toi, Tinker, tu es épuisée.

Tinker éclata en larmes.

— Non, non, absolument pas! répéta-t-elle en pleurant comme une madeleine. Je l'ai dit à Tom qui ne voulait pas me laisser partir ce matin. Et voilà que tu me répètes la même chose. Tu veux que je sois fatiguée, tu ne comprends pas... je ne peux pas être fatiguée, c'est impossible... il ne reste plus qu'un jour... la collection de printemps, c'est demain. Je ne peux pas leur faire faux bond, c'est ce que dit Marco, je ne peux les laisser tomber. Tu comprends, Justine? Tu sais ce que c'est? Tu comprends, non? Frankie, tu ne comprends pas?

Saisissant Tinker d'un bras, Justine ordonna à Frankie :

— Prends-la par l'autre bras. Tinker, tu vas aller te reposer un peu pour être en pleine forme demain. Tu t'es surmenée, ce n'est pas plus grave que ça. Une bonne journée de repos, une bonne nuit par-dessus et tu seras en pleine forme. Mais il faut que tu te reposes. Tu le comprends, Tinker?

— Et la Senora?...

— Je la saluerai pour toi, tu pourras venir la voir après le défilé si tu le veux. Pour l'instant, on rentre à l'hôtel et on te met au lit.

— Et Tom?

— On passera le prendre pour l'amener à l'hôtel. Il restera avec toi et nous aidera à prendre soin de toi. Frankie ira le chercher dès que tu seras au lit. Si tu ne te couches pas, elle ne peut pas y aller. Je parlerai à Marco, il comprendra parfaitement, ça arrive très souvent. Ils peuvent faire la répétition avec une fille qui te remplacera. Tu as déjà fait ta dernière répétition avec les accessoires, ils n'ont pas besoin de toi. Ça te paraît logique, Tinker? Voilà, ça va mieux, non? Allez, mouche-toi. Bon, ne la lâche pas, Frankie, on a encore ces fichus escaliers à descendre, prends son manteau. Bon, on y va, on rentre à l'hôtel. Tu vas avaler une bonne soupe chaude et demain tu seras en pleine forme, Tinker. Il faut juste que tu te reposes.

— Mais tu parleras à Marco, c'est promis ? Tu le lui expliqueras ?

— Pour lui parler, je vais lui parler, tu peux compter dessus !

23

J'étais dans mes petits souliers. Justine et moi escortions April et Jordan vers l'ascenseur qui allait nous mener au sous-sol du Ritz où devait se dérouler la présentation de la collection de Lombardi le lendemain. Ce soir avait lieu la répétition. Pour la première fois, Jordan et April seraient confrontées aux plus grands top models internationaux.

La journée avait été longue, et le plus difficile ne faisait que commencer. Il était huit heures passées. On était en retard par-dessus le marché, à cause d'un accident qui avait bloqué la place de la Concorde.

Il semblait s'être écoulé une éternité depuis qu'on avait installé Tinker dans sa chambre ce matin, s'assurant qu'elle avalait son déjeuner léger jusqu'à la dernière bouchée. Quand on était passé la voir une dernière fois avant de quitter le Plaza, elle venait de dîner et dormait à poings fermés. Tom, qui lisait sur une chaise, lui tenait compagnie.

— Je ne vois pas très bien le cadeau que fait Necker à nos filles en les obligeant à se mesurer à toutes les superstars, avais-je dit à Justine dans l'après-midi.

Elle venait de rentrer après son entrevue avec Marco, rayonnant de la satisfaction de quelqu'un qui a rendu un fier service à l'humanité en réglant discrètement son compte à un coupable.

— Ce sadique, cette espèce de petit saligaud ne nous créera plus de problèmes, affirma-t-elle.

Ses yeux bleus étaient plus étincelants que jamais, ses cheveux blonds irradiaient. Je me sentais revigorée chaque fois qu'elle décochait ce sourire familier où se mêlaient gaieté, courage et fierté.

— Regarde les choses en face, répondit Justine qui reprit

son sérieux. GN a engagé des grands noms pour renforcer l'image de la première collection de Lombardi. Les journalistes de mode s'attendent à voir les vedettes faire les défilés vedette. C'est le genre d'initiative qui risque de se retourner contre nous, nos filles paraissant encore plus débutantes qu'elles ne le sont.

— Essaie de voir le bon côté de la situation, l'exhortai-je. Les photographes et les rédacteurs doivent en avoir franchement marre de voir toujours les mêmes têtes. Ils vont s'intéresser à nos filles, trois visages neufs soutenus par une énorme campagne de presse. Elles sont toutes aussi jolies que les stars. La seule différence, c'est qu'elles sont inconnues. Tu sais bien que plus on est en vogue, plus on approche de la fin.

— Peut-être as-tu raison, acquiesça-t-elle d'un ton dubitatif.

— Ou peut-être que je me trompe, dis-je d'un air lugubre. D'un autre côté, même si nos filles ne se font pas remarquer, qu'est-ce que ça change ? La compétition se dispute entre elles. Les autres ne sont là que pour présenter les modèles. Pourquoi en faire tout un plat ? De toute façon, on est sûr d'y gagner.

— Je ne crois pas à ce genre de choses, répliqua-t-elle, son entêtement prenant le dessus. C'est un leurre, l'une de ces expressions faciles à employer et trop belles pour être vraies.

Interrompant notre discussion qui ne menait nulle part, la réception nous avertit que Gabrielle d'Angelle, qui était dans le hall, voulait monter. Quand elle arriva, plus qu'élégante en noir, elle annonça que Necker l'avait chargée de s'occuper de nous jusqu'à la fin de la collection. Vous le croirez si vous le voulez, j'étais si nerveuse que je fus ravie de la voir débarquer avec ses yeux de fouine et sa dureté typiquement parisienne. Pourtant, que pouvait-elle faire pour que mes beautés ne disparaissent pas dans l'ombre de ces dames dignes de Cendrillon ? Alors là, mystère !

Gabrielle serra la main de Justine.

— Je suis heureuse que vous soyez enfin remise. Apparemment, votre maladie vous a laissée en grande forme.

— Les antibiotiques font souvent cet effet-là, répondit Justine sans sourciller.

— Comment va cette pauvre Tinker ?

— Elle dort paisiblement.

— Elle sera sur pied pour demain ?

— Oui, malgré Lombardi. Qui avez-vous pris pour la remplacer ce soir ?

— Fort heureusement, Jeanine, l'ancien mannequin d'essayage de Marco, nous a sauvé la mise. Elle reste dévouée à *Monsieur** Necker.

— Ce que je ne comprends pas, c'est pourquoi la répétition commence si tard, protesta Justine. Huit heures du soir, c'est une heure ridicule... ça risque de durer toute la nuit.

— Le Ritz s'est refusé à nous louer les lieux plus tôt, quel que soit le prix. En fait, on nous a demandé une somme folle pour profiter de la piscine pendant vingt-quatre heures. Comme si on avait le temps de se baigner la semaine des collections ! On va se servir de l'institut de beauté qui se trouve à côté pour l'habillage, la coiffure et le maquillage. Leur dernier client doit finir de se faire coiffer peu avant sept heures.

— Et les clients de l'hôtel qui veulent se faire coiffer demain ?

— Le Ritz s'est arrangé pour les envoyer dans des voitures avec chauffeur chez Alexandre, le tout aux frais de GN. Dès le début, j'ai fait observer qu'il serait plus pratique de monter les podiums et d'organiser la répétition ailleurs. Mais Marco s'est battu pour la faire à l'hôtel afin que les filles et leurs habilleuses sachent exactement ce qu'elles auront à faire demain soir.

— Pour une fois, ça se défend, grommela Justine.

— Vous rendez-vous compte que ce défilé sera complètement différent des autres ? poursuivit Gabrielle. Normalement, ça dure quarante minutes, ça coûte dans les deux cent mille dollars et les rédacteurs repartent le ventre creux. Cette fois, ça va durer moins d'une demi-heure et ça va coûter nettement plus d'un demi-million de dollars.

— On ne nous a donné aucun détail, répliqua Justine, intriguée malgré elle.

— Ce sera une soirée habillée des plus raffinées. Avant le défilé, on offrira du champagne et du caviar. Le dîner sera servi ensuite. Les invités, en dehors de la presse et des clients, ont été triés sur le volet. Normalement, on compte deux mille personnes. Demain, il n'y en aura que trois cents. Sans parler des photographes de renom, naturellement. N'oubliez pas que GN est l'un des plus grands annonceurs publicitaires au monde. Aucun rédacteur ne peut ignorer l'existence de Lombardi. On a tenu à avoir un nombre de personnes restreint et sélectif, ce qui n'empêche que la presse va très largement couvrir l'événement car *Monsieur** Necker a dépensé sans compter.

Justine, qui ne voulait pas se laisser entraîner dans une conversation sur les folies de Necker, détourna la conversation.

— Et les podiums ? demanda-t-elle.

— L'équipe de Belloir et Jallet va se mettre au travail à sept heures précises. Il faut d'abord recouvrir la piscine et monter les podiums qui seront disposés en cercles concentriques avec les tables entre eux pour que chacun soit au premier rang.

— Belloir et Jallet ?

— Les meilleurs spécialistes en matière d'installation. Les praticables, les projecteurs, les sièges, le kiosque à musique, tout ce qu'il faut pour transformer n'importe quel lieu en vue d'une réception de prestige.

— Le kiosque à musique ? demandai-je. Vous avez un disc-jockey ?

— Ma chère Frankie, cette soirée ne ressemblera pas aux autres défilés parisiens qui rivalisent de vulgarité pour la plupart. La saison dernière, Lagerfeld a fait jouer un air intitulé : « Je ne veux pas d'un mec avec une petite queue ». Et le défilé commençait par une bande sonore qui hurlait : « Monte cette putain de musique » !

— Mon Dieu !

Je ne pouvais croire que ces mots étaient sortis de la bouche si raffinée de Gabrielle.

— En compétition avec ces gens ridicules qui se baptisent des « stylistes du son », Marco a décidé qu'il serait unique en son genre, poursuivit-elle sans se départir de son aplomb. Il a donc convaincu *Monsieur** Necker de faire venir un orchestre : Chicago.

— C'est un groupe de rock américain de la fin des années 70 ! s'exclama Justine avec surprise. Pourquoi ce choix ?

Haussant les épaules d'une façon qui montrait son manque d'enthousiasme, Gabrielle répondit :

— C'est le groupe préféré de Marco. Il s'est arrangé pour l'entourer d'autres musiciens, de chanteurs, ainsi que d'un autre groupe. Il leur a demandé de réinventer une musique des années 30 dans une conception nouvelle. Il y aura vingt musiciens en tout, sans compter les choristes.

— Ses modèles sont-ils aussi inspirés des années 30 ? s'enquit Justine. Je ne m'attendais pas à ce qu'il pille... disons, à ce qu'il emprunte son style à un passé si lointain.

— Je ne les ai pas vus, avoua Gabrielle. Pour ce que j'en sais, peut-être fabrique-t-il un nouveau genre de bombe au neutron ou peut-être relance-t-il les bottines. Tout ce que je peux dire, c'est qu'il a donné trois mots clé au service de presse : « Gaieté, fraîcheur et charme. »

— Vous ne les avez pas vus? demanda-t-on de concert, aussi ébahies l'une que l'autre.

— Marco a été « trop pris » pour me montrer quoi que ce soit. Il s'est refusé à montrer des modèles « encore en chantier », sauf aux gens qui travaillent dessus.

— Et ceux du service de presse, les ont-ils vus, eux? Ils doivent être dans le brouillard, m'étonnai-je.

Pour la première fois, Gabrielle m'inspira une certaine compassion.

Elle esquissa un geste d'un air de dire : « J'étais là et je me suis occupée de tout. »

— Au niveau international, il n'y a qu'une dizaine de couturiers qui comptent. Ce n'est pas le service de presse qui va décider si Marco risque d'en faire partie. Bien que je n'aie pas vu les modèles, j'en sais assez pour affirmer qu'il joue ses meilleures cartes.

— Celle de la séduction, voulez-vous dire.

Gabrielle considéra Justine d'un œil neuf.

— Oui, celle de la séduction. Quand on réalise à grands frais un décor pour faire de cet immense local au sous-sol du Ritz une terrasse de café entourée de mille cerisiers et de pommiers en fleurs, c'est bien de cela qu'il s'agit, non? Marco veut évoquer le printemps d'une époque idéalisée qui se situe au début des années 30.

— Personne ne s'en souvient! protestai-je.

— Tout est là justement. Le présent n'a rien de très attrayant, non? Marco veut que ce soit un temps imaginaire où personne n'avait de raison de s'inquiéter de l'avenir ni de ressasser le passé. La séduction commencera dès que les journalistes arriveront de la nuit froide pour entrer dans le hall de l'hôtel en plein printemps.

— Savez-vous ce que jouera Chicago? Des nouveautés dans le style 1930? m'enquis-je.

— Vous n'imaginez pas qu'ils vont jouer une musique originale! répliqua-t-elle, horrifiée à cette idée. Non, seules l'interprétation, l'orchestration le sont. Marco ne confierait pas une chose si importante à ces musiciens.

Gabrielle sortit un carnet de son sac.

— Voici quelques-uns des titres du pot-pourri qui va créer l'ambiance avant le défilé. Ils n'ont rien d'original, je vous le jure!

Elle donna une longue liste de grands succès romantiques de l'époque. Justine riait autant que moi. Gabrielle aussi souriait.

— Arrêtez ! s'écria Justine. On a compris. Pour de la guimauve, ça en est ! Si ça ne met pas les gens en joie, c'est à désespérer. Vous avez donc une réplique éblouissante de Paris au printemps en un temps de rêve, des airs de la grande époque des comédies musicales de Hollywood, un banquet préparé par le Ritz, tous les top models disponibles... Marco ne pourra pas prétendre que sa collection n'a pas eu de succès parce qu'elle n'était pas assez à l'eau de rose.

— Avec un peu de chance, poursuivit Gabrielle, cette soirée est un premier pas vers le parfum Lombardi. Or le marché du parfum représente sept milliards et demi de dollars par an. *Monsieur** Necker voit très loin.

Jordan et April, qui frappèrent à notre porte, suivies de près par Mike et Maude, coupèrent court à cette conversation. Manifestement, les filles avaient le trac des soirs de première.

— Qu'est-ce qu'on doit faire de nous en attendant la répétition ? se lamenta Jordan. On a pris un bain moussant jusqu'à en avoir le bout des doigts tout fripé, on s'est fait deux fois les ongles de pied, on s'est rasé les jambes, on s'est lavé les cheveux... et si on commence à s'épiler les sourcils, on craint de ne pouvoir s'arrêter avant le dernier.

April, qui semblait prête à s'évanouir, ajouta :

— On a encore deux heures devant nous avant d'aller au Ritz. Je n'ai rien mangé de la journée. Je me sens défaillir de faim, mais j'ai peur de vomir si j'avale quoi que ce soit.

— J'ai une idée, proposa Mike. Tout le monde joue-t-il au poker ? Non ? Juste Maude, Frankie et moi ? Bon, on va vous apprendre les règles. Ensuite, on jouera pour de l'argent en attendant qu'il soit l'heure de partir.

Justine me poussa du coude d'un air de dire : « Beau coup ! » Je ne daignai pas répondre à une chose qui allait tellement de soi. J'appelai le service d'étage à qui je réclamai des cartes et de quoi se sustenter. Le temps passa vite, absorbés que nous étions par ce poker fort peu orthodoxe joué à un rythme d'enfer. Bientôt, chacun fut assez détendu pour manger et Jordan, innocente aux mains pleines d'après ce qu'elle disait, finit la partie en raflant plus de trois cents dollars. Mike, qui était à côté de moi, prenait des photos quand il n'essayait pas de regarder mon jeu.

— Arrête de tricher ! finis-je par protester.

— Mais tes cartes sont les miennes, chérie. A chacun sa part. Tu veux voir les miennes ?

— C'est comme ça que ça marche ?

— Bien sûr.

Sous l'emprise de son sourire et la façon dont ses yeux pétillaient de plaisir quand il me regardait, j'allais jeter un coup d'œil sur son jeu lorsque Maude, qui surprit notre manège, y mit le holà.

A cette heure, le souvenir de ce bon moment était bien loin. Maude, Gabrielle et Justine étaient descendues les premières dans le petit ascenseur du Ritz. A notre tour, Mike et moi nous trouvions au fond tandis que Jordan et April, qui se tenaient devant nous, le dos droit, les épaules dégagées, leurs ravissantes têtes bien droites sur leur cou tout aussi ravissant, paraissaient parfaitement maîtresses d'elles-mêmes. Seuls leurs cheveux les différenciaient, les noires bouclettes angéliques de Jordan et la nuque platine d'April. Le flash de Mike s'éteignit soudain. Je découvris alors ce qu'il avait remarqué : les deux filles se tenaient si fort par la main que ça devait leur faire mal.

— Espèce de cannibale impitoyable ! sifflai-je.

— Ça peut faire une couverture, riposta-t-il.

Sur ce, il prit une autre photo à l'instant où la porte de la cabine s'ouvrit.

— Allez, les filles, allez-y !

Jordan encouragea April d'un sourire puis, toujours main dans la main, elles avancèrent dans la salle de réception en marbre rose et blanc à l'atmosphère enfumée. Au fond, où étaient empilées des piles de petites chaises dorées qu'on transportait, trônaient trois mannequins si connus qu'on les reconnaissait au premier coup d'œil et s'agitaient des dizaines de silhouettes tout de noir vêtu qui faisaient partie de l'équipe de Belloir et Jallet ou de celle de l'habillage.

— Par quoi commence-t-on? demandai-je à Gabrielle.

— Il faut que les filles se présentent à Marco pour qu'il sache qu'elles sont arrivées. Je vais m'occuper d'elles.

— Non, je vais le faire, Gabrielle, intervint aussitôt Justine.

— Aucune personne dont la présence n'est pas indispensable n'est autorisée à rester en coulisses. Or vous n'avez rien à faire dans la présentation de la collection. Ça va être de la folie ce soir. Je suis désolée, mais il faut que vous attendiez ici, Justine. Je pensais que vous l'aviez compris.

— Quelles conneries ! J'accompagne les filles. Frankie aussi. Elles ont besoin de nous. Sans oublier Mike et Maude qui doivent être partout.

— Mike et Maude, d'accord. Quant à Frankie et vous, c'est impossible.

— Pourquoi ne pas le demander à Marco ?

Un instant plus tard, Gabrielle qui, malgré son sang-froid, ne parvenait pas à dissimuler totalement sa surprise, revint.

— Il a dit que vous étiez les bienvenues du moment que vous ne le dérangiez pas. Excusez-moi, Justine, je ne savais pas qu'on avait fait une exception pour vous.

— Il n'y a pas de problème, vous ne pouviez pas le deviner. Bon, on y va. Mike, n'oublie pas : pas de photo de Mrs. Schiffer nue, ni en petite tenue. Elle risque d'avoir une tête qui ne lui revient pas qu'elle ne cède qu'à prix d'or. C'est l'usage.

— Mince alors ! se lamenta mon bien-aimé.

Chicago attaqua les premiers accords de leur version de « Goody Goody ». Je fondis aussitôt de plaisir. C'était très syncopé, ultra-rapide et marqué d'un tempo si fort qu'on ne pouvait y échapper. Il y avait dans cette musique quelque chose qui disait l'espoir et la joie. Une joie simple, légère, pétillante. Autour de moi, des gens se mirent à sourire et, avec le plus grand des naturels, Jordan entraîna April dans un pas de danse.

— Pas si mal, ce groupe, dit Gabrielle d'un ton qui, pour elle, était le plus beau des compliments.

On se fraya un passage dans l'immense salon de beauté, parfait en cabine improvisée : les maquilleurs et les coiffeurs avaient toute la place de disposer leur matériel sur les gigantesques tablettes de marbre beige, l'éclairage était violent et, en enlevant les fauteuils en cuir qu'on avait remplacés par des chaises de banquet, on avait aménagé un endroit idéal où les filles pouvaient se changer avec l'aide de leurs habilleuses.

Quand notre petit groupe s'arrêta dans l'embrasure, je m'aperçus que je n'avais jamais songé au choc de voir réunis les grands noms du métier. On était loin de l'atmosphère de charmant désordre de Loring Model Management. Les filles qui pénétraient dans cette pièce réalisaient qu'en cet instant, elles étaient les élues entre toutes les consacrées. Et cette présomption décuplait leur pouvoir à la puissance X. Elles étaient au-dessus des règles imposées aux autres femmes. Leur visage, malgré leur jeunesse, était porteur d'une telle légende qu'on avait l'impression de se retrouver dans la salle de maquillage des présentateurs le soir des Oscars.

— April ! Jordan ! Ne restez pas bouche bée ! leur intima Justine. Dans six mois, tout ça vous ennuiera autant qu'elles. Vous ne les entendez pas penser : « Par ici la monnaie » ?

— Merci toujours, patron, marmonna Jordan.

Elle était incapable de détacher les yeux des filles qui, assises là, négligemment drapées dans leur peignoir du Ritz, ressemblaient à un harem. Leurs jambes nues sur les tablettes comme si elles étaient seules, elles parlaient d'un ton animé ou confidentiel à leur téléphone portable. Comparant les entrées de leurs filofax, elles buvaient à la bouteille du Coca-Cola ou de l'Évian. Elles observaient le vernis de leurs ongles de pied, se recourbaient les cils ou inspectaient les veines presque invisibles du blanc de leurs yeux. Quelques-unes lisaient des livres de poche; une ou deux, imparfaites dans leur perfection, portant des lunettes. De petits groupes cancanaient en aparté. Aucune ne s'intéressait aux modèles car, si on les payait le triple pour présenter le travail d'un inconnu, ce devait être une véritable catastrophe. Certaines allumaient des cigarettes, d'autres en écrasaient, d'autres encore se perdaient dans un nuage de fumée. Pour la énième fois, je bénis le ciel qui m'avait accordé trois ouailles non fumeuses. Des filles dispersées ici et là se retournèrent pour saluer Mike, plusieurs firent un signe à Justine, mais elles ignorèrent Jordan et April d'un regard absent. Leur indifférence semblait affirmer : « Les vedettes du spectacle, c'est nous. Nous, on est dans le coup, vous pas, ne vous faites pas d'illusions là-dessus. Vous, vous n'êtes que des doublures engagées pour un coup publicitaire qui ne durera que le temps d'un jour. »

— Où est Lombardi ? s'enquit Justine.

Désignant six mannequins en rang qui nous tournaient le dos, les jambes cachées par une table, Mike répondit :

— Sans doute derrière ces filles.

De notre place, on voyait qu'elles portaient les mêmes vestes de tailleur bien ajustées, peu épaulées et ceinturées, dans un merveilleux lainage bleu jacinthe.

Les prenant par l'épaule, Justine entraîna les filles vers Marco qui se trouvait derrière la table couverte d'accessoires comme une immense mosaïque.

— Jordan et April sont là, annonça-t-elle.

— Elles sont en retard, répliqua-t-il sans la regarder.

— La circulation, expliqua-t-elle sans s'excuser.

— Conduis-les à leurs habilleuses, dit Lombardi à Justine.

Puis il se détourna et ordonna :

— Mettez les chapeaux.

Je regardai ses assistants arranger des cloches en feutre vert pistache sur six des têtes les plus chères au monde. Les coiffures étaient piquées d'une rose blanche et la jupe de chacun des élégants tailleurs légers était d'une longueur différente, allant d'ultra-mini à la cheville. Les filles portaient des bas beige extra fins et des escarpins en vernis noir à talons moyens. Il était impossible de dire qu'une longueur était plus seyante ou plus chic qu'une autre. Marco, qui se leva, tira sur la taille de la jupe de Kate Moss qui lui arrivait au-dessous du genou.

— Déesse, roucoula-t-il.

— Il ne nous accorde jamais un regard, se plaignit April alors qu'on rebroussait chemin parmi la foule. On n'a même pas droit à bonjour.

— Ça n'a rien à voir avec vous, il finira par s'amadouer, la rassura Justine. Pas bête cette idée des différentes longueurs, admit-elle.

— Il ménage la chèvre et le chou, grommelai-je.

Il me fallait pourtant reconnaître que, si les rédacteurs de mode estimaient encore que la longueur des jupes était un problème — ce qui était le cas, non? — Marco avait fait une démonstration spectaculaire du contraire trop convaincante pour que les médias n'en tiennent pas compte.

On arriva enfin aux deux portants des filles. Les noms d'April et Jordan y étaient écrits au crayon sur un carton. A bout de patience, elles se ruèrent vers les modèles sans prêter attention aux protestations des habilleuses énervées. Elles passèrent les cintres en revue comme des chiens à la poursuite d'un lapin, poussant des cris d'allégresse de plus en plus fort devant l'objectif de Mike qui photographiait leur tête digne des participants enfiévrés d'un jeu télévisé.

— Je vous en prie! s'indigna Justine. Un peu de calme!

— Regardez ça, hurla April. Une cape en mohair rouge pompier doublée de satin rose pâle avec une robe assortie à la doublure... J'en meurs d'envie!

— Moi, j'ai le contraire: la cape en rose et la robe en rouge! s'exclama Jordan.

Brandissant une robe de bal évasée et sans bretelle en satin lilas avec une large ceinture plissée chocolat parée d'un nœud et un minuscule boléro bien ajusté couvert de brillants assortis April s'écria :

— Hé!

Jordan, qui exhiba à son tour un cintre avec la même robe d'un brun piquant, la ceinture lilas et le boléro aux paillettes lavande, murmura :

— Moi aussi, j'en ai un. On est jumelles?

— Je n'en sais rien. Génial ! Quel manteau royal ! brailla April.

Elle nous montra un manteau évasé et boutonné en flanelle gris perle, léger comme une plume, avec une petite robe de soie blanche faussement sage.

— On pourrait se marier là-dedans... Et toi, Jordan, qu'est-ce que tu as ?

— J'ai le même en tweed vert pomme avec la robe en organza turquoise sans épaule d'un côté... regardez cette veste en velours jaune sur une robe de cocktail en mousseline rose... Délicieuse ! Bizarre, du velours pour le printemps !... Malgré tout, c'est le bon jaune, vous ne trouvez pas ? Justine, c'est le plus parfait des jaunes, non ?

— Laisse-moi l'essayer, la supplia Justine qui enleva sa veste.

— Pas question. Tu vas la salir... en voilà une bleu ciel qui a presque la même coupe...

Jordan, qui lança adroitement la veste en velours à Justine, continua à passer en revue les tas de couleurs radieuses sur son portant comme s'il lui restait une minute pour faire des achats jusqu'à la fin de ses jours.

— Regardez, mais regardez... chaque robe a un manteau ou un boléro, ou encore une longue cape pour les robes de cocktail ou de bal... quelqu'un a enfin compris que les femmes passent la majeure partie de leur temps dans des endroits avec l'air conditionné. Oh, mon Dieu ! Regardez-moi ça !

Elle attrapa une robe de bal en taffetas écossais dans six tons de pastel fondus.

— Des jupes à cerceau ! Je ne veux plus rien d'autre ! Et la cape... vous avez déjà vu une rose plus sublime ? Oh, voilà une capuche doublée d'écossais !

Elle jeta la cape sur ses épaules, se blottit sous la capuche qui encadrait merveilleusement son visage et, aux anges, s'arrangea devant la glace.

— Je ne la quitte plus, pour rien au monde !

April lança un cri complice à vous faire dresser les cheveux sur la tête. Le bruit et la fièvre provoquée par les filles avaient poussé les vedettes à explorer leurs tenues, ces mêmes tenues qu'elles avaient dédaignées alors qu'elles s'installaient confortablement et marquaient leur territoire. Bientôt, la cabine entière résonna des cris des filles qui s'exclamaient et comparaient leurs toilettes. L'enthousiasme balayant leur air de supériorité, elles posaient avec joie devant ce jardin aux intenses couleurs de printemps.

— Les filles ! hurla Marco qui se leva. N'échangez pas vos tenues ! N'essayez pas non plus celles des autres ! Arrêtez tout de suite ! Si vous êtes sages, je vous promets que je vous les donnerai et vous pourrez vous les échanger autant que vous le voulez dès qu'on les aura photographiées. Il y a assez de rose exquis pour tout le monde, de jaune jonquille, de vert pré, de blanc fleur de pommier... remettez immédiatement les cintres là où vous les avez trouvés ! Écoutez bien vos habilleuses. Bon, je veux Karen, Kate et Shalom dans leur premier passage. Et dépêchez-vous.

Justine, qui enfilait en se tortillant la robe de bal en mousseline lilas coupée en biais de Jordan, souffla à mon oreille :

— Ce ver est au paradis des porcs. Les filles lui ont tout dit sur son succès. Personne ne se fiche plus qu'elles des vêtements.

Elle se drapa dans une cape parme enveloppante au col et au bord de taffetas froissé.

— Comment ça me va ? C'est moi, mon canard, ou c'est pas moi ?

J'étais trop occupée à mettre un tailleur habillé d'April en satin marine moulant, au col et aux poignets en tulle blanc à la Mae West, pour répondre.

24

Plongée dans un rêve délicieux qui s'acheva brutalement quand j'entendis sonner à ma chambre, je sortis de mon lit d'un pas vacillant, jurant, clignant les yeux et perdant ma chemise de nuit.

— Qui est-ce, bordel? aboyai-je devant la porte.

Mon ton ne laissait aucun doute sur le fait qu'on avait osé troubler mon sommeil si mérité et si nécessaire.

— C'est Tom. Je ne voulais pas vous réveiller, Frankic, mais Tinker a insisté.

— Quelle heure est-il pour hurler comme ça?

— Trois heures de l'après-midi.

— Mon Dieu! Attendez une minute, Tom, il faut que j'enfile un peignoir.

Je m'aspergeai le visage et me brossai rapidement les dents. Il me paraissait presque incroyable qu'il fût si tard. D'accord, on était tous rentrés à l'hôtel à sept heures du matin, puis on avait pris un petit déjeuner pantagruélique dans ma suite pour se détendre. Mais de là à dormir jusqu'au milieu de l'après-midi... ça ne m'était jamais arrivé. J'imagine ce qu'en aurait pensé ma mère.

Dès que j'eus rejoint Tom au salon, je fus prise de remords.

— Pauvre Tom. Tinker doit être dévorée de curiosité. Je n'ai pas mis mon réveil car j'étais sûre de me réveiller plus tôt. Il n'y a pas trace de qui que ce soit? Pas même de Mike?

— Non. Je me suis assis sur le seuil de la porte, à moitié dans le couloir, pour ne manquer personne. La seule que j'ai vue à qui parler, c'était Peaches qui ne savait rien.

— Vous avez pu dormir un peu?

— Pour ainsi dire pas. Je me suis allongé sur le lit, le bras de Tinker attaché au mien avec la ceinture de son peignoir pour qu'elle ne puisse pas se lever sans que je m'en aperçoive, mais je suis resté éveillé pour ne pas rouler sur elle.

— Ça vous plaît, la mode ?

— Il y a pire comme supplice.

— Comment va-t-elle ? demandai-je, craignant la réponse.

— Elle répète qu'elle est complètement remise. Elle est furieuse parce que je ne la laisse pas se lever sauf pour aller aux toilettes.

— Elle ne raconte plus n'importe quoi ?

— Pas n'importe quoi... enfin, des trucs un peu dingues peut-être mais plutôt d'une impatience maladive, soupira-t-il.

— Écoutez, Tom, vous êtes le seul qui l'ait vue un peu. Si vous pensez qu'elle se drogue, dites-le-moi... elle est vraiment bizarre.

— Non, elle n'est pas sous amphétamine, c'est sûr et certain. Dans la pub, j'ai connu des tas de gens qui en prenaient et ils ne s'écroulaient pas à la fin de la journée comme Tinker... une vraie poupée de chiffon. Elle ne se détend pas, elle s'effondre sur place. Et si ce petit salaud à tête de con pour qui elle travaille lui donne tout autre genre de drogue, je ne l'ai pas remarqué. La Senora Varga ? Non, pourquoi lui donnerait-elle quoi que ce soit ? Ça risquerait de gêner sa concentration pour ce putain de tango absolument sacré. Si vous voulez mon avis, elle se shoote à son ambition dévorante, ce sentiment délirant que savoir défiler et gagner ce concours lui donnera une identité. Elle n'arrête pas de répéter : « Je veux juste arriver là, c'est tout, arriver à faire mon boulot. »

— C'est normal, Tom. Les meilleurs mannequins de collection sont comme des chevaux de course, ils piaffent en attendant le début du défilé. Si on ne les tenait pas, ils débouleraient tous en même temps, se faisant exprès des crocs-en-jambe.

— Dans ce cas, elle est bel et bien ainsi. Je vous en prie, Frankie, ayez pitié de moi. Allez lui raconter tous les détails de la soirée d'hier. Je tombe de sommeil pendant que je vous parle.

— Prenez le canapé. Je vais voir Tinker et grignoter un morceau avec elle.

Je mis un manteau sur mon peignoir et sortis. Renversée contre les oreillers, une jambe arrimée à la colonne de lit, trop loin du téléphone pour l'atteindre, Tinker avait l'air d'une héroïne de bande dessinée attachée sur des rails que le train va écraser.

Je m'efforçai de ne pas rire en voyant son air furieux.

— Tu dois reconnaître qu'il est consciencieux, ce Tom, dis-je en la libérant.

— Je vais le tuer ce connard.

La voix de Tinker ressemblait à un clavecin désaccordé aux cordes en lambeaux.

— Tu n'imagines pas ce qu'il m'a fait subir toute la nuit. C'est un fou criminel.

— Ne sois pas injuste. Il a fait ce qu'on lui a demandé. Ne te mets pas dans cet état, Tinker. Tom s'est montré bon et loyal.

— Vous exagérez tous autant que vous êtes, maugréa Tinker en se frottant la jambe.

Puis elle se leva d'un bond et arpenta la pièce.

— Je n'ai aucun problème, ça se voit, non? Aucun, strictement aucun! Quelle est la salope qui a mis mes robes?

« Salope »! Pas étonnant que Tom eût admis qu'elle racontait des trucs un peu dingues.

— Je me rappelle le temps où tu n'aurais même pas dit « merde »... je crois d'ailleurs me souvenir que tu le prononçais mal. Il se trouve que la femme qui a mis tes robes est un ancien mannequin d'essayage que Marco a viré il y a une éternité. Chic bien que terne, Jeanine avait quand même une allure fabuleuse car tes tenues sont de très loin les plus belles de la collection.

Naturellement, j'essayais de la rassurer. Ce qui n'empêche que je disais vrai.

— Marco t'a traitée comme une reine, Tink. Et ton habilleuse a toutes tes affaires bien rangées, chacune avec ses accessoires, qui t'attendent. Tes jupes étaient beaucoup trop longues pour Jeanine, mais ce n'était pas grave. Même sans cela, le défilé aurait été un triomphe. Un véritable choc, le genre de tournant dont les gens du métier parlent pendant des années. Tout le monde délirait. Tout ce que tu affirmais est vrai... Marco est un génie, bien qu'il me coûte de l'avouer.

— Je te l'avais dit!

— C'était une vraie bouffée d'air frais... ou plutôt une tornade... et ça a duré toute la nuit.

— Je le savais! Raconte-moi tout!

— Les modèles avaient ce petit quelque chose qu'espèrent toujours les rédacteurs... sans doute le frisson de la vraie nouveauté. Rien n'était une réminiscence d'un autre couturier. Et un sens des couleurs!... Justine et moi, on se battait pour essayer les tenues d'April et Jordan. Elles me donnaient l'impression qu'elles valaient leur prix, quel qu'il fût : flatteuses, affriolantes, à croquer. C'en était presque insupportable... J'en mourais d'envie et je savais que c'était impossible. Jamais des vêtements ne m'ont fait cet effet.

— Et Jordan et April, comment étaient-elles ? demanda Tinker d'un ton cassant.

— Eh bien...

— Dis-le-moi, Frankie ! Merde ! Je veux savoir la vérité, exigea Tinker sans ménagement.

— Extraordinaires. Chacune à sa façon... dans ces toilettes, c'était obligé.

— J'aurais l'air mieux.

— Sûrement.

Mieux valait ne pas la contrarier, songeai-je, observant de près la magie de Tinker. Si elle se droguait, elle n'avait rien pu prendre depuis la veille. Or elle n'avait guère changé, bien qu'elle se fût reposée.

Normalement, Tinker paraissait tendre, d'une joie réfléchie, attentive au monde qui l'entourait plus qu'à elle. Aujourd'hui, alors qu'elle me questionnait, elle vibrait d'impatience, elle ne pensait qu'à elle, à l'effet qu'elle ferait ce soir. Son teint pâle était plus coloré que jamais, ses yeux brillaient d'un éclat dur, presque dangereux. Jusqu'aux mèches de ses cheveux qui semblaient d'un roux plus vif que d'habitude, comme si elle était chauffée au rouge. C'est l'épuisement, me dis-je pour tenter d'apaiser mes craintes, l'épuisement qui s'ajoutait à la déception, avec le trac d'un soir de première par-dessus le marché. Elle va se calmer une fois qu'on sera au Ritz, une fois qu'elle se remettra au travail. Il le faut.

— Je vais commander quelque chose à manger, Tinker. Qu'est-ce que je te prends ?

— Rien, merde !... Pourquoi tout le monde pense-t-il que j'ai faim, bordel ? Tom m'a gavée de force depuis la seconde où il est arrivé. Je suis sûre que j'ai pris un kilo, s'exclama Tinker avec colère.

— Personne ne peut prendre un kilo en si peu de temps, affirmai-je de mon ton le plus posé. Un kilo de gras, ça fait huit mille calories en plus.

— Comment puis-je brûler des calories alors que je suis prisonnière dans ce putain de lit avec mes muscles qui s'atrophient ? Écoute, Frankie, j'ai encore le temps de prendre un cours de tango avant ce soir ! Appelle la Senora Varga et dis-lui que j'arrive.

— Tinker ! S'il y a une chose dont tu n'as pas besoin, c'est bien ça. Tu dansais dans ton sommeil.

— Ça me réchaufferait les muscles, supplia Tinker.

Elle se déshabilla à la hâte et chercha ses affaires.

— On doit être au Ritz dans un peu plus de deux heures pour la coiffure et le maquillage, déclarai-je sévèrement. Ce qu'il te faut, c'est prendre une bonne douche, manger quelque chose et te calmer. Tu n'es pas aussi reposée que tu l'imagines et la nuit sera longue. Tu ne sortiras pas de cet hôtel tant qu'on ne partira pas tous ensemble. Je vais rester ici jusqu'à ce que tu aies fini de te préparer. Puis on ira dans la suite jouer au poker comme hier soir.

— Je te retrouve là-bas.

— Non, je t'attends.

Tinker me lança un regard noir et claqua la porte de la salle de bains. J'appelai Tom à qui je demandai de réveiller Justine.

— Tinker est folle de rage... elle voulait prendre un cours de tango... elle a demandé quelle était la « salope » qui a porté ses robes.

— Elle est en plein délire comme hier?

— Ce n'est pas aussi grave. Elle ne divague pas, mais elle n'est pas dans son état normal. Tom affirme qu'elle ne prend rien... je ne sais pas quoi penser.

— Fichu horaire! Ça rend tout le monde cinglé. Elle va se calmer une fois que le défilé commencera.

— Tu le crois vraiment?

— Que faire d'autre? Tant que Tinker est sur pied, elle doit avoir sa chance.

— Réveille tout le monde, tu veux bien, Justine? Et sors les cartes. On vous rejoindra dès qu'elle aura fini sa douche.

— Frankie... tu es nerveuse pour ce soir?

— Pas plus que toi, ma petite.

— Et on ne fait pas le défilé! Reviens vite. C'est pire quand tu n'es pas là.

25

Les deux voitures avec chauffeur s'arrêtèrent devant l'entrée de service du Ritz. Un groupe de grands gaillards, en costumes bleu marine et cravates rouge foncé, gardaient la porte.

— D'où sortent-ils ? s'enquit Frankie.

— On les appelle les « cravates rouges », répondit Justine. Ce sont des videurs de luxe qui repoussent les indésirables. Tout le monde fait appel à leurs services. Ils n'étaient pas là hier soir. Il doit y en avoir un paquet devant l'entrée principale. Les resquilleurs sont le cauchemar de toutes les collections.

Justine montra le chemin. L'une des cravates rouges vint à sa rencontre, les bras chargés de magnifiques fleurs printanières.

— *Madame** Loring ?

— Oui.

— J'ai un bouquet pour chacun des mannequins et ces enveloppes sont pour vous, *Mesdames** Severino, Callender ainsi que *Messieurs** Strauss et Aaron.

Il lui tendit cinq enveloppes blanches carrées. Elle en ouvrit une qui renfermait sur papier gravé une invitation au dîner et une carte indiquant un numéro de table.

— On n'en a pas besoin, dit Justine au jeune homme impassible. On accompagne les filles.

— Je regrette, *Madame*, Monsieur** Lombardi ne veut personne en coulisses ce soir en dehors des mannequins.

— Quand avez-vous reçu cet ordre ?

— Ce matin, *Madame**.

— Qui a envoyé ces fleurs ?

— Je l'ignore, *Madame**. Elles étaient chez le concierge à notre arrivée.

— April, y a-t-il une carte avec ton bouquet? demanda Justine d'un ton cassant.

— Attends... oui... c'est de la part de Mr. Necker. Il a écrit : « Bonne chance pour ce soir. » Quelle merveille! C'est si gentil de sa part... J'ai l'impression d'être une danseuse.

— Je veux parler à *Monsieur** Lombardi, dit Justine à la cravate rouge.

— Je ne peux rien faire, *Madame**. Je regrette, mais c'est impossible. Les ordres sont formels. On ne peut déranger *Monsieur** Lombardi en ce moment.

— Qui est votre supérieur?

— C'est moi le responsable, *Madame** Loring. Le bureau est fermé jusqu'à demain. Je reçois toutes les réclamations. Je regrette, *Madame**, j'aimerais vous satisfaire mais c'est impossible.

— Allez-y, les filles, ordonna Justine. Je vais chercher Gabrielle. On vous rejoindra dès que possible. Tinker, ton portant est juste à côté de celui d'April. Suis les autres.

Justine partit précipitamment. Frankie, Maude, Tom et Mike lui emboîtèrent le pas. Après une heure de recherches effrénées et de vains appels, il leur fallut se rendre à l'évidence : Marco Lombardi les avait bel et bien exclus du défilé, ils n'étaient que de simples spectateurs. Bien qu'elle eût accepté de plaider leur cause auprès de Marco, Gabrielle d'Angelle, qui était déjà en bas, était injoignable. Pour toute concession, Justine avait obtenu du chef des cravates rouges la promesse qu'il tiendrait les filles au courant de la situation. Sa mission accomplie, il revint leur transmettre que *Mademoiselle** Osborn faisait dire qu'elles étaient parfaitement capables de se débrouiller seules.

— Et vlan, ça c'est une pierre dans mon jardin! explosa Tom.

— Non, dans le mien, le rassura Justine. Demain, elle aura retrouvé sa gentillesse. Sa réaction n'a rien de surprenant. Elle est comme un gamin qui joue les durs le jour de la rentrée des classes et qui ne veut pas qu'on l'embrasse devant les autres pour lui dire au revoir.

— Pourquoi ne pas attendre au bar? proposa Mike. C'est moi qui ai été le plus maltraité dans cette histoire. Je n'ai pas pu faire de photos en coulisses. Tout le monde a l'air de l'oublier!

— Pauvre chéri, se moqua Frankie. Pour s'apitoyer d'abord sur leur sort, les photographes sont champions!

— Les enfants, les enfants, intervint Maude d'un ton apaisant, on est tous dans le même bateau. Il faut se serrer les coudes. On aura tout le temps de régler nos comptes. Je suis d'accord avec Mike, on a besoin de boire un coup. On a encore une bonne heure à attendre avant de pouvoir y aller.

— Si tant est que les cravates rouges nous laissent entrer au bar, riposta Justine.

Installé au bar du Ritz à une position stratégique face à l'entrée avec une tête d'enterrement, le groupe de Loring Management et de *Zing* buvait de l'Évian et de la tisane, hormis Maude qui avait commandé son scotch habituel. Ils ne parlaient pour ainsi dire pas. Ils regardaient les invités arriver, l'escadron grouillant de cravates rouges vérifiant chacun des cartons avec attention.

Pour Maude, ce contretemps apportait de l'eau à son moulin. Beaucoup plus que si elle était restée en bas à prendre des notes sur l'hystérie étrangement bien organisée qui accompagnait tout défilé de mode. La veille, elle avait recueilli bien assez d'informations sur les coulisses. Au reste, la plupart étaient inutilisables. De combien de façons peut-on décrire une maison de fous parfaitement huilée bien qu'incroyablement négligée où les filles qui donnent de la bande, assistées de leurs habilleuses au sang-froid imperturbable, se changent à toute vitesse, jetant les toilettes les plus délicates par terre une fois qu'elles en ont fini avec celles-ci et laissant au vestiaire toute once de modestie, à condition qu'une idée aussi périmée leur traverse l'esprit ? Combien de fois peut-on décrire les soins des coiffeurs arrogants penchés vers les filles avec leurs rouleaux et leurs peignes comme tant de Pygmalions, ou ceux des maquilleurs harnachés de ceinture en plastique transparent. Très vite, la seule chose qui a de l'intérêt est la beauté des filles, ce que Mike avait déjà immortalisé dans ses photos de la veille.

— Écoutez, dit soudain Frankie, on veut arriver les derniers ou quoi ? On ne va pas rester ici jusqu'à la saint-glinglin... Hé là, attendez ! Vous vous imaginez que vous allez me laisser cette note sur le dos, tous autant que vous êtes ?

— « Night and Day » ! Mais pourquoi ils jouent ce truc ringard, bordel ? demanda Tinker à Jordan.

— C'est le climat, chérie, lança celle-ci par-dessus son épaule. Tu vas saisir tout de suite. Écoute, tu verras.

— Ça ne me plaît pas, affirma Tinker d'un ton catégorique.

— Tu vas t'y laisser prendre. Attends un peu.

— Je ne peux pas danser sur cette merde. C'est un putain de fox-trot.

Jordan se retourna brusquement. Debout, la poitrine nue, Tinker serrait et desserrait les poings, l'air fou furieux.

— Ce n'est que la musique de la soirée, Tink. Ne te laisse pas démonter pour si peu.

— « La musique de la soirée » ? Ce n'est qu'une soirée? Bordel de merde, ne comprennent-ils pas que c'est une question de vie ou de mort? Comment peuvent-ils nous faire endurer cette connerie en attendant? Personne n'a la moindre sensibilité ici? C'est une putain d'insulte! Je vais aller dire à ces salauds de la boucler.

— Non, Tinker, je vais y aller. Toi, reste ici, tu es toute nue. April! Viens tenir compagnie à Tinker pendant que je vais dire à Chicago d'arrêter de jouer.

— Hein?

— Ne discute pas! Viens ici. Écoute, il y a quelque chose qui ne tourne pas rond, lui chuchota Jordan à l'oreille. Ne la quitte pas, je t'en prie. Coince-la s'il le faut.

— D'accord.

Jordan fila, se frayant un passage dans le salon de beauté noir de monde. Elle trouva Lombardi qui riait avec Claudia et Linda, prêtes à monter sur le podium dans leur première robe de bal. Il ne leur manquait que les chaussures.

— Marco, il y a quelque chose qui ne va pas avec Tinker.

— *Dio*, encore! grogna-t-il. Qu'est-ce qui se passe cette fois?

— Je ne sais pas exactement, mais elle se conduit bizarrement. Elle déteste Chicago, ça la met dans tous ses états. Il faut que tu lui parles. Moi, elle ne m'écoutera pas.

— Tu ne crois pas que j'ai mieux à faire dans l'immédiat que de me préoccuper de ses goûts en matière de musique? Tu penses que c'est le moment de me déranger?

— Si tu veux que le défilé ait lieu, oui.

— Excusez-moi, mes beautés. Je reviens tout de suite.

Marco suivit Jordan sans se presser.

Quand il découvrit Tinker vautrée sur sa chaise tandis qu'April lui massait la nuque, il lui lança :

— Alors, qu'est-ce qui ne va pas? Tu te plains encore? Jusqu'au bout?

— Comment ça ? répliqua Tinker. Tout va très bien. Qui prétend le contraire ? Je ne défilerai pas au son de cette ineffable connerie. Mais ça ne pose aucun problème, non ? Tu as une fille qui peut me remplacer, non ? Qu'elle les porte mes tenues, cette salope de Française courte sur pattes ! Car il est hors de question que j'accepte cette musique infâme et personne ne peut m'y forcer. Quoi qu'ils en pensent, ils ne jouent pas un tango.

— Tinker, ne me dis que tu t'attendais à ce qu'ils jouent des tangos, répliqua Marco qui blêmit. Je te l'ai répété cent fois. Les cours de tango n'avaient pour but que de te donner un maintien, un naturel, une façon de te tenir, de te projeter... combien de fois en a-t-on parlé ?

— Je ne m'en souviens pas, riposta Tinker avec entêtement. J'ai l'intention de danser le tango, Marco. Tu le comprends sûrement ?

S'efforçant à prendre son ton le plus convaincant, à faire son sourire le plus charmant, Marco répondit :

— Tinker, il faut qu'on discute sérieusement. Viens avec moi, *cara*. On va aller dans l'une des cabines chercher un endroit tranquille où bavarder un peu.

— Je viens avec vous, proposa Jordan. Je suis toute prête.

— Non. Elle sera plus raisonnable en petit comité. Ici, il y a trop de monde, trop de fumée, c'est tout. Crois-moi, les mannequins énervés, ça me connaît depuis des années.

— Justine est en haut... tu veux qu'on la fasse venir ? Elle ou Frankie ?

— Ce n'est pas la peine, Jordan, je t'assure. N'oublie pas que j'ai travaillé avec Tinker tous les jours depuis deux semaines. Ses sautes d'humeur, je les connais mieux que personne.

— Mais c'est plus grave que ça ! insista Jordan.

L'ignorant, Marco prit Tinker par la main, jeta un drap de bain sur ses épaules nues et l'entraîna. Ils traversèrent la salle de réception, puis pénétrèrent dans le vestiaire qui menait à une série de luxueuses pièces en marbre, réservées aux différents traitements, où régnait le calme. Une fois entré dans un salon de massage, il s'arrêta enfin et s'assit sur la table recouverte d'une serviette.

— Voilà, c'est mieux, non ? lança-t-il en caressant le tissu éponge d'un air engageant. Il y a un grand jacuzzi à côté, on peut s'y mettre à huit. Mais on est plus tranquille ici, tu ne trouves pas ? Assieds-toi, *bella*.

— Juste une seconde, dit-elle d'un ton renfrogné en serrant le drap de bain autour d'elle.

— Pauvre Tinker, je m'excuse très sincèrement pour l'orchestre. Si seulement tu avais été là hier soir, j'aurais su qu'on s'était mal compris et je leur aurais demandé de changer de registre, de ne jouer que des tangos.

— C'est trop tard. Je n'irai pas.

— Mais c'est la chance de ta vie, Tinker. Et tu défiles divinement maintenant, je t'ai vue le faire des dizaines de fois. Tinker, n'oublie pas une chose. Toi et moi, nous savons que tu as les plus belles robes, que tu vas être la vedette du défilé.

— Je vais danser le tango, insista-t-elle.

Marco l'observa avec attention. Elle n'avait pas écouté un seul mot, cette tête de mule. S'il avait pu l'étrangler, il en aurait été ravi. Mais il avait besoin d'elle, elle lui était indispensable.

— Bien sûr, Tinker, acquiesça gentiment Marco. Ça ne pose pas de problème. Bon... Toi, ma petite chérie, je ne sais pas, mais moi j'ai besoin d'une gorgée de Déesse pour me calmer.

— De Déesse ? Qu'est-ce que c'est ?

— Un cocktail, un truc divin. En fait, on l'a inventé pour les mannequins de collection. Même s'ils sont sur des charbons ardents, avec ça ils se sentent merveilleusement bien, calmes, concentrés, en pleine forme. Je trouve que dans ce métier, tout le monde a besoin d'une goutte de Déesse avant le défilé, y compris le couturier. Tous les tops en prennent, tu sais, ils ne montent jamais sur le podium sans prendre quelque chose pour se calmer.

— J'ai vu les photos, dit d'un air songeur Tinker qui en oublia sa fureur. Une dernière bouffée de cigarette et un verre de champagne... la recette des tops. Boivent-ils aussi du Déesse ?

— Toujours. Pas quand les photographes les regardent, évidemment. C'est un secret du métier. Tiens, sens-le.

Marco sortit de sa poche une flasque qu'il ouvrit et tendit à Tinker. Elle la huma avec précaution.

— On ne dirait pas de l'alcool.

— Il y en a très peu dedans... ce sont surtout des herbes.

Il porta le flacon à ses lèvres, puis s'arrêta dans son geste.

— Pardonne-moi, chérie, quel manque de courtoisie ! J'aurais dû t'en offrir d'abord. Goûte-le pendant qu'on a encore le temps de se détendre.

— J'hésite... Peut-être vaudrait-il mieux un verre de champagne.

— Ne dis pas de bêtises... C'est meilleur et ça fait effet plus longtemps. Le champagne te donne juste le courage de monter sur le podium, mais l'effet passe très vite. Alors que celui de Déesse dure tout le temps du défilé, sans te laisser la gueule de bois à cause des herbes. Tiens, je vais t'en donner une gorgée.

— Bon, d'accord, si tu me le conseilles.

Tinker s'en humecta la langue.

— Ça ne sent rien, Marco. Aucun goût, ni aucune odeur. Ça ne doit pas faire de mal ?

— Je te l'avais dit, *bellissima*. C'est bon, très très bon et apaisant. Allez, je vais m'en envoyer un petit coup, si tu le veux bien.

— Tu n'as pas à défiler devant des centaines de gens, répliqua Tinker avec son sourire espiègle. Tu n'en as pas besoin. De toute façon, un truc qui s'appelle Déesse, c'est fait pour les femmes.

Elle porta à ses lèvres la flasque dont elle prit plusieurs lampées.

— Il n'en reste pour ainsi dire plus, gloussa-t-elle. Tiens, c'est pour toi.

Marco s'empara de la flasque presque vide qu'il glissa dans une poche intérieure.

— Comment te sens-tu ? Mieux ?

— Beaucoup mieux ! Beaucoup plus détendue. Ça fait de l'effet à une vitesse, c'est stupéfiant. Pourquoi ne m'en as-tu jamais parlé, Marco ? Tu le gardais pour quelqu'un d'autre ?

— Je vais te dire la vérité, ma douce Tinker. Je le gardais pour moi... tu sais ce que cette collection représente pour moi... Mais j'ai vu que tu en avais plus besoin que moi.

— Tu es un ange, Marco ! Je n'oublierai jamais ce que tu as fait pour moi !

— Mais si tu en parles à qui que ce soit, Tinker, tout le monde en voudra. Et il n'en reste plus assez pour faire de l'effet. Promets-moi que tu n'en diras rien. A Personne. Tu dois me le promettre. Surtout pas à Jordan ni à April. Sinon, elles vont m'accuser de favoritisme... déjà qu'elles le pensent ! Ça ne ferait qu'empirer la situation. Tu le comprends, non ?

— Bien sûr. Je serai une vraie tombe. C'est moi qui en ai eu, pas elles. C'est moi qui ai fait tout le boulot, non ? Qui suis restée sur mes jambes toute la journée, qui ai pris des cours de tango, qui t'ai inspiré, sans jamais me plaindre de rien. Je le mérite parce que je suis la meilleure, non ?

— Oui, ma chérie, oui.

Il jeta un coup d'œil à sa montre. Déesse faisait de l'effet très vite. Tinker avait merveilleusement bien réagi. Elle avait les yeux brillants et son dévorant besoin d'affection et d'attentions qui pousse certains mannequins à défiler s'était développé au-delà de tout espoir. De plus, fort heureusement, elle avait oublié son fichu tango.

— On a encore un peu de temps, ma petite chérie. On n'est pas obligés de retourner dans cette cabine bondée avant un moment, dit Marco d'un ton cajoleur.

C'était la dernière fois qu'il était seul avec elle, la dernière occasion de lui faire payer la façon dont elle l'avait traité, ses manières distantes et ses infâmes petits jeux.

— Ah, quel bonheur... je suis si heureuse... je flotte... j'ai l'impression que je pourrais faire n'importe quoi. Le podium ne me fait pas peur.

— Tinker, sais-tu pourquoi certaines filles ont un tel éclat qu'elles donnent l'impression d'exploser de beauté sur le podium alors que d'autres, tout aussi belles, passent inaperçues ?

— C'est à cause de Déesse ?

— Pas seulement, ma chérie. Ça aide, bien sûr, mais il y a autre chose.

— Alors, j'en veux, Marco !

Tinker se redressa d'un bond, les yeux étincelant d'envie, ses taches de rousseur ressortant sous l'émotion.

— Il faut être deux pour provoquer cet éclat, *bellissima*, il faut l'aide d'un homme.

— Un maquilleur ?

— Non, chérie, pas un maquilleur. Un homme qui aime le mannequin, un homme qui lui permet, qui l'autorise à le prendre dans sa bouche et à le satisfaire avant de monter sur le podium. Rien d'autre ne peut donner cet éclat spécial à une fille, rien. C'est comme d'être amoureux.

— Je n'en ai jamais entendu parler, avoua Tinker sans manifester la moindre surprise. Remarque, je ne connaissais pas Déesse non plus... il y a tant à apprendre, dis-moi, Marco ?

— Tu veux que je fasse ça pour toi, Tinker ? Tu veux que je te permette, que je t'autorise à me satisfaire pour que tu aies cet éclat victorieux en plus de Déesse ?

— J'hésite... tu crois que c'est une bonne idée ?

— Oui, ma chérie. C'est à toi que je dois le plus. Tu le mérites. Tiens, mets ta main là, tu me sens, oui, elle est déjà grosse rien que par ta présence, mais tu dois garder les deux mains sur moi pour la sentir grossir. Elle est tout à toi, *amore mio*, tout à toi. Tu dois la prendre uniquement dans ta bouche et uniquement quand je te le dirai, tu comprends.

— Uniquement dans ma bouche, murmura Tinker, je comprends.

Soudain dur et pris à son propre jeu, il lui ordonna :

— Agenouille-toi entre mes jambes.

Dommage qu'elle fût consentante. Avec tout ce qu'elle avait avalé, il ne pouvait guère s'attendre à l'ivresse du refus. Malgré tout, elle était enfin son abject esclave, ce qui avait son charme. Si seulement il avait eu plus de temps, il lui aurait imposé tous ses caprices...

— Agenouille-toi ici, à mes pieds. Et penche-toi.

Marco guida sa tête vers son sexe dressé.

— Suce-moi jusqu'au bout. Ne t'arrête pas, pas une seconde, je suis presque prêt. Oui, comme ça, mais plus fort, tu dois sucer plus fort, tu dois ouvrir la bouche plus grand, tu dois la prendre en entier, tu dois boire jusqu'à la dernière goutte, tu dois le mériter cet éclat.

26

— La voilà ! s'exclama April.

Flottant, Tinker s'approcha de Jordan et April, le drap de bain noué autour de la tête qui lui tombait sur la poitrine, les joues roses, un sourire béat aux lèvres.

— Tu te sens mieux, ma belle ? demanda anxieusement Jordan.

— Ça baigne, répondit Tinker.

L'air radieux, elle s'installa devant la table de maquillage.

— Un défilé de plus, qu'est-ce que c'est ? Il suffit de se concentrer et d'y aller. Un engagement le temps d'une soirée et on n'en parle plus. Un lieu mental où on prend place.

— C'est ce que Marco t'a expliqué ? s'enquit April, stupéfaite de la voir si différente.

— Avec lui, ça paraît simple comme bonjour.

— Tu veux bien que je te prépare, oui ou non ? lança un maquilleur avec un certain agacement. Je ne sais pas si tu te rends compte, mais tu passes la première et tu ne m'as pas accordé une minute ! T'as l'intention de retarder le défilé ou quoi ?

— Je suis désolée, vraiment désolée, s'excusa gentiment Tinker. Je devais être un peu nerveuse. Maintenant, ça va. Fais ce que tu veux, je suis tout à toi.

Elle ferma les yeux et se détendit, gardant le sourire jusqu'à ce qu'il lui demandât d'ouvrir les lèvres pour les lui farder. Il se pencha vers elle et s'affaira d'un geste sûr, délicat.

— J'en connais un qui n'a pas dû s'embêter avec celle-là, dit-il dans sa barbe en sentant son haleine.

Bientôt, Tinker fut prête. Les cheveux lâchés sur les épaules, elle portait la robe de bal en mousseline corail qui la dévoilait plus qu'elle ne la couvrait.

— Je me demande pourquoi je suis gelée. Tout le monde a-t-il aussi froid ? demanda-t-elle avec douceur.

— Ce doit être les innombrables mètres de tissu de ce tout petit corsage, répondit April. Tiens, mets la cape sur toi. Tinker, c'est incroyable ! Elle est légère comme une plume !

— Je le sais bien ! s'exclama Tinker. Elle est extraordinaire, tu ne trouves pas ? Redonne-moi cette serviette, tu veux bien, Jordan ? Je ne voudrais pas abîmer la cape. Oh ! Vous vous êtes regardées ? Vous êtes si belles que j'en pleurerais. J'aurais aimé être là hier soir... vous passez ensemble ?

— Non, d'abord Jordan dans la robe chocolat et le boléro lilas, puis moi dans l'autre version. Marco veut que le public comprenne aussitôt l'importance des couleurs dans la collection. Selon lui, Jordan étant noire et moi blanche, les gens vont penser un instant qu'on présente deux modèles différents avant de saisir. Il est joueur.

— Marco est merveilleux, murmura Tinker. Il me calme tant. Pourtant, je me sens prête à tout... absolument à tout.

— Comment t'a-t-il fait entendre raison ? s'enquit Jordan avec curiosité.

— C'est très étrange, Jordan. J'ai l'impression de ne pas m'en souvenir... c'était logique, voilà tout.

Tinker fronça les sourcils puis, toujours souriante, renonça à chercher.

La voix de Marco résonna :

— Les filles ! Les filles ! Tout le monde en place. On commence dans trois minutes. Ici, juste à l'entrée, derrière le rideau, dépêchez-vous, dépêchez-vous, regardez où vous marchez, ne piétinez pas les ourlets, mettez vos chaussures, éteignez vos cigarettes, plus une goutte de champagne, en rang, vous connaissez vos places, allons, les filles !

— Je crois qu'il parle de nous, dit nerveusement Jordan. Embrasse-moi, Tinker. Toi aussi, ma belle. Bonne chance à nous toutes ! Qu'est-ce qu'ils jouent ? Ça me dit quelque chose, je l'ai sur le bout de la langue...

— « Goody, Goody » de nouveau, répondit April. Ce doit être ce qu'il faut.

Avec un brusque mouvement de tête, Tinker glissa les bras dans le flot lumineux de roses en organza, puis se dirigea vers le premier rang. Droite, légère, plus que belle, elle regardait Marco d'un air absent comme si elle ne l'avait jamais vu.

Jordan, qui se trouvait juste derrière elle, ne put s'empêcher de se pencher vers le tout petit trou aménagé dans le rideau pour y jeter un coup d'œil. Elle resta bouche bée devant le spectacle : l'immense salle était bondée de gens somptueux, impatients, tous les regards, des regards revenus de tout, braqués sur le bout du podium, prêts à la défaite ou la victoire comme le public d'une corrida.

La veille, Jordan s'était familiarisée avec le praticable circulaire. Mais elle s'était refusée à penser à la présence de l'assistance. Elle s'arracha au spectacle en disant une petite prière. Respire à fond, s'intima-t-elle, respire à fond. Tinker était toujours calme. Elle tapotait du pied, souriant avec un vague empressement.

Quand le rythme syncopé de la musique céda à une ballade langoureuse, Marco poussa un peu Tinker.

— Vas-y ! ordonna-t-il.

Elle se tourna vers lui d'un air déconcerté.

— Mais ce n'est pas un tango, murmura-t-elle.

— Ce n'est pas le moment de plaisanter ! Rappelle-toi ce que je t'ai dit. Allez, vas-y ! C'est à toi !

Tinker haussa les épaules avec une certaine résignation, ajusta la cape, se redressa de toute sa taille et monta avec grâce sur le large podium.

Lent, lent, rapide, rapide, lent, se répéta-t-elle, niant le tempo de l'orchestre. Au rythme du tango qui battait dans sa tête de façon lancinante, elle avança, arrogante, magnifique, la tête bien droite sur son long cou, les mains prêtes à étreindre un partenaire imaginaire.

Fascinés par cette présentation originale, les gens se turent. Oui, c'était admirable : la douce nostalgie des arrangements musicaux inédits combinée à la majesté des poses classiques, inattendues, singulières, oui, surtout singulières. Dédaignant la cadence du fox-trot familier, une fille dansant un tango tel un chat géant, oui, c'était amusant, différent, du jamais vu. *Génial, quoi* !*

De l'endroit où se tenaient les photographes se dressa une muraille de flashs qui illumina la scène d'un torrent d'éclairs incessants. Sans perdre son aplomb, sans hésiter, Tinker continua à danser en suivant les cercles concentriques du podium.

On lui avait donné ordre de s'arrêter le plus près possible des photographes avant d'ouvrir la cape pour découvrir la robe. Quand elle arriva au bon endroit, elle exécuta un *corte* : le bras droit pointé vers le sol, elle leva le gauche et s'agenouilla du même côté en un salut classique pour marquer la fin du numéro. Puis elle se redressa, se mit face aux photographes et, laissant la cape glisser, exhiba la robe et tourna lentement pour la montrer à chacun. Des applaudissements crépitèrent tandis qu'elle tournoyait de plus en plus vite, ses cheveux au corail clair flottant au-dessus des volutes de style flamenco de la mousseline à peine plus foncée créant un effet aussi spectaculaire que peuvent l'espérer les journalistes de mode les plus blasés.

Tinker ramassa la cape qu'elle jeta d'un geste habile en l'air où elle parut rester un instant en suspens. Dansant toujours le tango, elle remonta le podium sous une salve d'applaudissements et récupéra la cape au moment où Chicago attaquait le tempo rapide de « Take the A Train ». Tinker leva alors les bras et jeta la cape vers les photographes. Elle continua à danser vers l'amas de fleurs jaune pâle et ramassa la cape qu'elle lança vers le haut du podium du même mouvement large. Puis elle pivota et la récupéra encore une fois. Incapable d'échapper à la tyrannie de la mesure qu'on lui avait gravée dans la tête, elle recula. Au moment où elle allait lever ses bras chargés pour la quatrième fois, elle glissa au milieu d'un pas, chancela et tomba lourdement sur les genoux. Elle resta un instant à terre avant de se relever d'un pas incertain pour faire face à l'orchestre.

Clouée sur place, Tinker hurla d'une voix aiguë :

— Merde ! Non mais vous ne pouvez pas jouer un tango, bande de connards ? Qu'est-ce qui vous prend, bordel de merde ?

Chicago continua à jouer. La salle entière se paralysa. Seul Jacques Necker eut l'idée de réagir. Installé au milieu de la salle près du bout du podium, il se leva et gravit les trois marches d'un bond pour s'approcher de Tinker qui, toujours figée les mains sur les hanches, regardait les musiciens d'un air furieux.

— Permettez-moi, ma chère, dit-il en lui ôtant la cape des mains avec le sourire.

Il la prit fermement par la taille et, saluant les photographes d'un signe enjoué, l'entraîna au bas des marches, puis lui fit traverser la moitié de la salle, la guidant entre les tables jusqu'à la sortie qui menait à la salle de réception.

Bras dessus bras dessous au mépris des ordres de Marco, un sourire éclatant aux lèvres, April et Jordan apparurent aussitôt sur le podium. L'attention du public se reporta sur le duo époustouflant des filles qui se balançaient l'une vers l'autre dans leurs robes démesurées et leurs boléros scintillants.

— Reste ici, Frankie ! ordonna Justine. Je pars à la

recherche de Tinker. On ne peut pas s'éclipser tous ensemble. Cette cravate rouge doit en avoir assez vu pour comprendre qu'il doit la garder à l'œil.

Faisant discrètement le tour de la salle par le fond, Justine réussit à sortir sans se faire remarquer. La salle de réception était vide. D'un côté, elle donnait sur le salon de beauté bondé de mannequins et d'habilleuses, de l'autre, sur le vestiaire. Justine passa la tête par la porte du salon. Rien dans le calme discipliné, le silence des coulisses ne tendait à prouver que Tinker s'y trouvât. Elle s'éloigna et, passant inaperçue, se dirigea vers le vestiaire.

Justine entendit alors Tinker demander d'une voix plaintive :

— Pourquoi m'avez-vous arrêtée, Mr. Necker?

Necker? Justine se figea, incapable de faire un pas de plus.

— Je me débrouillais si bien, j'ai juste perdu l'équilibre un instant, poursuivit Tinker. Pourquoi m'avez-vous obligée à quitter le podium? Les gens m'aimaient bien, non? La Déesse faisait son effet, non? Je me débrouillais si bien, ce n'est pas juste...

— La Déesse?

— Le cocktail que Marco... oh, j'ai oublié, c'est un secret. Pourquoi, mais pourquoi m'avez-vous arrêtée?

— Vous vous épuisiez à montrer la cape... je m'inquiétais pour vous, c'est tout. Vous étiez merveilleuse, Tinker, ravissante, à chaque seconde, les journalistes vous ont adorée, tout le monde vous a adorée. Vous vous réchauffez avec la cape sur vous? Tout va bien, Tinker. Oui, pleurez, pleurez tout votre saoul, ma pauvre enfant. Je comprends, vous êtes déçue. La journée a été longue, tout ira bien maintenant.

— Je veux Justine, dit Tinker dans un sanglot. Je la veux!

— Moi aussi, moi aussi, Tinker. Que Dieu me vienne en aide, lui fit écho Jacques Necker d'une voix marquée par le chagrin.

— J'ai besoin d'elle, Mr. Necker, je veux la voir.

— Je vais l'envoyer chercher dès que je le pourrai, Tinker. Il faut d'abord que vous retourniez en cabine.

— Pourquoi ne peut-elle venir ici où on est au calme? demanda Tinker qui pleurait toujours comme une enfant.

— Je vous en prie, Tinker, je vais vous aider à vous lever.

— Non! Je ne veux pas, tout le monde va se moquer de moi. J'ai besoin de Justine.

— Je sais, Tinker, je sais. Je vous en prie, levez-vous, laissez-moi vous ramener...

S'efforçant d'approcher malgré ses jambes tremblantes, Justine lança :

— Je suis là, Tinker, je suis là.

— Oh, Justine ! sanglota Tinker. Serre-moi fort !

S'affaissant sur le long banc où étaient assis Necker et Tinker, Justine la prit dans ses bras. Elle se nicha au creux de son épaule et s'abandonna à sa détresse en un torrent de larmes.

Par-dessus sa tête, le regard de Justine croisa celui de Jacques Necker qui n'eut pas le temps de se détourner. Elle vit qu'il brûlait d'un désir intense, ce regard qui ressemblait tant à celui qu'elle voyait dans la glace depuis toujours.

Pendant un long moment, tous trois restèrent sans bouger sur le banc des vestiaires de l'institut de beauté du Ritz, la jeune fille qui pleurait et les deux silhouettes silencieuses du père et de la fille. Quand Justine prit la parole, sa voix parut hésitante. Les mêmes yeux, la même expression, la même plantation des cheveux, la même couleur, jusqu'à la symétrie des traits... Si on les voyait ensemble, on ne pouvait s'y tromper...

— Je n'avais pas compris... Je vous avais pris pour une cravate rouge, déclara-t-elle. Merci d'avoir réagi si vite.

— Non, non ! Ne me remerciez pas, je ne savais pas qu'elle était dans cet état... comme vous le voyez, dit-il en regardant Tinker. Tout, tout est de ma faute, jusqu'à cette pauvre fille... le prix, le concours, tout ! Jamais je n'aurais dû... vous forcer à venir à Paris sous prétexte du concours. C'était injuste, injuste et impardonnable. Mais quand vous m'avez renvoyé toutes mes lettres cachetées, j'ai perdu le sens des valeurs. J'étais prêt à tout, il fallait que je vous voie, en tête-à-tête. J'avais l'impression que sans cela ma vie ne valait plus la peine d'être vécue.

— Pourquoi ? Pourquoi aviez-vous besoin de me voir après tout ce temps ?

Justine garda un regard impassible, un ton imperturbable. Elle tenta en vain d'oublier les mots qu'elle l'avait entendu dire à Tinker quelques instants plus tôt, des mots qui exprimaient un tel désir, un tel chagrin, qu'elle en était bouleversée malgré elle.

— Vous êtes mon enfant. J'ignorais votre existence... mais une fois que j'en ai eu connaissance...

— Où étiez-vous quand je suis née ?

Il fallait qu'elle le lui demandât. Elle le devait à sa mère, malgré les recommandations d'Aiden.

— Le plus loin possible de votre mère. J'étais un ignoble lâche, veule, poltron. Je n'ai aucune excuse. C'est impardonnable, inadmissible. On ne peut rien y changer.

— Pourtant, vous vouliez me voir. Pourquoi ? Pour me dire ce que je savais déjà ?

— J'espérais...

— Quoi donc ?

— Je n'ai pas le droit d'espérer quoi que ce soit. Malgré tout, j'avoue que j'avais de l'espoir... aussi bête, aussi immérité que ce fût, j'avais la faiblesse d'espérer... Espérer que j'aurais peut-être la chance de vous connaître, de savoir si vous étiez heureuse, d'établir un contact entre nous...

Incapable de trouver les mots justes, Necker secoua la tête.

— Je voulais vous donner... que pourrais-je vous donner ? Vous donner tout, vous rendre heureuse si vous ne l'étiez pas, savoir... vous connaître, comme deux êtres humains, découvrir l'histoire de votre vie, vous demander si votre méfiance à l'égard des hommes était due à moi, vous dire que la plupart ne sont pas aussi moches que je l'étais, que vous ne deviez pas les juger en fonction de moi, que...

— Jouer les pères, le coupa Justine.

— Oui, exactement ! Jouer les pères. C'était une idée insensée. Pourtant, c'était bel et bien cela. Je l'avoue, jouer les pères, avoir une fille, être un père pour ma fille... vous n'imaginez pas à quel point je le veux, je m'y accroche, j'en rêve... encore aujourd'hui. Hélas, j'ai enfin compris. Je suis revenu à la raison. Si vous ne voulez pas de moi, cela vous regarde. Je respecterai votre décision, Justine, je ne vous ennuierai plus.

— La décision m'appartient encore ?

— Vous en doutez ?

— Non... mais... c'est trop tard.

— Je ne comprends pas.

— Je veux... je veux jouer les filles, murmura Justine d'une voix presque inaudible. Ne me demandez pas pourquoi. Je le veux, c'est tout.

— Justine...

— Je vous ai dit de ne pas me demander d'explications, insista Justine.

Elle fit la grimace pour réprimer ses larmes.

— Je ne vous demande rien, strictement rien, assura Necker.

Il s'efforça à tout prix de garder son sang-froid.

— Le défilé va finir et je dois annoncer le nom de la future image Lombardi, poursuivit-il.

— Vous ? Ce n'est pas Marco ?

— Jamais de la vie ! riposta Necker avec mépris.

— Ah bon ?

— Jordan et April. Toutes les deux. Ça vous va ?

— Avec le même tarif pour chacune ? lança Justine en riant.

— Naturellement.

— Vous allez faire date.

— Non, ce sont elles qui feront date.

— Pauvre Tinker.

Justine contempla la jeune fille qui s'était endormie.

— J'ai entendu ce qu'elle dit sur la Déesse... ce monstre l'a droguée, c'est la seule explication. Elle n'a jamais été faite pour défiler. Je m'en veux de l'avoir fait venir à Paris... Je ne pouvais l'en empêcher, mais j'aurais dû être là pour m'occuper d'elle... j'avais peur de vous...

— Arrêtez, Justine, arrêtez ça tout de suite, ordonna Necker. On ne peut réécrire l'histoire. Bon, restez ici avec Tinker. Je vais vous envoyer Frankie en renfort, faire l'annonce et revenir dès que possible. D'accord ?

— Vous êtes un vrai gendarme ! l'accusa Justine.

— Vous avez une meilleure idée ?

— A vrai dire... non.

— Alors ?

— Ce n'était pas une critique, mais une constatation. Franchement, vous ne croyez pas que vous avez mieux à faire que de rester ici à discuter, Jacques ?... A moins que vous ne vouliez que je vous appelle autrement. Écoutez, ils applaudissent. La mariée doit être passée, ils l'acclament, c'est une véritable ovation... je vous en prie... dépêchez-vous !

Des larmes coulant sur ses joues, Jacques Necker se leva et saisit Justine qu'il serra dans ses bras.

— Comme ça, tu trouves que je suis un vrai gendarme, ma fille ? Alors, appelle-moi *papa**. Pour une fois, je veux avoir le dernier mot entre nous. Peut-être cela ne se reproduira-t-il plus.

27

— Bonjour, *Monsieur** Lombardi ! Quel triomphe !

La secrétaire de Necker frétillait à l'idée de parler au héros du jour.

— *Monsieur** Necker va vous recevoir dans un instant, dès qu'il aura terminé sa communication. Puis-je me permettre de vous féliciter pour votre réussite ? Tout Paris ne parle que de votre collection ce matin... c'est fantastique !

— Merci, *Madame**, mais la semaine des collections de printemps ne fait que commencer, répondit Marco avec modestie. Les rédacteurs risquent de s'enticher d'autres couturiers. Malgré tout, je suis heureux qu'ils aient aimé ce que j'ai présenté.

— « Aimé » ? Adoré, vous voulez dire ! Ça fait la une de tous les journaux ! Et quelle idée géniale d'avoir choisi les deux filles... il me semblait impossible de dire quelle était la plus belle.

Habitué à faire du charme auprès de n'importe quelle femme qui pouvait s'avérer utile, Marco répliqua :

— Je suis d'accord avec vous. Bien que la beauté ne soit pas tout chez une femme, loin de là, vous ne croyez pas ?

Qu'est-ce qui pouvait bien retenir Necker si longtemps ? Alors que la journée d'hier avait été interminable, on lui avait demandé de passer au bureau avant le déjeuner. Et voilà qu'on le faisait attendre pour un simple coup de téléphone.

Necker devait consulter une dernière fois ses avocats avant de renégocier son contrat. Après le triomphe de la veille, un triomphe équivalent à celui de la première collection de Saint Laurent, il devait comprendre qu'il fallait lui donner une part sur les bénéfices pour que Marco fût content. Il ne voulait sûrement pas avoir un couturier mécontent. Or Marco serait un couturier des plus mécontents, des plus improductifs, si on ne lui accordait pas une belle part de la maison Lombardi. Un pourcentage sur le prêt-à-porter, les accessoires, la licence, le parfum... il était enfin riche. Tous ses efforts allaient être récompensés. Malgré tout, il aurait dû venir avec un avocat. Coco Chanel en personne n'avait jamais réussi à avoir plus de dix pour cent de royalties sur son fameux « Numéro 5 », alors qu'elle s'était battue toute sa vie contre la famille Wertheimer. Il ne signerait rien aujourd'hui, il attendrait d'être sûr d'obtenir les meilleures conditions possibles.

— Entrez, je vous en prie, *Monsieur** Lombardi. Je regrette de vous avoir fait attendre.

Jacques Necker se tenait derrière son bureau quand, réprimant le sourire de la victoire, Marco alla vers lui, la main tendue pour serrer la sienne.

— Non, Lombardi, je ne vous saluerai pas.

— Comment ?

— Je ne saluerai pas un homme qui drogue un mannequin qu'il a déjà poussé à bout en l'accablant de travail.

— De quoi parlez-vous ?

— De Déesse, Lombardi.

Les mots s'abattirent avec la force d'un couteau lancé avec adresse.

— Je sais ce que vous avez donné à Tinker, je sais pourquoi elle s'est conduite ainsi. Ce matin, Miss Loring et moi avons enquêté sur toute cette histoire. On a interrogé les autres mannequins, ainsi que le maquilleur qui a été le dernier à l'approcher après que l'avez emmenée dans une pièce à part. On a appris ce que vous l'avez obligée à faire, la façon écœurante dont vous avez abusé de cette pauvre fille qui vous faisait confiance. Vous mériteriez d'aller en prison.

Sans l'ombre d'une hésitation, Marco joua l'indignation.

— Elle n'a plus toute sa tête. Vous devez être aussi fou pour écouter les divagations d'une névrosée dénuée de talent. Elle a tout inventé, absolument tout, pour se justifier. A peine débarquée à Paris, cette traînée s'est trouvé un petit ami : un Américain. Demandez-le à n'importe qui, tout le monde est au courant. En réalité, elle a toujours eu des visées sur moi. Je n'ai eu que des rapports strictement professionnels avec elle. Aucune des personnes de mon entourage n'a jamais été témoin d'une privauté quelconque... Un maquilleur ! Je vous en prie, ne me faites pas rire. Je vous vois venir, Necker. Ce n'est qu'une excuse pour ne pas donner la part qui me revient sur les bénéfices. Ça ne marchera pas, je vous préviens. Je vaux une fortune à vos yeux, je connais les résultats financiers. C'est tout ce qui compte.

— Vos résultats financiers, aussi rentables soient-ils, ne m'intéressent plus, Lombardi. Ne perdez pas votre temps à mentir, nous ne travaillons plus ensemble. Désormais, vous avez un nouvel employeur. Essayez de le convaincre.

— Un nouvel ?...

— Je lui ai vendu vos services. Un coup de fil à ma vieille amie, Mrs. Peaches Wilcox, m'a suffi pour trouver un acquéreur. Naturellement, je lui ai expliqué la situation dans les moindres détails. Ce à quoi elle a répondu qu'elle savait à quoi s'en tenir sur votre compte. Elle m'avait souvent confié qu'elle souhaitait avoir une maison de couture et elle a plus que les moyens d'en commanditer une. Elle a également racheté les contrats de Jordan Dancer et d'April Nyquist. Vous ne pourrez donc rien faire contre elles. A partir d'aujourd'hui, Lombardi, Mrs. Wilcox est votre seul interlocuteur. Votre avenir est entre ses mains. Vous feriez bien de la satisfaire en tous points, jusqu'au moindre de ses caprices. Mrs. Wilcox a toujours eu le goût du pouvoir. Elle se montrera un employeur des plus exigents.

— Non, je m'y refuse !

— Comme vous voudrez. Cela m'est parfaitement égal. Mrs. Wilcox a désormais mainmise sur vous. Elle seule peut décider de la somme à consacrer à votre prochaine collection. Votre liberté d'action dépend d'elle jusqu'au prix du mètre de tissu, jusqu'au dernier bouton de la dernière robe. Vous allez sans doute découvrir qu'elle a un immense talent inexploité de despote. En fait, vous lui appartenez, Lombardi. En tant que couturier, s'entend. Si vous refusez de travailler pour elle, il vous est interdit de par la loi de proposer vos services à une autre maison pendant cinq ans. Mais on n'est plus au temps de l'esclavage. Si vous préférez, vous pouvez toujours vous lancer dans une autre branche. Le maquereautage serait bien dans vos cordes. Mrs. Wilcox vous attend dans sa suite pour déjeuner dans une demi-heure, je vous conseille de vous dépêcher. Elle n'aime pas attendre.

— Frankie, où avait-on la tête ? s'exclama Justine.

Elles déjeunaient ensemble dans leurs appartements.

— On aurait dû s'attendre à une telle publicité, tu ne crois pas ? En dehors de l'ex-Yougoslavie, ce qui ne va sans doute pas tarder, j'ai une foule de demandes des quatre coins de la planète pour interviewer les filles. CNN, Barbara Walters, Diane Sawyer, la BBC, Canal Plus, Télé Luxembourg... et j'en passe ! Et ils les veulent tous pour aujourd'hui ou demain. Les grands magazines pour leur couverture, les principaux quotidiens pour leur édition du dimanche. Quant aux journalistes de mode... n'en parlons pas !

— Et Maude et Mike ont l'exclusivité ! Je suis sûre que Maxi va sortir un numéro spécial de *Zing*, exulta Frankie avec fierté. Ça fait plus de bruit que si les filles avaient remporté l'Oscar... peut-être parce qu'elles sont deux : deux Cendrillons, l'une noire, l'autre blanche, inconnues hier encore, qui vont gagner des fortunes et devenir à coup sûr des personnalités pendant des années. Les gens meurent d'envie de tout savoir sur elles. Ton vieux papa a pris la bonne décision.

— Tu ne l'adores pas, toi ? Sans parler du reste, je suis sûre que tu n'as jamais vu un si bel homme !

— Je le vénère. Je le révère... adorer, ce n'est pas assez. Ce qui n'empêche que pour son âge, Mike est le plus bel homme que j'ai jamais vu.

— Merci de ne pas me traiter d'idiote.

— Je ne trouve pas de mot assez fort. Mais je le cherche.

— Que va-t-on faire, Frankie ? Il nous faut les meilleurs spécialistes en matière de relations publiques, on a besoin de conseils, et il faut retourner au bureau qui va s'écrouler sans nous. Je ne sais pas où donner de la tête.

— Je pourrais peut-être rentrer, se proposa Frankie avec peu d'enthousiasme.

— Comme si tu avais envie de rater tout ça, laisser Mike ici qui va faire toute une nouvelle série de photos d'April et Jordan ensemble... A d'autres !

— Tu pourrais rentrer, toi, suggéra gentiment Frankie.

— Et quitter mon père ! Pas question !

— Et si on rentrait tous ensemble ? dit Frankie, prise d'une soudaine inspiration. Je suis sûre que ton père nous accompagnerait. On s'occuperait des relations publiques à New York, tranquillement. Ce n'est pas parce que les médias nous submergent de demandes qu'on doit y céder, ne l'oublie pas. Jouons serré pour se donner le choix. On n'a pas l'intention d'épuiser April et Jordan. Ce boulot est une véritable saloperie, même si ça compte énormément. Les photos de Mike ont la priorité, ne l'oublie pas non plus. Or il peut les faire à New

York. De toute façon, ton père a dit qu'il avait hâte de faire la connaissance d'Aiden.

— Tu es géniale !

Agitée, Justine se leva d'un bond.

— Bon, il faut s'organiser. Commencer à passer des coups de fil.

— Justine, calme-toi, l'exhorta Frankie. Il suffit de l'annoncer à ton père. Le concierge s'occupera des billets.

— A séjourner si longtemps dans un hôtel de luxe, vous avez pris de mauvaises habitudes, Miss Severino.

— Je rêve de partir d'ici. Assez, c'est assez.

— Tu as envie de retrouver Brooklyn, hein ?

— De retrouver la vraie vie.

— Et Tinker ? demanda Justine avec anxiété.

— Mon Dieu, je l'avais oubliée... que va-t-elle faire ? Rester à Paris avec Tom ou rentrer à New York gagner des fortunes dans la pub ?... Le dernier fax qui est arrivé du bureau disait que toutes les agences de pub et tous les magazines de mode la réclament.

— Tinker devra en décider seule. Je ne peux la conseiller sur sa vie amoureuse... je ne suis pas experte en la matière !

En début de soirée, Jordan s'assit à une table tranquille au bar du Ritz. Trop préoccupée pour remarquer que la majeure partie des clients, qui l'avaient reconnue dans la pièce aux lumières ambrées, jetaient des coups d'œil vers elle, cédant à la curiosité et à l'admiration bien que discrètement.

Elle était en avance à son rendez-vous. Elle toucha à peine à son verre de vin blanc, se répétant que la vraie humiliation serait de garder le silence, de ne pas avoir le courage de révéler ce qu'elle avait découvert sur son compte. Elle risquait de regretter cette décision pendant des années, songea-t-elle, inclinant le menton d'un air résolu. D'un autre côté, si elle ne disait rien, elle le regretterait toute sa vie. C'était sûr et certain. Elle n'en mourrait pas de se sentir humiliée !

— Je ne suis pas en retard, j'espère ? demanda Jacques Necker qui s'installa auprès d'elle.

— Non, j'étais en avance.

Elle se tourna vers lui. La beauté de son profil éclaira le cœur des privilégiés qui en profitèrent.

— Jordan, je sais pourquoi vous vouliez me voir en tête-à-tête.

— Ah bon?

Surprise, elle leva les sourcils. Ce faisant, l'arête de son nez se plissa d'une façon exquise bien qu'elle gardât les lèvres serrées.

— Oui, et je me refuse, je me refuse catégoriquement à écouter cela. Je ne veux pas en entendre un mot. Vous n'avez aucune raison de me remercier. Quoi que vous en pensiez, je ne vous ai pas choisie à cause de votre couleur de peau ni...

— Je le sais, Jacques. J'ai gagné à la loyale, comme April. On est beaucoup mieux ensemble que séparées... nettement plus intéressantes, même si on pouvait le faire seules.

— Je le sais, tout le monde le sait. Mais alors?...

— Pour quelle raison voulais-je vous voir en tête-à-tête?

— Vous n'avez pas l'intention de me dire au revoir puisqu'on part tous ensemble à New York demain. Alors...

— Jacques, j'ai besoin de votre avis, dit Jordan, l'air grave. Jamais je ne vous l'aurais demandé si vous ne vous étiez enfin réconcilié avec Justine. Vous n'étiez pas en état de m'écouter ni de me conseiller tant que vous ne vous étiez pas retrouvés, votre fille et vous. Maintenant...

Sa volonté faiblissant, elle ne finit pas sa phrase.

— Jordan, vous savez bien que vous pouvez tout me demander.

Même s'il l'avait trouvée très belle jusqu'à présent, Necker pensa que son expression, ce courage aveuglant doublé d'une grande timidité, l'émouvait plus que tous ses sourires.

— Jordan! On a eu tant de longues conversations ensemble. En deux semaines, on a parlé de tant de choses dont je n'ai jamais touché mot à personne. Vous ne comprenez donc pas que vous êtes devenue mon amie? Ma seule amie, en fait. Je n'ai jamais eu le temps d'avoir des amis, que ce soit des hommes ou des femmes. Allons, n'oubliez pas que je ne vous ai jamais laissée mourir de faim, ajouta Necker.

Il cherchait à apaiser la tension qu'il sentait en elle.

— C'est bien la preuve que vous pouvez avoir confiance en moi, non? M'avez-vous caché quelques ennuis à cause de mes préoccupations? Vous auriez dû m'en parler. Vous ne devez rien me cacher, sous aucun prétexte.

— Ce ne sont pas... des ennuis au sens propre du terme. Plutôt un problème.

— Avec un homme? demanda-t-il, son visage se durcissant.

— Oui. Un homme qui a l'âge d'être mon père.

— Que vous a-t-il fait? S'il vous a fait quoi que ce soit, il ne s'en sortira pas comme ça!

— Jacques, ne parlez pas si fort, on pourrait vous entendre, protesta Jordan.

— Je m'en fiche, si un vieux salaud vous a fait du mal

— Il n'est pas vieux, ce n'est pas un salaud. Il ne m'a pas fait de mal, pas encore en tout cas, mais peut-être cela risque-t-il d'arriver, c'est même presque sûr...

Son courage l'abandonnant de nouveau, elle se tut.

— Je vous en prie, Jordan, vous me rendez fou avec tous ces mystères! Dites-le une fois pour toutes!

Serrant le pied du verre des deux mains, elle plongea les yeux dedans.

— Je suis tombée amoureuse de vous.

Jordan parla d'un ton égal comme elle s'y était exercée pendant des jours, s'efforçant de paraître tout sauf hésitante pour ne pas se couvrir de honte, ni l'inquiéter.

Après un lourd silence, Necker dit d'une voix parfaitement atone :

— C'est impossible.

Décidée à paraître raisonnable coûte que coûte, Jordan répliqua :

— Vous croyez que je dirais une chose pareille si je n'en étais pas convaincue? Ce n'était pas mon intention, croyez-moi. Mais je n'ai rien pu y faire. Il fallait que je vous le dise avant de partir à New York. Une fois que les interviews et les photos auront commencé, je n'aurai pas une minute à vous consacrer.

Apparemment aussi sûr de son droit qu'un juge prononçant son verdict, Necker déclara :

— Vous ne pouvez pas être amoureuse de moi.

— Vous êtes un imbécile, Jacques Necker, un véritable imbécile! s'écria Jordan.

Son sang-froid se perdit en un bouillant murmure et, son calme forcé faiblissant, elle secoua ses bouclettes.

— Vous voulez que mon amour soit certifié devant notaire, avec votre prudence de Suisse? Un saint n'aurait pas passé des heures à vous écouter raconter vos infamies s'il n'était tombé amoureux de vous, espèce d'idiot! Vous ne comprenez rien aux femmes. Rien de rien!

— Je crains que ce ne soit une évidence, répliqua sèchement Necker.

Il ne s'est pas défilé, c'est toujours ça, songea Jordan qui poursuivit :

— Vous m'avez questionnée sur ma vie comme personne et cela vous intéressait, ça se voyait. Vous m'avez écoutée parce que vous vous préoccupiez de moi. Du moins ai-je eu la bêtise de le croire. Vous avez trouvé des prétextes pour m'inviter. Ce n'était pas seulement pour enrichir ma culture sur les arts décoratifs, on le savait aussi bien l'un que l'autre. Et cette semaine, on a dîné ensemble presque tous les soirs. Comment osez-vous prétendre que c'était juste pour parler de Justine ?

— Non. Je l'avoue... ce n'était sans doute pas... la seule raison... peut-être... appréciais-je votre compagnie, marmonna-t-il, de bois.

— Pendant tout ce temps, j'étais de plus en plus amoureuse de vous. Et vous, vous faites comme si vous n'aviez rien remarqué. Rien du tout ! Pas étonnant que vous n'ayez pas d'amis. Vous n'avez même pas essayé de m'embrasser ! Ça, je ne vous le pardonnerai jamais, jamais !

— Mais enfin, Jordan ! Je n'ai pas osé, vous êtes si jeune ! s'exclama Necker qui perdit son calme. J'en reste sans voix. Vous me grisez ! Vous êtes divine. Chaque minute auprès de vous est une fête ! Vous êtes la femme la plus ravissante, la plus fascinante, la plus originale que je connaisse, mais vous êtes si bigrement jeune. Vous imaginez pour qui je serais passé si j'avais essayé de vous embrasser dans le cadre du concours alors que je devais choisir la gagnante ?

— Alors, vous y pensiez ?

— Sans arrêt. Même quand je vous racontais quel salaud j'étais, j'avais cette idée derrière la tête, ce qui compliquait encore les choses ! Vous vous en rendez compte ? Oui, j'avais envie de parler de Justine mais aussi de moi, de vous, de... tout...

— Quelle effronterie ! s'exclama Jordan qui sourit. Quelle impudence ! Mais le concours est fini. Et vous n'êtes plus un salaud, sauf à titre rétroactif.

— Non, Jordan, c'est impossible, tout aussi impossible aujourd'hui qu'hier.

— Comment cela ?... Puisque je vous grise ? riposta-t-elle en redressant fièrement sa superbe tête.

— Parce que... Enfin, Jordan, ne comprenez-vous pas que j'ai cinquante-cinq ans et vous, quel âge avez-vous ? Vingt-deux ans ? Autrement dit, trente-trois ans de moins que moi... trente-trois raisons qui font qu'on ne peut être amoureux.

— Y a-t-il une loi là-dessus ?

— Il devrait y en avoir une ! répliqua Necker qui frappa du

poing sur la table. Ça ne marcherait pas, Jordan, même si c'était merveilleux au début. J'en ai rêvé moi aussi, croyez-le... vous et moi... mais je remets les pieds sur terre. Trop de choses nous séparent, j'ai trop vécu et vous pas assez. Ce fossé entre nous ne ferait que s'agrandir, une fois passée l'émotion des premiers temps.

Surprise d'aimer un homme si peu romantique, elle secoua la tête.

— Ce doit être formidable d'avoir le don de prédire l'avenir. Et de se montrer si pessimiste. Et si l'émotion des premiers temps ne faisait que croître? Si le fossé se réduisait? Ça s'est déjà vu.

— Je m'efforce d'être réaliste, c'est tout. Il faut bien que l'un des deux le soit! Nos espoirs en l'avenir sont si différents. Enfin quoi! J'ai vécu les années les plus importantes de ma vie, je suis installé, j'ai la réputation d'être un ermite accompli! Je me suis habitué à la solitude dans mon travail, mon train-train, mes centres d'intérêt. C'est une existence étriquée, mais je m'en suis contenté. Alors que vous, Jordan! Vous n'êtes qu'au début d'une merveilleuse aventure, le monde entier vous est ouvert, on ne peut savoir jusqu'où vous irez. Pourquoi voudriez-vous vous fixer pour un homme comme moi?

— Je veux bien être pendue si je le sais, maintenant que vous m'avez dit quel vieux salaud vous êtes. Hélas, ça ne change rien.

Avec une moue provocante, Jordan ajouta:

— Dites-moi une chose. Votre petite vie d'ermite vous semble-t-elle si sûre et si confortable quand vous rêvez de celle que vous pourriez avoir avec moi?

— Vivre avec moi sera-t-il assez trépidant et satisfaisant pour vous quand vous comprendrez ce que vous avez laissé passer, ce à quoi vous avez renoncé?

— Vous n'avez pas répondu à ma question.

— Jordan, je n'ai pas droit à vous, un point c'est tout. Je ne peux vous faire l'amour si je ne vous épouse pas.

— Ai-je parlé de mariage? riposta-t-elle, furieuse. Vous l'ai-je proposé sans m'en rendre compte, vient-on d'annoncer l'année des miracles?

— Vous croyez que je pourrais avoir une histoire avec vous sans vous épouser? Vous croyez que je me permettrais de jouer les vieux richards qui s'offrent une jeune et jolie maîtresse? Comment pourrais-je envisager de vous laisser passer pour une fille qui a fait un beau mariage grâce à d'habiles stratèges?

— On croirait entendre Peaches Wilcox ! Vous me rendez malade ! Il s'agit de vous et de moi, pas de deux personnes dont vos amis de la haute société font des gorges chaudes autour d'un déjeuner.

— Ils vous dévoreraient à belles dents. Jamais vous ne pourriez vous libérer des potins, de la jalousie, des bonnes âmes curieuses de savoir si on est encore heureux. Vous seriez toujours suspecte, on vous prendrait pour une fille qui a décroché la timbale. Dans tout Paris, pas une femme ne vous ferait confiance.

— Vous voulez dire que personne ne m'inviterait ?

— Au contraire. Vous seriez très demandée, pour toutes sortes de mauvaises raisons : la curiosité, la malveillance. On vous surveillerait sans arrêt pour voir si vous faites un faux pas.

— J'ai connu ça toute ma vie, l'avez-vous oublié ? J'en fais mon affaire. Seul l'entourage changerait, l'entourage et la manière. De plus, je crois que j'arriverais bien à me faire une amie de temps en temps. Ce n'est pas pour rien que j'ai grandi dans le cadre de l'armée.

— Vous avez réponse à tout, constata Necker. Et les enfants ?

— Comment ça, les enfants ?

— Vous voudriez en avoir, non ?

— Oui, un jour ou l'autre. Pas autant que Charlie Chaplin et Oona O'Neill, mais quelques-uns.

— Et quelle serait leur vie ?

— La meilleure qu'on puisse leur donner, on n'est jamais sûr de rien. A moins que... l'idée vous soit insupportable.

— Comment le saurais-je ? Il se trouve que mon seul enfant est une femme de trente-quatre ans que je n'avais jamais vue jusqu'à hier.

— Oublions ce problème. Pourquoi s'en inquiéter alors qu'il ne se pose pas tant qu'on n'est pas mariés ? lança-t-elle avec une pointe de triomphe dans la voix.

Combien d'objections allait-il encore soulever avant de comprendre que l'amour était trop exceptionnel pour le laisser passer ?

— Jordan, vous avez une façon de balayer la réalité qui me stupéfie.

— Parce que je n'ai pas abordé le problème racial ?

— Pardon ?

— Le problème racial, répéta-t-elle, implacable.

— Mon Dieu... vos parents... comme si je n'étais pas assez vieux comme ça... en plus, je n'ai pas la bonne couleur de peau.

— C'est ça le problème, selon vous ?

— Comment pourrait-il en être autrement ? demanda-t-il, perplexe.

— Quand ça vous arrange, vous savez négliger la réalité aussi bien que moi. Si vous ne le reconnaissez pas, pour moi il n'y a pas de problème racial. Mes parents apprendront à vous apprécier... avec le temps... du moment que vous ne cherchez pas à appeler mon père « papa ». Je vais vous laisser. Mais promettez-moi une chose, pensez à tout cela. C'est tout ce que je vous demande. Pensez-y ce soir. Dormez dessus. Et n'oubliez pas que vous n'avez pas réussi à dire que vous n'êtes pas amoureux de moi, c'est la seule chose qui compte.

Jordan, qui se leva d'un mouvement fluide, quitta rapidement le bar du Ritz, emportant avec elle toute la magie de la pièce.

28

Comme toujours, je sombrai dans mes rêveries sans queue ni tête presque sitôt après le départ du jet privé 727 de GN à destination de New York.

Ne s'était-il écoulé qu'un peu plus de deux semaines depuis le jour où on avait quitté New York pour la collection de printemps de Lombardi ? Je dus compter sur mes doigts pour m'en convaincre car j'avais l'impression que ce voyage, en grande partie interrompu par les questions de Maude Callender sur les habitudes des mannequins, remontait à une éternité. Dans un autre monde, une autre vie.

En un certain sens, ces quinze jours ressemblaient à un nouvel épisode de *La croisière s'amuse*. Vrai, celui-là. J'ai regardé quelques rediffusions de cette série sur le câble quand je devais choisir entre me distraire avec une idiotie ou broyer du noir à en mourir. Au début, un tas d'inconnus se rencontrent et, à la fin, ils ont tous trouvé chaussure à leur pied. Je crois que la vie n'imite plus l'art mais la télévision, sauf que notre version ne s'est pas déroulée de façon aussi ordonnée que dans mon souvenir.

Arrive-t-il aux personnages de *La Croisière* de débarquer dans un port pour ne jamais remonter à bord ? C'est ce qui était arrivé à Tinker. Elle était venue à l'hôtel la veille nous annoncer qu'elle allait rester à Paris. Peut-être, ce n'est pas sûr mais peut-être les crises provoquées par la drogue sont-elles utiles à certaines personnes, tout comme la thérapie par électrochocs est revenue en usage pour soigner la dépression chronique. Toujours est-il que Déesse, pour reprendre les termes de Tinker, lui a donné l'impression d'être « née hier ».

Plus heureuse et détendue que jamais, Tinker nous a dit qu'elle ne poserait peut-être plus et que si elle le faisait, ce serait uniquement pour le fric, pas pour poursuivre sa quête d'identité.

— J'ai dépassé le stade de me-prouver-qui-je-suis-en-gagnant, affirma-t-elle. Fini les concours. Que ce soit pour gagner l'affection de ma mère, pour savoir défiler, attirer l'attention de Marco ou décrocher le contrat Lombardi, c'est fi-ni. Sans doute imaginez-vous que je dis cela pour sauver les apparences dans la mesure où j'ai perdu. Pourtant, vous devez me croire. Un déclic s'est fait hier, pas seulement dans ma tête. Je me sens déchargée d'un énorme poids, un poids dont je n'étais même pas consciente. Peut-être fallait-il que je m'écroule en public pour y arriver.

— Que vas-tu faire de toi? lui demanda Justine.

— Je vais rester ici, me chercher un studio ou m'installer dans un petit hôtel si je ne trouve rien d'autre. Je suis amoureuse de Tom. De là à vivre avec lui... non. Pour l'instant, c'est fini. Je me suis jetée à corps perdu dans cette histoire parce que j'avais besoin de lui. Je l'adore, mais je ne suis pas prête à me lancer dans la vie de couple. Maintenant que la collection est passée, cela reviendrait à ça. Je ne suis pas venue à Paris pour jouer les femmes au foyer et le regarder peindre. D'ailleurs, je ne crois pas qu'il le voudrait... il a autre chose en tête. D'autre part, sans doute ne l'avez-vous pas remarqué, mais il peut se montrer affreusement possessif. Peut-être cette histoire marchera-t-elle, peut-être pas. Dans l'immédiat, je vais me donner le temps de comprendre ce dont j'ai besoin et non pas ce que les autres attendent de moi. Y compris Tom... tout particulièrement Tom.

Il y avait dans le regard brillant de Tinker une intensité rare chez une fille de dix-huit ans.

— Je dispose de cent mille dollars, moins votre commission, grâce au défilé que j'ai fait... ou plutôt que je n'ai pas fait. Vue la façon dont je compte vivre, ça me durera un bon bout de temps... des années, si je le veux. Je vais lire, voir des expositions, explorer Paris, apprendre le français... je n'en sais rien! Il y a tant de choses à faire. Presque tout. Je suis impatiente de me découvrir sous un nouvel angle maintenant que ma beauté n'importe plus à personne, pas même à moi.

Justine et moi échangeâmes un coup d'œil, décidant qu'il ne fallait pas dire à Tinker qu'on la réclamait à cor et à cri à New York. Ça aurait été une erreur.

Justine se contenta de préciser :

— N'oublie pas que si tu t'embêtes, si tu ne sais pas quoi

faire de toi ou si tu as besoin d'argent, tu peux toujours décrocher le téléphone pour m'appeler en PCV et je te trouverai du boulot ici. Tu n'as pas à prendre de décision définitive sur un engagement de longue durée. Tu es encore si jeune. Peut-être voudras-tu aller à l'université. Qui sait? Tu as l'embarras du choix.

— C'est la raison pour laquelle je compte ne rien faire, répliqua Tinker.

Elle nous décocha ce sourire qui nous avait fait délirer sur ses potentialités. Je remarquai soudain que son visage avait perdu son côté caméléon. Ce n'était plus cette toile blanche prête à peindre, comme lorsqu'elle avait quitté New York.

Quelle que soit la vraie Tinker Osborn, elle avait une véritable personnalité, une personnalité qu'il serait intéressant de suivre quand elle se développerait.

On avait donc perdu Tinker, pour l'instant du moins. En revanche, on avait toujours April. Elle avait quitté New York dans la peau d'une princesse glaciale au charme sous-estimé et elle rentrait triomphante, se glorifiant du look le plus frais, le plus original du monde de la mode, un look au regard duquel toutes les blondes, jusqu'à Elle, Claudia et Karen toujours accrochées à leurs longues crinières, n'étaient que des versions démodées. Bien sûr, les hommes seraient toujours fous des grandes blondes d'une beauté fabuleuse, copies conformes, glorieuses amazones avec des cheveux qui leur arrivaient aux fesses. Avec ce côté sauvage qu'elle s'était créé, April intriguerait, fascinerait les hommes comme les femmes.

Je suis prête à parier que ses métamorphoses sont loin d'être finies. Ce n'est que la première des nouvelles têtes d'April Nyquist. On va assister à un changement après l'autre dans le visage, l'attitude, l'interprétation de la sexualité qu'elle présentera au monde. Pourtant, elle va échapper au fétichisme glacé de la caméra à cause du classicisme implacable de ses traits. Elle ne risque pas de déraper ni de se faire avoir. Comment je le sais ? Mystère... Comme le résumait un jour un grand esprit en parlant d'Hollywood : « Personne ne sait rien. » Mais à la regarder, j'ai une confiance absolue en son avenir et j'ai appris à me fier à mes impressions plus qu'à des raisonnements logiques. Vous vous rappelez le temps où je croyais que je ne supportais pas Mike?

Point n'était besoin de perspicacité pour juger l'avenir d'April avec Maude. Gloussant, April était plongée dans une conversation en aparté avec une jolie brune, une petite Française d'une sensualité incroyable répondant au nom de Kitten qu'elle avait dénichée après le défilé de Lombardi. Elle profitait de l'occasion pour l'amener à New York où Kitten avait un rendez-vous avec le numéro un d'une grande agence de mannequins. Personne n'avait posé de questions. Assise toute seule le plus loin possible, Maude travaillait sur son ordinateur. Personnellement, j'aurais préféré prendre un avion de ligne que de m'infliger ce châtiment. Même si ça devait arriver, je le regrettais pour elle. Malgré tout... si vite ?

Je contemplais l'aménagement du jet avec émerveillement. Jamais je n'aurais cru que quelqu'un savait dessiner un siège d'avion. Nos somptueux fauteuils pivotants, qui tenaient de la causeuse et du fauteuil capitonné, donnaient un nouveau sens au confort. Je prenais un tel plaisir à rêvasser que je dus faire un effort pour ne pas m'abandonner au sommeil, comme Jordan qui s'était endormie sitôt après le décollage. Ce qui ne m'étonnait pas, après la soirée d'hier.

Jordan avait gardé le silence tandis qu'on faisait nos bagages après un dernier dîner au Relais Plaza où on s'était amusé à voir Peaches Wilcox bardée de bijoux qui avait l'air régénéré comme un vampire après un festin de choix. Éblouissante, elle régnait sur trois grandes tables d'invités, la fine fleur du petit clan américain de la haute société qui a les moyens de s'habiller chez les grands couturiers. A ses pieds, buvant ses paroles, Marco, dont Justine avait appris le nouveau statut par son père, était resté collé à elle pendant tout le dîner. Il ne lui manquait que les menottes et les fers qu'elle avait dû laisser dans sa suite.

Si vous voulez mon avis, elle a des goûts plus que bizarres en matière d'hommes. Mais si ça doit faire de la vie de Marco un enfer, je n'ai rien contre. Je n'ai pas oublié le venin qu'elle m'a craché au visage quand elle m'a parlé de Mike. Maintenant qu'elle va le réserver à Marco, je peux jouer les grands seigneurs. J'ai l'impression que ce couple va durer quelque temps, jusqu'à ce que Peaches s'en lasse. Il a intérêt à ne pas perdre un seul de ses cheveux de prince Renaissance, intérêt à ne pas grossir, intérêt à ne jamais être désagréable, ni à se faire démolir pour l'une de ses collections. Et surtout, vue mon intuition sur notre Peaches, il a intérêt à être toujours prêt et efficace dès qu'elle claquera son doigt autoritaire, scintillant de diamants. Hélas, je n'ai jamais entendu dire qu'un homme pouvait bander ce muscle sur commande.

Mais revenons à Jordan. Elle n'avait pas participé à la

conversation pendant le repas. Plongée dans le silence, elle était ailleurs. J'avais l'impression qu'elle était très triste de quitter Paris où sa vie avait pris un tel virage. April et elle ne tarderaient pas à revenir pour la collection de prêt-à-porter de Lombardi en mars, mais aucun défilé n'atteindrait le pathos qu'elle venait de vivre.

Jordan, qui avait exactement la même taille et les mêmes mensurations que Tinker, avait dû présenter tous les modèles de celle-ci en plus des siens. Je l'avais sentie si épuisée que j'étais allée dans sa chambre, sans y être conviée, l'aider à faire ses bagages. Elle avait acheté tant d'antiquités qu'elle avait dû envoyer un chasseur lui acheter une valise à la dernière minute.

— Promets-moi que tu vas te coucher tôt, l'exhortai-je. Apparemment, tu as grand besoin de dormir. Tu m'as l'air fiévreux.

— Bien, maman, acquiesça-t-elle. Mais je ne suis pas du tout fatiguée, les idées se bousculent dans ma tête... je parie que je ne vais pas fermer l'œil de la nuit.

Je m'assurai qu'elle fût prête à se coucher avant de la quitter. Je tentai même de la convaincre de boire un verre de lait chaud. Cette fois, Jordan regimba. Elle me flanqua à la porte sans me laisser le temps de la border. Justine rentra ensuite de son dîner avec son père. On se traîna vers nos chambres respectives, puis, épuisées par toutes ces décisions, toutes ces émotions, toute cette agitation, on se prépara à aller au lit.

Quelques heures plus tard, je dormais profondément, au moment où le corps et l'esprit sont enfin au repos, quand la sonnette et des coups frappés à la porte me réveillèrent. L'espace d'un instant, je me demandai où j'étais. Puis je me dis qu'il devait y avoir le feu à l'hôtel. J'enfilai mon peignoir à la hâte et entrouvris à peine la porte, m'attendant à voir le couloir plein de fumée. En réalité, juste devant mes yeux, se débattaient les superbes jambes nues de Jordan, prisonnières d'un bras d'homme.

— Qu'est-ce que c'est que ce cirque ! soufflai-je.

J'ouvris grand la porte et restai bouche bée devant Necker qui tenait Jordan dans ses bras.

— Lâche-moi, espèce de mufle ! s'écria-t-elle, le frappant de ses poings. Pose-moi par terre !

Portant Jordan au salon tel un King Kong blond, il me dit d'une voix égale comme si sa demande était parfaitement naturelle :

— J'avais besoin de témoins.

Vacillant, Justine apparut dans l'embrasure.

— *Papa*?* Que fais-tu ici? lança-t-elle.

Jordan, qui jurait dans sa barbe, se débattait de plus belle pour se libérer de son emprise implacable.

— Deux témoins, c'est parfait. Ça donne un côté officiel à la situation. Jordan et moi allons nous marier.

Faisant appel à toute mon expérience face à des mannequins bons à interner qui se plaignaient et qui piquaient des crises, je dis d'un ton apaisant :

— *Monsieur** Necker, c'est une nouvelle très intéressante, très très intéressante. C'est charmant, le plus charmant qui soit. Mais ne seriez-vous pas mieux installé si vous vous asseyiez pour nous raconter cette affaire lentement, très très lentement dans tous les détails? Peut-être seriez-vous encore mieux installé si vous posiez Jordan pour que je puisse lui donner un pull. Regardez, elle gèle, elle tremble. Vous ne voulez pas qu'elle attrape un rhume, Mr. Necker?

— Je ne gèle pas, je ris, espèce d'imbécile, parvint à maugréer Jordan.

— Tu es d'un grand secours, ripostai-je. Ce n'est pas drôle.

Le regard de Justine allait de l'un à l'autre, interprétant ce qui se lisait sur leur visage.

— Non, ce n'est pas vrai! Mais comment c'est arrivé, qu'est-ce qui s'est passé? C'est impossible! C'est fou... je ne comprends pas... mais... peu importe... bon, je n'en sais rien, ça me semble bien! s'exclama-t-elle enfin.

Elle se jeta sur eux, les embrassant partout comme un chien surexcité.

— *Papa**, tu as un de ces goûts! Jordan, tu vas le rendre très heureux. La vache, j'aurais aimé être là pour suivre cette histoire de près!

— Si tu avais été là, dit Jordan qui reprit son sérieux, il ne se serait rien passé, rien de rien. Merci de ne pas être venue plus tôt, Justine.

Étaient-ils tous devenus fous? Necker relâcha son emprise pour serrer aussi Justine contre lui. Contemplant leur bonheur, j'essayais de comprendre à quoi rimait cette scène de cinglés. Necker et Jordan? Pour de vrai? Il me jeta un coup d'œil et lut mes pensées.

— Frankie, Jordan m'a mis dans l'incapacité de vivre normalement, expliqua-t-il avec un beau sourire d'une étonnante douceur.

Alors là ! Qu'est-ce que vous en dites ? C'était la première fois qu'il ne me donnait pas du Miss Severino, la première fois qu'il me faisait un vrai sourire. Quelqu'un l'avait dégelé, et ce n'était pas Justine.

« M'a mis dans l'incapacité. » Curieuse façon de s'exprimer. Sans doute existe-t-il différentes façons de déclarer sa flamme. A voir le rayonnement de Jordan, je compris que mes talents à percer autrui n'avaient pas marché ce coup-ci. Elle n'était pas épuisée, mais follement amoureuse et malheureuse. Et je ne m'étais doutée de rien, rien du tout, bien que je les aie vus partir toute la semaine pour leurs soi-disant excursions culturelles. Étaient-ils allés à l'Abbaye, eux aussi ? Peut-être. Toutefois, quelque chose me dit que ce n'était pas la même que celle où nous étions allés, Mike et moi, tous les après-midi. Necker était trop correct, tout comme Jordan avec son côté sophistiqué.

Voilà donc nos héros de *La croisière s'amuse* au complet. Jacques, comme il veut que je l'appelle désormais, et Jordan qui lui tenait la main en dormant. Maude qui se languit d'un amour sans retour. April, Kitten, celle qui prendra sa place et toutes celles qui suivront dans les années à venir, c'est à parier. Tinker, qui avait déserté le navire. Sans oublier Justine et Aiden, l'entrepreneur qui reste à voir de près mais qui ne risque pas d'avoir la moitié du... franchement, accordez-le-moi, il n'y a aucune chance qu'il ait la moitié du charme divin de Mike qui est dans le cockpit à montrer au commandant de bord l'art et la manière de piloter.

Gabrielle d'Angelle était la seule personne à qui Necker avait demandé de nous accompagner à l'aéroport. Il lui avait annoncé son mariage prochain, nouvelle qui aurait dû provoquer une réaction plus frappante que des félicitations teintées de surprise. Tandis qu'il lui donnait une liste de choses à surveiller durant son voyage à New York, Gabrielle semblait préparer sa réponse à une question qui la contrariait depuis longtemps. Cependant, quand Jacques lui dit presque en passant qu'il la nommait vice-président exécutif du Groupe Necker, de joie elle fondit en larmes et sanglota pendant dix minutes. Une vraie madeleine. Gabrielle doit être la femme la plus ambitieuse et la moins romantique que j'ai rencontrée depuis des années que je travaille dans un monde de femmes. Comme quoi, on ne peut pas faire de généralités, pas même sur les Français. Vous ne croyez pas ?

Parmi toutes ces nouvelles idylles, vous remarquerez au passage que je suis la seule qui soit fiancée à son grand amour perdu depuis si longtemps. Pour moi, pas question d'une historiette ! Et la seule qui ait une bague de fiançailles.

Hier, entre deux séances de photos avec les filles, Mike a trouvé le temps de faire un saut chez Van Cleef où il m'a acheté une bague d'une taille gênante quand on a tendance à se sentir gênée par les biens de ce monde. Ce qui n'est pas mon cas, ai-je découvert à ma grande stupeur. Ce doit être lié au fait que j'ai appris à porter du Donna Karan.

Justine veut donner notre réception de mariage chez elle. Moi, je veux le faire chez Big Ed, car elle aura assez à faire à s'occuper du sien. Sans parler du genre de cérémonie que comptent organiser Jacques et Jordan une fois qu'il aura fait la connaissance de ses parents. Ciel ! Sans les mariages, où en serait l'économie américaine ?

J'attends un autre événement avec une impatience presque plus fébrile : la dixième réunion des anciens élèves du lycée Abraham Lincoln ce printemps. Il y a deux semaines, j'avais l'intention de me défiler. Sur mes neuf cents condisciples, on pouvait être sûr que tous ou presque viendraient accompagnés de leur conjoint ou d'un ami de poids pour l'occasion. Or je ne connaissais personne que j'aie envie d'y amener.

Mais quand je vais débarquer avec Mike Aaron, la vedette légendaire et inoubliable, et qu'ils vont découvrir que je suis Mrs. Mike Aaron... *Caramba !*

Traitez-moi de crâneuse, de prétentieuse, de frimeuse, si vous le voulez. Mais comment résister à la chance de montrer à tous mes camarades, qui me trouvaient trop maigrichonne pour avoir belle allure dans un justaucorps et un collant de danse, qu'une gosse avec un gros nez qui s'entortillait les cheveux en un chignon et dont les grands pieds étaient la carte maîtresse, que Frankie Severino en était arrivée à accepter, avec grâce, dignité et passion, le cœur et la main de l'éternel prince de Brooklyn ?

Impression réalisée sur CAMERON par
BRODARD ET TAUPIN
La Flèche
en septembre 1996

Imprimé en France
Dépôt légal : septembre 1996
N° d'édition : 96162 – N° d'impression : 6661Q-5